D0971126

PC : configuration et optimisation

Alan R. Neibauer

MODE D'EMPLOI

PC : configuration et optimisation

SYBEX

Paris • San Francisco • Düsseldorf • Londres • Amsterdam

Traduction : Nel Saumont

Copyright (c) 1992 Sybex Inc

Copyright (c) 1992 Sybex

ISBN 2-7361-1020-X
(version originale 0-89588-702-9)

ISSN 0991-5834

SOMMAIRE

INTRODUCTION

Ce livre destiné à tous les possesseurs d'un ordinateur de type IBM-PC ou compatible, leur permettra de connaître les différents éléments qui le constituent, ils apprendront, en outre, à installer de nouveaux périphériques, à diagnostiquer des pannes éventuelles, à optimiser leur système afin de le rendre plus performant, etc.

CONTENU DE L'OUVRAGE

Dans le Chapitre 1, "De quel matériel disposez-vous ?" vous apprendrez à identifier les différentes touches du clavier ainsi que leur rôle. Vous verrez également comment utiliser les lecteurs de disquettes et les disque durs, les moniteurs, la souris et comment connecter une imprimante.

Dans le Chapitre 2, "Apprenez à connaître votre PC", vous ferez un tour d'horizon du système et apprendrez les manipulations de base.

Le Chapitre 3, "Découverte du DOS", traite du système d'exploitation du disque (MS-DOS) et montre son interaction avec l'ordinateur.

Dans le Chapitre 4, "Personnalisation de votre ordinateur", vous apprendrez à configurer votre ordinateur en fonction de vos besoins.

Le Chapitre 5, "Apprivoisez votre disque dur", traite en détail de la gestion d'une disque dur.

Le Chapitre 6, "Gestion des disques souples", décrit l'utilisation des lecteurs de disquettes et les précautions élémentaires qu'il faut prendre lorsqu'on les utilise.

Dans le Chapitre 7, "Diagnostic et résolution de problèmes", vous apprendrez à faire un diagnostic lorsqu'un problème matériel ou logiciel survient.

Le Chapitre 8, "Travail avec l'imprimante", décrit comment on paramètre et on connecte l'imprimante en fonction de son type et de ses besoins propres.

Le Chapitre 9, "Les moniteurs", donne des détails sur les différents standards existants.

Le Chapitre 10, "La communication avec votre PC", montre comment l'utilisateur interagit avec le système informatique.

Dans le Chapitre 11, "La communication avec le monde", vous apprendrez à utiliser un modem et à vous connecter à des serveurs informatiques.

Dans le Chapitre 12, "Ajout et utilisation de la mémoire", vous apprendrez à reconnaître les différents types de mémoire et verrez comment installer de la mémoire supplémentaire dans votre ordinateur.

Dans le Chapitre 13, "Ajout de lecteurs de disques", vous apprendrez à monter et à connecter de nouveaux lecteurs de disques dans votre système.

Dans le Chapitre 14, "Optimisation de votre ordinateur", vous verrez comment améliorer les performances de votre ordinateur en ajoutant un coprocesseur arithmétique, comment en augmenter la vitesse à l'aide d'un cache mémoire, etc.

Dans le Chapitre 15, "Planification de la valorisation de votre ordinateur", vous verrez les différents éléments qui permettront à votre PC d'évoluer avec le temps en fonction de vos besoins.

1

faites connaissance avec votre système

1
DE QUEL MATÉRIEL DISPOSEZ-VOUS ?

L'achat d'un ordinateur d'occasion est comme celui d'une voiture d'occasion. Cela représente un engagement à long terme ; le découvrir, s'y habituer et le personnaliser selon vos goûts et vos besoins. Par conséquent, avant d'investir du temps et de l'énergie dans un travail d'importance avec votre ordinateur, vérifiez que vous savez exactement avec quoi vous allez travailler.

Dans ce chapitre, nous allons faire le tour de votre nouvelle acquisition et, quand cela sera nécessaire, brancher ses câbles d'alimentation et de connexion. Vous pouvez apprendre beaucoup de choses sans même mettre votre système sous tension. Cet examen externe de votre système est particulièrement important si vous n'avez aucun des manuels originaux, guides ou autre littérature, qui sont livrés avec le système ou ses composants.

Commençons par le clavier.

INTRODUCTION AU CLAVIER DU PC

Les claviers présentés dans les Figures 1.1 et 1.2, appelés claviers 84 touches, sont ceux qui étaient utilisés avec les ordinateurs originaux IBM PC et PC/XT ainsi que IBM

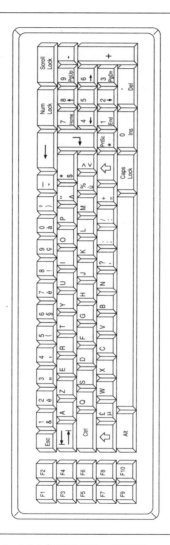

Figure 1.1 : Clavier initial IBM PC et PC/XT.

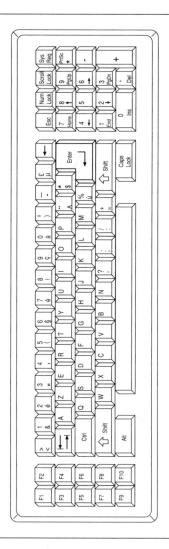

Figure 1.2 : Clavier initial IBM PC/AT.

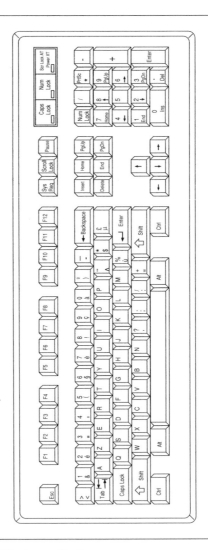

Figure 1.3 : Clavier amélioré.

PC/AT ; le clavier de la Figure 1.3 est le clavier amélioré 101 touches employé sur les ordinateurs de classe AT plus récents.

Votre clavier peut différer légèrement de ceux de ces figures. Par exemple, les claviers des Figures 1.1 et 1.2 montrent les touches Verr Num et Défil placées au-dessus du pavé numérique et la touche Verr Maj à sa gauche, près de la touche 0 (zéro). Dans la Figure 1.3, les touches sont positionnées différemment et chacune d'elles porte un voyant qui indique son état, activée ou désactivée.

Votre clavier doit correspondre à votre ordinateur : un clavier XT ne fonctionne pas avec un ordinateur AT ; un clavier amélioré n'est pas compatible avec un ordinateur XT. Bien qu'ils se ressemblent, les deux claviers 84 touches ne sont pas interchangeables. Si vous avez un clavier 84 touches, cherchez dans l'angle supérieur droit une touche appelée SYS REQ. Vous ne la trouverez que sur les claviers conçus pour les machines de la classe AT.

Il existe cependant quelques claviers qui peuvent être utilisés soit sur les ordinateurs AT, soit sur les ordinateurs XT. Ils comportent un commutateur, généralement caché sous la face arrière du clavier ou quelque part sur le clavier, qui vous permet d'alterner entre les deux possibilités (voir la Figure 1.4).

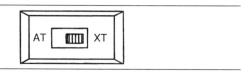

Figure 1.4 : Interrupteur de clavier permettant de sélectionner un fonctionnement XT ou AT.

Si vous connaissez le type de l'ordinateur que vous utilisez et si vous avez un clavier interchangeable, vérifiez que le commutateur est correctement positionné.

Les touches fonction

Votre clavier comporte 10 ou 12 *touches fonction* portant les noms F1 à F10 ou F12. Certaines des touches fonction ont été programmées pour exécuter des tâches particulières au niveau du DOS (système d'exploitation du disque) ; la touche F3 répète par exemple la dernière commande DOS. De plus, les *programmes d'application* comme les traitements de texte et les tableurs utilisent ces touches pour leur usage personnel. La plupart des programmes d'application qui font appel aux touches fonction se servent seulement des touches F1 à F10 pour rester compatibles avec tous les modèles de clavier.

Nous verrons comment le DOS utilise les touches fonction dans le Chapitre 3 "Découverte du DOS". Pour connaître l'emploi des touches fonction par une application, consultez le manuel du programme ou un ouvrage spécialisé.

Les touches de saisie

La zone la plus importante du clavier, située soit au-dessous, soit à droite des touches fonction, regroupe les touches lettre, les chiffres et les signes de ponctuation nécessaires pour entrer vos commandes DOS et travailler avec vos programmes. Vous les connaissez déjà si vous avez déjà travaillé sur une machine à écrire.

Cette zone du clavier comprend aussi certaines touches spéciales qui n'existent pas sur une machine à écrire. Examinez les touches *Ctrl, Alt, Suppr, Pause* et *Imp écr* ou *Impr écran*. Ce sont des touches importantes que vous utiliserez souvent sur votre ordinateur et qui ne se trouvent pas à la même position sur tous les claviers. Repérez-les dès maintenant pour être prêt quand vous utiliserez votre ordinateur.

Les touches de déplacement du curseur

Les trois configurations clavier proposent sur la droite un pavé combinant les touches numériques et les touches de déplacement. Ce pavé est contrôlé par la touche portant le nom *Verr Num*. Le *curseur* est le marqueur qui indique la position d'édition en cours sur l'écran.

Quand la touche Verr Num est désactivée, les touches de déplacement du curseur, qui portent les flèches et les commandes directionnelles sur leur partie inférieure, sont opérationnelles. Dans ce mode, vous devez utiliser la rangée supérieure du clavier pour l'entrée des nombres. Quand vous travaillez au niveau du *signal DOS*, c'est-à-dire en donnant des commandes au système d'exploitation, seules les touches flèche gauche et droite (qui portent aussi les chiffres 4 et 6) sont effectives. Quand vous pressez la touche flèche gauche, vous effacez le caractère situé à gauche du curseur sur la ligne de commande DOS. La touche flèche droite affiche la dernière commande DOS, caractère par caractère. Les autres touches de déplacement du curseur fonctionnent seulement dans les programmes d'application qui les utilisent.

Quand la touche Verr Num est activée, la frappe d'une touche du pavé numérique affiche sur l'écran le chiffre porté par la moitié supérieure de la touche. De plus, ce mode affiche le point décimal, qui se trouve sur la touche Suppr et le 0 (zéro) qui se trouve sur la touche Inser.

Pressez la touche Verr Num pour alterner entre les deux fonctions, déplacement du curseur et numérique. Vous pourrez plus tard faire des essais pour voir quel est le mode par défaut de votre système, c'est-à-dire pour savoir si le pavé est activé ou désactivé à la mise sous tension de votre ordinateur.

Le clavier amélioré comprend aussi un deuxième jeu de touches de déplacement du curseur situé entre le pavé numérique et les touches de saisie. Vous pouvez utiliser le pavé numérique pour l'entrée de nombres et les touches de déplacement du curseur pour les déplacements sur l'écran, sans avoir besoin d'alterner entre les deux modes.

CONNEXION CLAVIER-ORDINATEUR

Avant de continuer, vérifiez que votre clavier est connecté à l'ordinateur. Dans la plupart des cas, le câble du clavier se branche dans une prise à l'arrière de l'ordinateur. Certains ordinateurs ont la prise de connexion clavier sur le côté ; d'autres l'ont devant. Dans quelques cas, surtout sur les ordinateurs portables, le câble est connecté en permanence sans qu'il soit possible de le débrancher et le clavier lui-même est parfois relié de façon permanente à l'ordinateur.

Si le câble de votre clavier n'est pas connecté, cherchez le câble qui a une prise ronde similaire à celle de la Figure 1.5. Notez que la prise comporte d'un côté une série de petites aiguilles et de l'autre une petite encoche. Il y a une encoche similaire dans le connecteur du clavier de telle sorte que le câble ne puisse être branché que d'une seule manière. Faites pivoter la prise pour que ses aiguilles s'alignent avec les trous dans la prise de l'ordinateur et enfoncez-la doucement à fond. Ne forcez pas. Si la prise ne rentre pas, c'est qu'elle n'est pas correctement alignée. Faites-la tourner légèrement et continuer à appliquer une légère pression. La prise rentrera facilement dès que les aiguilles seront alignées.

VERROUILLAGE DU CLAVIER

Les systèmes les plus récents, surtout ceux de type AT ou plus récents, comportent un verrou de clavier situé sur le devant de l'ordinateur. Ces verrous sont difficiles à crocheter et comportent généralement une touche de type cylindrique qui est très difficile à dupliquer.

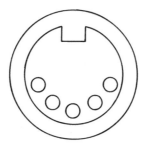

Figure 1.5 : Prise clavier.

Le verrouillage du système bloque la connexion entre le clavier et l'ordinateur lui-même de telle sorte que personne ne peut communiquer avec votre système, même s'il est sous tension. C'est utile si vous devez quitter votre bureau pendant le déroulement d'une application.

Si votre système est équipé de ce type de verrou, cherchez la clé. Pour être honnête, peu de gens utilisent vraiment le verrou ; par conséquent, ne vous faites pas de souci pour le moment si vous ne la trouvez pas, sauf si le verrou est bloqué. Si vous ne trouvez pas la clé, contactez la personne qui vous a vendu l'ordinateur ou commandez-en une nouvelle dans un magasin spécialisé.

FAMILIARISEZ-VOUS AVEC VOTRE ORDINATEUR

L'*ordinateur* est, à strictement parler, une série de circuits intégrés situés à l'intérieur du boîtier principal. Vous travaillez en fait avec un *système informatique* qui comprend le clavier pour les entrées, le moniteur (écran) et l'imprimante pour la sortie et les lecteurs de disque pour le stockage des informations. C'est la combinaison de ces composants qui rend le système aussi puissant et aussi utile.

Nous allons examiner chacun des composants principaux.

Cherchons tout d'abord autour de l'ordinateur les *aérations*, c'est-à-dire les fentes dans le métal ou dans le plastique, qui permettent à l'air de circuler et de refroidir les circuits échauffés. ne placez jamais de papier ou autre chose qui empêcherait l'air de circuler ; votre système risquerait de chauffer. Sur certains ordinateurs, les aérations sont sur le devant. Vous risquez de boucher les aérations et de provoquer une surchauffe si vous installez des feuilles de papier entre le clavier et l'ordinateur. Si vous avez un portable, comme un des premiers modèles Compaq, faites toujours tourner la machine avec les deux portes d'accès latérales complètement ouvertes.

Fermeture des lecteurs de disques souples

Si vous avez deux *lecteurs de disques souples*, ils peuvent se trouver côte à côte verticalement ou horizontalement, soit l'un près de l'autre, soit empilés l'un sur l'autre. Le lecteur de gauche ou du haut s'appelle normalement le *lecteur A* ; l'autre lecteur s'appelle le *lecteur B*. Chaque lecteur comporte un voyant lumineux qui s'allume quand celui-ci est en mouvement.

Les lecteurs de disques souples acceptent soit des disques 5 pouces $1/_4$, soit des disques 3 pouces $1/_2$; vous savez donc tout de suite par la taille des lecteurs quel type de lecteur vous utilisez. Il est même possible d'en avoir un de chaque taille.

La manière dont la porte d'un lecteur 5 pouces $1/_4$ s'ouvre et se ferme varie. De nombreux lecteurs comportent un petit levier qui se tourne vers la droite pour l'ouverture et vers le bas pour la fermeture après l'insertion du disque. Les autres lecteurs ont un petit taquet qu'il faut lever pour l'ouverture et presser vers le bas pour la fermeture. Certains lecteurs ont un clapet que vous pressez pour libérer la porte du lecteur.

Essayez de manipuler doucement le loquet de votre lecteur. S'il ne se déplace pas facilement dans une direction, essayez-en une autre. Ne forcez jamais le loquet dans quelque direction que ce soit. Si vous le cassez, il faut changer l'ensemble du lecteur.

Pratiquement tous les lecteurs 3 pouces $^1/_2$ fonctionnent de la même manière. Poussez le disque à fond dans le lecteur jusqu'à ce qu'un déclic indique qu'il est placé. Libérez le disque en pressant le bouton situé au-dessous de l'ouverture.

Les lecteurs de disques peuvent avoir deux *capacités* ou *densités,* normale ou haute. La seule façon précise de déterminer la capacité de vos lecteurs de disques souples consiste à faire des tests avec la machine sous tension.

Etant donné que les disques haute densité fonctionnent seulement avec les lecteurs haute densité, vous aurez une indication en examinant les disques qui sont fournis avec votre système. Si vous avez des disques haute densité, vous avez probablement des lecteurs haute densité. Mais, étant donné que les disques basse capacité peuvent être utilisés dans les lecteurs haute capacité, ne déduisez en examinant vos disques que vos lecteurs sont des lecteurs faible densité.

Si vous avez des disques souples 3 pouces $^1/_2$, comptez le nombre des petites ouvertures carrées situées sur les côtés (Figure 1.6). S'il y en a deux, il s'agit d'un disque haute densité qui peut stocker jusqu'à 1,44 million de caractères ou 1,44 Mo (mégaoctet). S'il n'y a qu'une seule ouverture, il s'agit d'un disque faible densité qui peut stocker environ 720 000 caractères ou 720 Ko (kilo-octets). L'ouverture qui peut être obstruée avec un taquet s'appelle l'encoche de protection en écriture. Sa fonction est détaillée dans le Chapitre 4.

Avec les disques 5 pouces 1/4, cherchez l'étiquette qui indique la capacité du disque. Si la mention est "haute densité" ou "96 tpi" (pistes par pouce), le disque peut

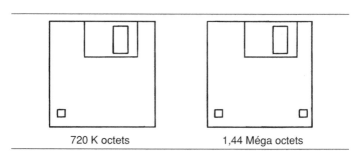

720 K octets	1,44 Méga octets

Figure 1.6 : Disques 3 pouces $^1/_2$.

stocker environ 1,2 Mo. Dans le cas contraire, c'est un disque basse capacité qui stocke environ 360 Ko.

Vous pouvez avoir un lecteur de disques haute densité et utiliser dedans des disques 360 Ko. Les disques haute capacité peuvent cependant seulement être lus dans des lecteurs de disque haute capacité. Les disques basse capacité sont lus dans n'importe quel lecteur. Vos disques doivent être compatibles avec vos lecteurs.

Examen du lecteur de disque dur

Votre ordinateur peut aussi être équipé d'un *lecteur de disque dur*, un lecteur installé de façon permanente qui peut stocker 40 Mo ou plus. Le lecteur de disque dur occupe généralement l'un des logements réservés aux périphériques, zones de l'ordinateur dans lesquelles les lecteurs de disques souples peuvent aussi être installés. Cherchez un indicateur lumineux sur l'un des panneaux couvrant un logement de lecteur de disques. Si vous en voyez un, cela signifie qu'un lecteur de disque dur est monté derrière. Cependant, dans certains cas, vous pouvez avoir un disque dur même s'il n'y a pas d'indicateur sur le couvercle. Certains disques durs sont par exemple montés sur des cartes d'extension qui occupent l'un des slots de l'ordinateur. Dans ce cas, il est impossible de dire si vous avez un disque dur avant d'avoir mis l'ordinateur sous tension.

Autres possiblités de stockage

Enfin, votre système peut avoir une sorte de périphérique de stockage de masse amovible, comme un système de sauvegarde sur bande (ou cartouche) ou un disque dur amovible. Le périphérique occupe l'un des logements de lecteur de disquettes et comporte une ouverture rectangulaire plus large.

D'une manière générale, ce sont des produits optionnels qui ont été ajoutés par le propriétaire précédent. Il en existe plusieurs types ; recherchez dans votre documentation un manuel ou un guide.

Choix du voltage

Certains systèmes ont un commutateur à l'arrière qui permet de sélectionner soit 115, soit 220 volts. Si vous avez un commutateur de ce type, vérifiez qu'il est sur le bon voltage. Poussez le commutateur pour que votre voltage soit affiché. En France, choisissez 220 volts.

L'interrupteur d'alimentation et la nourrice

L'interrupteur d'alimentation de l'ordinateur peut se trouver à l'arrière, sur le côté ou sur le devant de l'ordinateur, ou bien caché sous un petit volet comme sur certains ordinateurs Epson.

Certains interrupteurs portent les mentions ON et OFF, d'autres 1 (on) et 0 (off). Un bon nombre ont simplement un bouton blanc indiquant la position on : la machine est sous tension quand le bouton blanc est enfoncé. Certains ordinateurs portables ont un interrupteur séparé pour la mise sous tension des lecteurs de disque dur internes. L'interrupteur vous donne la possibilité de conserver la puissance de la batterie si vous utilisez un disque souple ou la mémoire interne.

Vous avez peut-être reçu une nourrice avec votre ordinateur. Il s'agit d'un long périphérique plat qui se trouve sous votre moniteur ou d'un boîtier à prises multiples qui reste sur le sol sous votre bureau. Les *nourrices* comportent une série de prises électriques dans lesquelles vous branchez l'ordinateur, le moniteur et l'imprimante, ainsi qu'un cordon principal que vous branchez dans la prise murale. Si vous avez un périphérique de ce type, vous pouvez laisser les interrupteurs de votre système activés en permanence et mettre l'ensemble sous tension en utilisant l'interrupteur principal sur le périphérique.

Ces mécanismes de mise sous tension comprennent généralement un système de filtrage électrique et de contrôle d'intensité qui protège votre ordinateur des *surtensions*. Après une coupure de courant ou suite à d'importantes fluctuations de puissance, des pulsations très rapides ou des surtensions de haut voltage peuvent parcourir les lignes d'alimentation. Ces hauts voltages peuvent être suffisamment puissants pour endommager votre alimentation ou d'autres composants internes du système. Les onduleurs régulent le voltage qui entre dans votre système en réduisant les surtensions à des niveaux de voltage normaux.

Vous pouvez aussi avoir une alimentation indépendante entre votre ordinateur et la prise murale qui a la capacité d'alimenter votre système pour une brève période si l'alimentation est coupée.

Autres prises de connexion

Nous avons maintenant couvert l'équipement de base qui constitue un système informatique ; nous pouvons examiner l'arrière de l'ordinateur sur lequel vous trouvez des ports permettant de le connecter aux autres composants de votre système et au monde extérieur (Figure 1.7). Les *ports* sont des prises de connexion auxquels vous reliez les câbles des autres composants tels que les imprimantes, les souris et les modems (si vous avez un ordinateur portable, les ports peuvent se trouver derrière une porte d'accès sur le dessous ou sur l'un des côtés). Vous devez avoir déjà connecté un câble dans la prise du clavier.

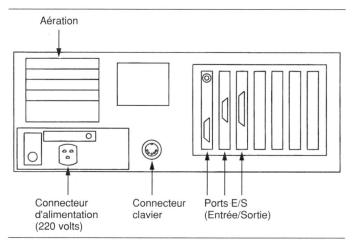

Aération

Connecteur d'alimentation (220 volts)

Connecteur clavier

Ports E/S (Entrée/Sortie)

Figure 1.7 : Ports de sortie sur le panneau arrière.

Vous avez des ports série ou parallèles ou bien les deux. *Série* et *parallèle* se réfèrent à la manière dont les données sont échangées entre l'ordinateur et les périphériques comme les imprimantes, les tables traçantes et les périphériques de pointage.

Chaque caractère transmis dans un sens ou dans l'autre peut se composer de huits signaux électriques distincts appelés *bits* qui sont représentés par les chiffres 1 et 0. La combinaison spécifique de 1 et de 0 est établie par le code *ASCII* (American Standard Code for Information Interchange). Quand vous voulez par exemple imprimer la lettre majuscule A, votre ordinateur envoie à l'imprimante le code 01000001, code ASCII de la lettre A.

Dans une *transmission série*, votre ordinateur envoie les bits un par un sur un fil comme avec une queue de personnes attendant d'entrer au cinéma. La vitesse à laquelle les bits sont transmis est mesurée en *BPS*, bits par seconde. l'ordinateur et l'imprimante doivent être configurés à la même vitesse de transmission en BPS pour que les données soient correctement transmises ; l'imprimante doit être prête à accepter les bits à la même vitesse que celle utilisée par l'ordinateur pour les envoyer (il y a d'autres choses à prendre en compte en plus de la vitesse en BPS que vous étudierez dans le Chapitre 8, "Travail avec l'imprimante").

Les ports série ont 25 ou 9 broches et sont généralement mâles, comme le montre la Figure 1.8. Les ports peuvent s'appeler *série, modem* ou *COM.*

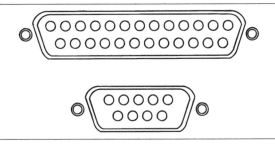

Figure 1.8 : Ports série.

Dans une *transmission parallèle*, les 8 bits qui constituent chaque caractère sont tous envoyés en une seule fois sur 8 fils séparés, comme des coureurs alignés sur leurs positions de départ pour une course. Etant donné que 8 bits quittent l'ordinateur en même temps, la transmission parallèle est 2 à 3 fois plus rapide que la plus rapide des transmissions série.

Le port parallèle de votre ordinateur est probablement un connecteur de 25 broches femelle. Les ports parallèles peuvent s'appeler *parallèle, imprimante* ou *LPT*.

■ *INSPECTION DE VOTRE MONITEUR*

Vérifiez qu'il y a bien un câble de connexion entre le moniteur et l'ordinateur. Dans la plupart des cas, le câble est relié à une prise se trouvant à l'arrière de l'ordinateur.

La Figure 1.9 illustre quelques connecteurs de moniteur classiques. Le connecteur rond de type RCA est utilisé pour les moniteurs composites, qui affichent en noir et une autre couleur mais simulent les couleurs avec des ombres ou niveaux de gris. Les moniteurs monochrome MDA et HGC et les moniteurs couleur CGA et EGA sont reliés à des connecteurs 9 broches. les écrans VGA avec une meilleure résolution utilisent un connecteur 15 broches. N'essayez jamais de raccorder un câble dans un mauvais connecteur.

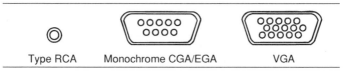

Type RCA   Monochrome CGA/EGA   VGA

Figure 1.9 : Connecteurs de moniteur.

Localisez ensuite l'interrupteur et le câble d'alimentation du moniteur. Quelques systèmes, comme les premiers modèles d'ordinateurs Epson, sont conçus de telle sorte que le cordon d'alimentation se connecte dans une prise sur l'ordinateur lui-même. Dans ce cas, vous laissez l'interrupteur du moniteur activé et vous le mettez sous tension par l'intermédiaire de l'interrupteur d'alimentation de l'ordinateur.

Si vous avez un ordinateur portable, le moniteur est intégré au système. La mise sous tension de l'ordinateur met en même temps sous tension le moniteur.

Localisez enfin les aérations de votre moniteur et n'oubliez pas qu'elles doivent rester dégagées pour éviter toute surchauffe.

AU SUJET DES SOURIS ET DES MODEMS

Votre système comprend peut-être deux autres composants optionnels, une souris et un modem.

Une *souris* est un petit périphérique de pointage que vous placez sur le bureau à côté de l'ordinateur. Il sert à déplacer le curseur sur l'écran et à sélectionner des options dans des menus. Plusieurs types de souris et de connexions souris sont traités en détail dans le Chapitre 10, "La communication avec votre PC".

Un *modem* sert aux télécommunications, en reliant votre ordinateur à d'autres ordinateurs par l'intermédiaire du téléphone. Vous avez peut-être un modem intégré à votre ordinateur ou bien l'un des différents types de modem qui y est connecté avec un câble série. L'installation et l'utilisation de modems sont traitées dans le Chapitre 11, "La communication avec le monde".

Votre système fonctionne tout aussi bien pour le moment si vous ne connectez pas ces périphériques.

CONNEXION DE L'IMPRIMANTE

Vérifions rapidement si votre imprimante -si vous en avez une- est correctement connectée à l'ordinateur (des détails sur la sélection et l'utilisation des imprimantes sont présentés dans le Chapitre 8).

Déterminez d'abord si votre imprimante est une imprimante série ou parallèle. La plupart des nouvelles imprimantes PC sont parallèles, ce qui est heureux car elles sont plus faciles à connecter et à utiliser que les imprimantes série. Si l'imprimante est une imprimante parallèle, elle porte un connecteur femelle de type Centronics. Pour la connecter à l'ordinateur, vous avez besoin d'un câble standard qui est équipé d'un connecteur mâle 25 broches à l'extrémité branchée sur l'ordinateur et d'un connecteur mâle de type Centronics à l'extrémité branchée sur l'imprimante. Il est impossible de brancher le câble de façon incorrecte.

Les ports série sont un peu plus compliqués. Si votre ordinateur a un connecteur mâle 25 broches et votre imprimante un connecteur femelle 25 broches, vous avez besoin d'un câble avec une prise de chaque type. Le câble doit cependant être un câble *modem nul* spécialement conçu pour être utilisé avec une imprimante.

N'essayez pas d'utiliser un câble série fourni avec un modem, même si vous avez l'impression que cela va fonctionner. Les câbles modem nul et les câbles série peuvent se ressembler. Si vous êtes incapable de dire quoi est quoi, essayez les deux. Si ce n'est pas le bon câble, cela ne fonctionnera pas correctement mais vous n'abîmerez rien.

Si vous utilisez un câble de modem avec votre imprimante, cela revient à tenir deux combinés téléphoniques en même temps. Les systèmes d'écoute sont connectés ensemble, comme le sont les systèmes d'expression et aucune communication n'est possible. Un câble modem nul inverse certaines lignes de communication ce qui revient à retourner l'un des combinés pour que la voix de l'un atteigne l'oreille de l'autre.

Si le port série de votre ordinateur a un connecteur 9 broches ou un connecteur femelle 25 broches, vous avez besoin d'un branchement spécial pour utiliser la plupart des câbles série. Votre revendeur peut vous fournir un adaptateur permettant de connecter un câble 25 broches à un port série 9 broches. C'est un petit câble ou prise avec 9 broches à une extrémité et 25 broches à l'autre. Vous aurez peut-être aussi besoin d'un *adaptateur mâle-femelle*, périphérique avec deux extrémités mâles qui permet de connecter un câble femelle à un port série femelle.

Contrôlez le genre et la taille des connecteurs pour vérifier que votre câble est approprié puis branchez le câble de l'imprimante. Ne forcez jamais les connecteurs. Si la connexion est impossible, vérifiez que vous tenez les connecteurs dans le bon sens.

IDENTIFICATION

Tôt ou tard, vous aurez besoin de matériel, d'assistance, de réparations ou d'informations techniques au sujet de votre ordinateur. A ce moment-là, vous aurez besoin d'informations spécifiques relatives à votre système comme sa marque ou son numéro de modèle. Il vous faudra peut-être aussi son numéro de série pour identifier exactement la machine que vous avez car certains fabricants font parfois de légères modifications internes entre les différentes productions. Vous devez être capable de trouver ces informations sur une étiquette ou une languette à l'arrière de l'ordinateur.

Maintenant que vous avez découvert l'extérieur de votre ordinateur, nous allons en examiner l'intérieur.

2 APPRENEZ À CONNAÎTRE VOTRE PC

Il existe plusieurs choses que vous pouvez déterminer en mettant votre système sous tension. Dans ce chapitre, vous apprendrez à connaître la capacité de vos lecteurs de disques souples et de votre disque dur, la quantité de mémoire de base de votre système et à voir s'il comporte une horloge/calendrier. Vous verrez aussi comment savoir quel logiciel est installé sur votre disque dur ou fourni sur vos disquettes.

Dans un monde idéal, où votre système aurait été installé et contrôlé pour vous, tout devrait fonctionner parfaitement. Mais, étant donné qu'il s'agit d'un ordinateur d'occasion, avec des centaines de configurations système possibles, vous devez prendre en compte toutes les possibilités du monde réel. Certains messages d'erreur et certaines explications de ce chapitre ne s'appliqueront cependant pas à votre système ; vous avez peut-être une "deuxième main" qui était utilisée avec soin et précaution. D'un autre côté, le propriétaire précédent a peut-être été beaucoup moins sérieux.

■ *COMMENT COMMENCER*

Avant de mettre votre système sous tension, vérifiez que :

- Les cordons d'alimentation de l'ordinateur et du moniteur sont branchés dans une prise électrique.

- Le clavier est connecté à l'ordinateur.

- Le moniteur est connecté à l'ordinateur.

Si vous avez une souris ou une imprimante, vérifiez qu'elles sont raccordées bien que votre système puisse fonctionner sans elles pour le moment.

Mise sous tension de votre PC

Nous allons maintenant mettre l'ordinateur sous tension ou "booter". Booter signifie "mettre l'ordinateur en route" et vient de l'expression américaine *bootstrap loader*, désignant un petit programme intégré à l'ordinateur qui lit le système d'exploitation sur le disque et le fait démarrer.

1. Si vous savez que vous n'avez pas de disque dur, insérez un *disque système DOS* dans le lecteur A. Le disque porte le nom *DOS, Système d'exploitation* ou *Disque Système*.

2. Mettez l'ordinateur et le moniteur sous tension et observez attentivement l'écran.

Ce que vous voyez dépend de la manière dont le système a été installé par le propriétaire précédent et si vous l'avez ou non correctement connecté. Si tout est en ordre, vous verrez d'abord quelques messages informatifs.

Ces messages comprennent généralement le numéro de version et la date de votre DOS et le copyright du fabricant. Les autres messages qui apparaissent peuvent être générés par les fichiers CONFIG.SYS et AUTOEXEC.BAT qui donnent au DOS certaines instructions pendant le processus de démarrage. Certains fichiers AUTOEXEC.BAT empêchent l'apparition des messages d'heure et de date, même quand il n'y a pas d'horloge/calendrier intégré. Vous en saurez plus sur ces fichiers très bientôt.

Vous verrez ensuite soit un signal DOS, soit un message d'entrée de date. Ce type de *signal* apparaît quand le système est prêt à recevoir ou a besoin d'une entrée de votre part. Le DOS enregistre la date et l'heure avec le nom de chaque fichier que vous sauvegardez sur disque. Un circuit horloge/calendrier fournit au DOS la date et l'heure en cours pour vous aider à organiser et à identifier votre travail. Ce circuit est alimenté par une petite pile. Si vous avez une horloge/calendrier intégrée, vous verrez le signal DOS après le démarrage correct du système, c'est-à-dire soit :

A>

pour un système à disques souples, ou :

C>

si vous avez un disque dur (selon la manière dont le système a été établi antérieurement, le signal DOS peut comporter d'autres caractères. Vous apprendrez à modifier vous-même le signal DOS dans le Chapitre 5, "Apprivoisez votre disque dur"). Quand vous voyez le signal DOS, cela signifie que le système a bien démarré. Sautez les étapes 3 et 4 et passez à l'étape 5.

Par contre, si vous voyez un message du type :

La date du jour est : Mer 01.07.1992
Entrez la nouvelle date (jj.mm.aa) :

votre système ne comprend pas d'horloge/calendrier ou bien le système n'est pas correctement configuré pour utiliser celle qui est intégrée.

3. Pressez la touche Retour pour accepter la date par défaut 01-01-80 ou tapez la date en cours dans le format *jour-mois-année* comme par exemple :

29-07-92

puis pressez la touche Retour.

Vous voyez ensuite apparaître un message du type :

L'heure courante est : 14:16:15,10
Entrez la nouvelle heure :

4. Pressez la touche Retour pour accepter cette heure comme heure par défaut ou entrez l'heure en cours dans le format *heures:minutes*, comme par exemple :

9:16

puis pressez la touche Retour.

Le signal DOS doit maintenant apparaître sur l'écran, ce qui signifie que vous avez démarré le système avec succès. Passez à l'étape 5. Si ce n'est pas le cas, il faut rechercher la cause du problème. Passez à la section "Si vous ne voyez pas le signal DOS" puis revenez dans cette section et exécutez l'étape 5.

Avant de continuer, il faut vérifier que le pavé numérique est actif.

5. Localisez la touche Verr Num. Si la touche Verr Num comporte un voyant lumineux, le pavé est en mode numérique quand celui-ci est allumé et en mode déplacement du curseur quand le voyant est éteint. Pour affecter le pavé à la saisie de nombres, pressez la touche Verr Num pour allumer le voyant. Si votre touche Verr Num ne comporte pas de voyant, pressez l'une des touches du pavé. Aucun chiffre n'apparaît sur l'écran si le pavé est désactivé.

Si un chiffre est affiché, pressez la touche Retour Arrière pour l'effacer.

Vous êtes maintenant prêt à en apprendre plus sur votre système. Passez à la section "Comment déterminer la capacité du disque et de la mémoire de base".

"Si vous ne voyez pas le signal DOS"

Plusieurs problèmes peuvent être à l'origine de l'absence de signal DOS ; certains sont simples et d'autres nécessitent une réparation. Nous allons les examiner :

- Si vous voyez un message vous indiquant d'insérer un disque, cela signifie que vous n'avez pas de disque dur ou, sur un système à disques souples, que le disque placé dans le lecteur A ne contient pas de disque système. Mettez votre ordinateur hors tension, insérez un disque DOS puis redémarrez.

- Vous avez peut-être un disque dur qui n'a pas été configuré pour démarrer votre ordinateur ou qui a été endommagé. Si vous savez que vous avez un disque dur, consultez le Chapitre 5 pour la préparation des disques durs.

- Votre ordinateur a peut-être détecté un problème dans le système. Un certain nombre d'ordinateurs ont un programme de diagnostic qui est exécuté à chaque mise sous tension de l'ordinateur. Le programme contrôle la mémoire, les connexions et d'autres opérations internes. Dans certains cas, il affiche ces résultats sur l'écran, montrant par exemple la zone en mémoire qui est contrôlée ou l'opération testée. Ne paniquez pas si rien n'apparaît à l'écran ; la procédure de test de votre ordinateur est peut-être programmée pour ne reporter que les erreurs. Cependant, si vous voyez un message d'erreur se référant à la mémoire, à la CPU, à la ROM, à la parité ou une autre erreur matérielle, notez le message qui apparaît sur l'écran puis mettez l'ordinateur hors tension. Ce sont des erreurs qui concernent les composants internes de votre système. La *CPU* est l'unité de traitement centrale qui contrôle l'ensemble du système ; la *ROM* est la mémoire permanente en lecture seule qui contient, entre autres, des informations de démarrage et de diagnostic ; la *parité* est liée à un système de contrôle de la mémoire utilisateur. Attendez quelques minutes puis remettez l'ordinateur sous tension. Si le même message apparaît, mettez l'ordinateur hors tension et consultez son manuel si vous en avez un. Vous aurez peut-être besoin d'un dépanneur.

• Si vous voyez un message signalant une faiblesse de pile, il faut remplacer la petite pile qui se trouve à l'intérieur de l'ordinateur. Cette pile alimente une mémoire particulière appelée *CMOS* qui stocke des détails relatifs à la configuration de votre système. Avec certains systèmes, vous pouvez faire tourner votre ordinateur même si la pile est faible. Si votre système arrive à démarrer, laissez-le sous tension pendant un laps de temps aussi court que possible et remplacez rapidement la pile. Si votre système ne démarre pas avec une pile faible, remplacez-la maintenant en suivant les instructions du Chapitre 7, "Diagnostic et résolution de problèmes".

• Si vous voyez un message d'erreur clavier, mettez votre ordinateur hors tension, vérifiez que le clavier n'est pas verrouillé et qu'il est correctement connecté puis recommencez. Si le message apparaît toujours, vous avez peut-être un type de clavier incorrect pour votre système, comme par exemple un clavier AT avec un ordinateur XT. Cherchez un commutateur sur le clavier ; n'oubliez pas qu'il peut être caché sous un volet ou un panneau qu'il faut déplacer. Déplacez le commutateur sur la bonne position et recommencez. Si vous n'avez pas de commutateur, retrouvez la personne qui vous a fourni le matériel et protestez vivement.

• Le dernier problème peut se poser quand il ne se passe rien à la mise sous tension. Vous devez au moins entendre une ventilation ou voir un voyant allumé quelque part sur votre moniteur ou sur votre ordinateur. Si votre système est aussi silencieux et calme qu'une nuit au Sahara, cela signifie qu'il n'est pas alimenté. Désactivez les interrupteurs d'alimentation et procédez aux contrôles suivants :

> • Vérifiez que les câbles d'alimentation sont connectés aux deux extrémités. Les câbles d'alimentation sont conçus de telle sorte qu'ils ne peuvent être connectés que d'une seule manière.

> • Si votre système comprend une nourrice, soit sous le moniteur, soit sur le sol, vérifiez que l'interrupteur principal et tous les autres interrupteurs sont activés. La plupart des nourrices ont un voyant lumineux qui indique si elles fonctionnent.

> • Si vous avez un commutateur de sélection de voltage, vérifiez qu'il est correctement établi pour votre source d'alimentation. En France, il doit être mis sur 220 volts.

> • Vérifiez que la prise murale à laquelle vous avez connecté le système fonctionne bien. Essayez d'y brancher une lampe ou un poste de radio. Assurez-vous que la prise n'est pas contrôlée par un interrupteur situé dans la pièce.

- Si tout semble correct, vous avez peut-être un mauvais câble électrique ou une mauvaise alimentation. Essayez de remplacer le câble d'alimentation. Si cela ne fonctionne pas, il faut emmener votre système à réparer.

▓ *COMMENT DÉTERMINER LA CAPACITÉ DU DISQUE ET DE LA MÉMOIRE DE BASE*

Vous pouvez déterminer la quantité de *mémoire de base* dont dispose votre système et la capacité des disques en utilisant la commande DOS CHKDSK.COM qui est fournie avec le disque système. Cette information vous aide à déterminer quels sont les programmes que vous pourrez utiliser ensuite sur votre système.

Dans le reste de ce chapitre, nous allons utiliser des commandes DOS pour examiner votre système. Si vous ne connaissez pas bien le DOS, suivez simplement ces instructions pas à pas. Vous en apprendrez plus au sujet du DOS et des commandes DOS dans les chapitres à venir.

Bien qu'il soit possible d'acheter des *programmes utilitaires* (programmes qui rationalisent les opérations élémentaires et exécutent des fonctions utiles) qui vous en disent plus sur votre système, le DOS est un programme que vous avez tous dès à présent. Par conséquent, au lieu d'acheter un autre programme, nous allons travailler avec un jeu d'outils de base qui est déjà disponible. Dans les chapitres à venir, nous découvrirons le matériel et les logiciels qui viennent s'ajouter au DOS et à votre système et lui font gagner en productivité.

Localisation de la commande CHKDSK sur votre disque

Pour qu'il puisse tourner, CHKDSK doit se trouver sur votre disquette ou dans le répertoire en cours de votre disque dur. Utilisez la commande DIR pour voir si le programme se trouve sur votre disque. Procédez de la façon suivante pour vérifier que le programme est disponible.

1. Au signal DOS, tapez **DIR CHKDSK** et pressez la touche Retour. Si vous voyez une liste telle que :

   CHKDSK COM   9832   12-30-85   12:00p

le programme CHKDSK est disponible et vous pouvez passer à la section "Exécution de CHKDSK".

Si le message "Fichier introuvable" apparaît, le programme se trouve peut-être sur un autre disque souple ou dans un répertoire de votre disque dur. Les *répertoires* sont des sections du disque dur qui contiennent d'autres programmes et fichiers. Si vous avez un système à disques souples, insérez un autre disque DOS dans le lecteur A et répétez l'étape 1 jusqu'à ce que le fichier soit listé. Le déplacement dans les sous-répertoires est un processus compliqué que nous traiterons en détail dans le Chapitre 3, "Découverte du DOS". Continuez pour l'instant avec l'étape suivante.

2. Tapez :

   DIR *.

   puis pressez la touche Retour pour afficher une liste des fichiers ne comportant pas d'*extension*, c'est-à-dire l'identification composée de 1 à 3 caractères ajoutée à la fin des noms de fichier (Figure 2.1). Les noms suivis de <DIR> sont des répertoires qui contiennent leurs propres fichiers et programmes.

```
Le volume dans l'unité C s'appelle SYBEX
Le numéro de série du volume est 7853-547C
Répertoire de C:\SOFT

.            <REP>        18.02.92    16:40
..           <REP>        18.02.92    16:40
DBASE        <REP>        17.07.92    11:55
DV           <REP>        31.03.92    12:43
TOOLS        <REP>        02.03.92     8:55
WIN31        <REP>        18.02.92    16:40
WINWORD      <REP>        31.07.92    16:09
WORD         <REP>        03.03.92     9:15
        8 fichier(s)              0 octets
                         36182016 octets libres
```

Figure 2.1 : Liste de répertoires.

3. Recopiez la liste des répertoires pour un usage ultérieur puis recherchez un répertoire appelé BIN, DOS, PCDOS, MSDOS ou un autre nom avec les caractères DOS. Celui-ci contient probablement le programme CHKDSK.

4. Tapez **CD ** (pour *change directory* = changer de répertoire), suivi du nom du répertoire et pressez la touche Retour. Vérifiez que le programme se trouve bien là en entrant :

   DIR CHKDSK

   Si vous ne trouvez pas le programme sur votre disque dur, insérez une disquette contenant le système d'exploitation.

5. Accédez au lecteur A en tapant **A:** puis exécutez le programme comme cela est expliqué dans la section suivante, "Exécution de CHKDSK".

Exécution de CHKDSK

Maintenant que le programme CHKDSK est localisé, nous allons l'exécuter pour obtenir un rapport sur votre système.

1. Tapez **CHKDSK** et pressez la touche Retour (ne tapez pas l'extension .COM ou .EXE quand vous exécutez un programme). Si vous utilisez un disque souple avec un système à disque dur, tapez :

   A:CHKDSK C:

   Après un petit moment, un rapport de ce type apparaît :

   ```
   41844736 octets d'espace disque total
     139264 octets dans 7 fichier(s) caché(s)
      55296 octets dans 24 répertoire(s)
   17811456 octets dans 575 fichier(s) utilisateur
   23838720 octets disponibles sur le disque

     655360 octets de mémoire totale
     580240 octets libres
   ```

CHKDSK donne d'abord la capacité totale du disque. Dans cet exemple, le disque peut stocker jusqu'à 41844736 caractères. Le message montre en fait la capacité de votre *disque*. Dans le cas d'une disquette, le message indique sa capacité et non pas la capacité maximum du lecteur de disque ; vous pouvez avoir un disque de 360 Ko dans un lecteur haute densité. Par conséquent, même si votre lecteur accepte des disques de 1,2 Mo, CHKDSK indique seulement 360 Ko. La seule façon de connaître la capacité maximum de lecteurs 5 pouces $^1/_4$ est de faire l'essai avec un disque haute capacité ou d'analyser la configuration de votre système à l'aide d'un utilitaire. Le Tableau 2.1 montre les capacités des formats de disque courants.

Type	Espace disque
Capacité normale 5 pouces $^1/_4$ 360 Ko	362,496
Haute capacité 5 pouces $^1/_4$ 1,2 Mo	1 213,952
Capacité normale 3 pouces $^1/_2$ 720 Ko	730,112
Haute capacité 3 pouces $^1/_2$ 1,44 Mo	1 457,664

Tableau 2.1 : Capacités des formats de disque courants.

CHKDSK donne aussi la quantité d'espace disque utilisée par les fichiers système "cachés" et par vos propres programmes et fichiers ainsi que la quantité d'espace disque encore disponible. Les *fichiers cachés* sont des parties du DOS qui n'apparaissent pas dans la liste des répertoires.

Selon votre disque, CHKDSK peut aussi indiquer un certain nombre de répertoires et tout *mauvais secteur*, c'est-à-dire des zones endommagées sur le disque où le DOS ne peut pas stocker de fichiers. La Figure 2.2 par exemple est le rapport d'un disque dur qui peut stocker plus de 33 Mo de données. Le disque contient 57 répertoires et 20480 octets de secteurs endommagés.

Les deux dernières lignes indiquent la quantité totale de mémoire de base et combien d'espace mémoire est disponible maintenant que des programmes du DOS ont été chargés. La mémoire de base n'est pas la même que la mémoire système totale. Vous pouvez avoir une extension de mémoire installée dans votre système et ne pas le savoir encore. Le DOS reconnaît seulement les premiers 640 Ko de mémoire. L'ajout et l'utilisation d'une extension de mémoire sont traités dans le Chapitre 14.

```
Volume SYBEX créé le 02.08.1992 16:57
Le numéro de série du volume est 7853-547C

120315904 octets d'espace disque total
    20480 octets dans secteurs défectueux
 12660736 octets dans 4 fichier(s) caché(s)
   135168 octets dans 57 répertoire(s)
 70733824 octets dans 1316 fichier(s) utilisateur
 36765696 octets disponibles sur le disque

     2048 octets dans chaque unité d'allocation
    58748 unités d'allocation sur le disque
    17952 unités d'allocation disponibles sur le disque

   655360 octets de mémoire totale
   492400 octets libres
```

Figure 2.2 : Rapport CHKDSK d'un disque dur.

░ *QUELS LOGICIELS AVEZ-VOUS ?*

Il est maintenant temps de voir quels logiciels vous avez reçus avec votre machine. Mais avant de répertorier vos programmes, il faut examiner un problème légal et d'éthique.

Regardez les mentions portées par les disquettes que vous avez reçues avec votre système. Si elles sont écrites à la main ou tapées sur des étiquettes, ou si vous avez un disque dur mais pas de disquettes, vous disposez de *copies* du logiciel, et non pas des *disques de distribution* (c'est-à-dire des originaux) fournis par le fabricant. Si vous avez des copies, votre logiciel peut être illégal.

Dans ce cas, c'est la personne qui vous l'a fourni qui est à blâmer. Mais, en utilisant le logiciel, vous partagez la responsabilité. Malheureusement, votre ordinateur n'a aucune utilité sans logiciel et vous avez peut-être accepté ou acheté le système en raison des logiciels qui étaient fournis avec.

Vous ne souhaitez sûrement pas être poursuivi par la justice mais si votre système appartient à votre entreprise, renseignez-vous pour savoir si elle a une réglementation au sujet de la copie de logiciels et des accords d'achat de licence. Votre entreprise peut avoir des accords spéciaux pour copier un logiciel, soit sur des disques souples, soit directement sur votre disque dur. Vous êtes le seul à pouvoir décider quels sont les problèmes que vous souhaitez soulever.

Si vous n'avez pas acheté votre ordinateur à une entreprise ni à un revendeur qualifié, vous risquez de vous enfoncer dans un bourbier. Pour utiliser légalement le logiciel, contactez le propriétaire précédent et demandez-lui les disques de distribution et la documentation initiaux. La plupart des accords de licence permettent aux vendeurs de transférer leurs droits avec le programme à condition qu'ils transfèrent les disques et la documentation et ne conservent pas de copies pour leur usage personnel. Vous pouvez aussi contacter le fabricant du logiciel pour voir s'il existe une possibilité de transformer une copie illégale en version autorisée. Certains fabricants vous fourniront une copie à prix réduit.

Si vous avez correctement étiqueté vos disques souples, vous ne devez pas avoir de problème pour identifier votre logiciel. Mais, si vous avez un disque dur, des disques souples mal étiquetés ou pas de documentation, il vous faudra deviner la nature du programme par son nom dans la liste des répertoires.

Bien que de nombreuses applications comprennent plusieurs fichiers, le tableau 2.2 montre le nom principal de certains programmes très connus. En avançant dans les étapes des différentes sections, consultez le tableau pour vous aider à identifier votre logiciel.

Nom du fichier programme	Programme d'application
CADD	CADD générique
DBASE	dBASE
Editeur	XYWrite
FP	FirstPublisher
HG	Harvard Graphics
LOTUS ou 123	Lotus 1-2-3
MM	Multimate
PM	Aldus Pagemaker
PW	Professional Write
QF	Quattro
SK	Sidekick
SP	Sprint
VP	Ventura Publisher
WIN, WIN86 ou WIN386	Microsoft Windows
WORD	Microsoft Word
WP	WordPerfect
WS	WordStar

Tableau 2.2 : Noms des fichiers programme des applications les plus connues.

Voyons maintenant quel logiciel vous avez. Pendant le déroulement des opérations, faites une liste de vos programmes en utilisant ces trois catégories :

Traitements de texte	Tableurs
Gestionnaire de bases de données	Programmes graphiques
Utilitaires	Autres

Systèmes à disques durs

Si vous avez un système à disque dur, procédez de la façon suivante :

1. Tapez **CD ** et pressez la touche Retour pour vous assurer que vous êtes bien dans le répertoire racine.

2. Tapez **DIR /P** et pressez la touche Retour. L'écran se remplit avec la première liste de fichiers et de répertoires de votre disque et un message du type :

Appuyez sur une touche pour continuer . . .

apparaît dans le bas de l'écran.

3. Examinez la liste de répertoires et notez les fichiers qu'elle contient.

4. Pressez une touche quelconque pour reprendre l'affichage puis répétez ce processus jusqu'à ce que tous les fichiers soient listés. A la fin de la liste, vous voyez quelque chose comme :

26 fichier(s)   754176 octets
23519232 octets libres

5. Scrutez chacun des *répertoires* (les noms de fichier qui sont suivis par <DIR>). A l'aide de la liste que vous venez juste d'obtenir (tapez **DIR *.** pour lister à nouveau les répertoires si nécessaire), examinez chaque répertoire en entrant **DIR /P ** suivi du nom du répertoire :

DIR /P \WINWORD

6. Avec votre liste de programmes dans chaque répertoire, essayez de les identifier en utilisant la documentation dont vous disposez ou les noms de fichier du Tableau 2.2.

Systèmes à disques souples

Regroupez les disquettes qui accompagnent votre système. Vous devez avoir au moins une ou deux disquettes DOS portant les mentions *DOS* ou *Programmes Supplémentaires* ou *Disque1* et *Disque2*.

Faites une liste des autres programmes en notant si ces disques sont ou non des copies ou des disques originaux. Si vous avez des disques originaux, copiez tout numéro de série ou information relative à la version avec le nom du programme. Si le disque ne comporte pas de mention, ou une mention qui n'identifie pas clairement son contenu, exécutez les opérations suivantes pour déterminer quel est le programme se trouvant sur le disque :

1. Insérez le disque dans le lecteur A.

2. Tapez **DIR /P** et pressez la touche Retour. L'écran se remplit avec la première liste de fichiers et de répertoires de votre disque et le message :

   Appuyez sur une touche pour continuer . . .

   apparaît dans le bas de l'écran.

3. Observez la liste de fichiers, puis pressez une touche quelconque pour continuer l'affichage. Répétez cette procédure jusqu'à ce que tous les fichiers aient été affichés. A la fin de la liste vous voyez quelque chose comme :

   19 fichier(s)   385024 octets
   339968 octets libres

Impression des répertoires de disque

Si vous avez de nombreux fichiers sur disquettes ou sur le disque dur, ainsi qu'une imprimante, vous pouvez imprimer la liste des répertoires. Certaines personnes glissent une liste imprimée dans la *pochette du disque* (l'enveloppe en papier du disque) avec le disque lui-même ou conserve un recueil de ces listes facile à consulter.

Pour imprimer vos listes, procédez de la façon suivante :

1. Vérifiez que votre imprimante est branchée, correctement connectée, sous tension et alimentée en papier.

2. Tapez la commande **DIR /P** comme nous l'avons déjà vu mais ne pressez pas de touche quand le message :

   Appuyez sur une touche pour continuer . . .

   apparaît.

3. Pressez les touches Maj-Imp écr -c'est-à-dire simultanément les touches Maj et Imp écr- puis relâchez les deux (sur certains claviers, la touche Imp écr porte le nom Impr écran). Une copie de votre écran est imprimée.

S'il ne se passe rien, votre imprimante n'est peut-être pas bien connectée ou installée. Dans certains cas, votre clavier est bloqué et ne répond pas à votre frappe ; vous devez presser les touches Ctrl-Alt-Suppr (simultanément) pour réamorcer l'opération et recommencer. Malheureusement, cela détruit tout le travail en cours avec une application.

POUR EN SAVOIR PLUS SUR VOTRE SYSTÈME

Il y a des détails relatifs à votre système que vous ne connaissez peut-être pas encore comme le type et la vitesse du processeur, la mémoire système totale ainsi que la couleur et la résolution maximum de votre moniteur. La plupart des moniteurs couleur sont noir et blanc au niveau du DOS et vous avez peut-être un moniteur couleur sans le savoir.

Une façon de déterminer le type du moniteur consiste à exécuter ou à installer puis exécuter un programme d'application qui ajuste automatiquement le type d'affichage, en utilisant la résolution haute et couleur quand cela est disponible.

Vous pouvez aussi trouver le type d'affichage de votre moniteur en installant et en exécutant autant d'applications que vous le souhaitez (*installer* un programme signifie le rendre prêt à travailler sur votre système. les instructions d'installation de logiciels sont présentées dans le Chapitre 4, "Personnalisation de votre ordinateur"). De nombreux programmes vous demandent de désigner le type d'affichage moniteur que vous avez. Si vous ne sélectionnez pas le bon, le programme n'est pas correctement exécuté.

■ *COMPATIBILITÉ DES LOGICIELS*

Si vous avez un système à disque dur ou si vous avez reçu le logiciel avec votre ordinateur, vous pouvez partir du principe que votre système est adapté au logiciel. Mais, si votre logiciel provient d'un autre ordinateur ou d'une autre source, vous ne pouvez pas savoir s'il se déroulera correctement sur votre nouveau système. Tous les programmes ont certains impératifs minimum, en termes de type et de nombre de lecteurs de disques, de quantité de mémoire de base ou d'extension mémoire, de type de moniteur et d'adaptateur d'affichage. *L'adaptateur d'affichage* est une carte circuit située à l'intérieur de votre ordinateur qui fournit les signaux électriques nécessaires à l'affichage des images sur l'écran.

Consultez les manuels de vos logiciels pour avoir la liste de ces impératifs. Si vous n'êtes pas sûr de vous, effectuez une copie des disques programme comme cela est expliqué dans le Chapitre 6 "Gestion des disques souples", puis essayez d'installer et de faire tourner le programme. Vous verrez rapidement s'il tourne sur votre ordinateur.

Si le programme ne tourne pas, regardez les messages d'erreur affichés à l'écran ou comparez à nouveau les prérequis minimum avec votre liste de spécifications. Vous apprendrez à augmenter les ressources de votre système dans les chapitres ultérieurs.

Maintenant que vous êtes familiarisé avec votre ordinateur, vous allez apprendre dans le Chapitre 3 à travailler avec le DOS.

3 DÉCOUVERTE DU DOS

Toutes les communications avec votre ordinateur se font par l'intermédiaire du DOS. Le DOS sert de lien entre l'ordinateur, le clavier, le moniteur, les lecteurs de disques et l'imprimante. Il interprète vos commandes et vos souhaits en vous laissant placer des données dans l'ordinateur pour que vous puissiez en retirer des informations.

A un certain niveau, DOS est juste l'acronyme des mots anglais *disk operating system* ou système d'exploitation du disque. Mais DOS est aussi employé dans PC-DOS et MS-DOS, deux versions d'un système d'exploitation utilisé avec les ordinateurs IBM et compatibles et nous nous référerons simplement au DOS.

Vous entendrez aussi souvent DOS utilisé génériquement pour représenter cette classe spécifique d'ordinateurs, comme dans le DOS opposé à Apple Macintosh. Sous cet angle, les ordinateurs DOS se distinguent des autres micro-ordinateurs qui n'utilisent pas un type de système d'exploitation PC-DOS. Les ordinateurs Apple ne sont pas des machines DOS.

Le terme *PC* a eu le même destin. Des années auparavant, PC se référait génériquement à n'importe quel "ordinateur individuel". Mais depuis l'arrivée de l'IBM PC -le nom du modèle spécifique de cette société pour son ordinateur individuel- le terme signifie un micro-ordinateur IBM ou

compatible, comme dans le cas de PC par opposition à
Macintosh. PC sert aussi à représenter le micro-ordinateur
IBM initial par comparaison avec les modèles plus récents
XT et AT.

Dans le Chapitre 2, vous avez utilisé le DOS pour avoir des
informations sur votre ordinateur. Dans ce chapitre, vous
verrez un jeu important de commandes et de principes
DOS dont vous aurez besoin pour personnaliser et utiliser
votre système.

■ *L'ANATOMIE DU DOS*

Le DOS est un programme qui est automatiquement
chargé dans votre ordinateur quand vous démarrez le
système. Deux fichiers cachés, IBMBIO.COM et
IBMDOS.COM, gèrent toutes les opérations en établis-
sant des lignes de communication entre votre *matériel*
(ordinateur) et vos *logiciels* (programmes d'application).
Selon votre version du DOS, les fichiers peuvent s'appeler
IO.SYS et MSDOS.SYS ou quelque chose de similaire. Le
contrôle est ensuite passé à l'*interpréteur de commande*, le
programme COMMAND.COM sur votre disque DOS
ou sur votre disque dur.

Le signal DOS, A> ou C> est la façon dont le DOS vous
indique que l'interpréteur de commande attend des instructions et que vous êtes sur le lecteur de disque spécifié.
Etre sur un lecteur signifie que vous pouvez accéder à
n'importe lequel des programmes ou autres fichiers du
disque se trouvant dans ce lecteur. Tout ce que vous tapez
au signal DOS est traité par l'interpréteur de commandes.
Tapez simplement la commande à côté du signal DOS et
pressez la touche Retour pour la valider.

L'interpréteur de commande vérifie d'abord si votre commande est une *instruction DOS interne*. Les commandes
internes sont intégrées à COMMAND.COM et ne sont

pas listées individuellement dans un répertoire de disque. Ce sont les commandes les plus couramment utilisées pour les manipulations de fichiers sur le disque et pour travailler avec le DOS. Elles vous permettent par exemple de copier, de renommer et de supprimer des fichiers, d'effacer l'écran et d'établir la date et l'heure. Si votre instruction est une commande interne et si votre *syntaxe*-la manière dont vous écrivez la commande- est correcte, le DOS l'exécute immédiatement. Les commandes internes sont les suivantes :

BREAK	CD *ou* CHDIR	CHCP	CLS
COPY	CTTY	DATE	DEL
DIR	ERASE	MD *ou* MKDIR	PATH
REN	RM *ou* RMDIR	SET	TIME
TYPE	VER	VERIFY	VOL

Si votre instruction n'est pas une commande interne, le DOS recherche une commande externe ou un fichier programme exécutable portant ce nom. Les *commandes externes* sont des programmes fournis avec le DOS qui exécutent des fonctions plus complexes ou plus avancées que les commandes internes. Elles ne font pas partie de COMMAND.COM mais sont des programmes que vous pouvez voir listés dans un répertoire. Pour utiliser une commande externe, il faut vous trouver sur le disque dans lequel elle se trouve ou utiliser la commande PATH que vous étudierez dans le Chapitre 5. Les commandes DOS externes que nous aborderons dans les chapitres ultérieurs sont :

BACKUP	CHKDSK	COMP	DISKCOMP
DISKCOPY	FDISK	FIND	FORMAT
GRAPHICS	MODE	PRINT	RECOVER
RESTORE	SORT	SYS	TREE
XCOPY			

Les commandes externes sont des exemples de *programmes exécutables*, programmes portant l'extension .EXE ou .COM que vous pouvez *exécuter*, ou activer, à partir du signal DOS. Les traitements de texte, les tableurs, les programmes de gestion de bases de données, les programmes graphiques et autres applications que vous utilisez sont aussi des programmes exécutables. Comme les commandes externes, ils sont listés dans le répertoire.

Pour lancer un programme exécutable, entrez simplement son nom au signal DOS mais sans inclure d'extension. Pour exécuter par exemple le programme WP.EXE, tapez **WP** puis pressez la touche Retour.

Si votre instruction au signal DOS n'est pas une commande interne ou externe, ni un autre programme exécutable, le DOS recherche un fichier portant ce nom et l'extension .BAT. Il s'agit de fichiers *batch* (ou fichiers de commandes) qui contiennent des instructions pour le DOS.

Enfin, si le DOS ne trouve pas de fichier batch portant le nom entré, il affiche le message :

Nom de commande ou de fichier incorrect

suivi du signal DOS. Ce message est également visible si vous entrez une commande DOS interne de façon incorrecte.

VERSIONS DOS

Au cours de l'histoire relativement brève du PC, le DOS a subi un certain nombre de modifications. Chaque nouvelle version du DOS a intégré de nouvelles fonctions ou des mises à jour ainsi que des commandes internes et externes supplémentaires. La version 1.0 par exemple acceptait des disques 320 Ko. La version 2.0 a introduit les disques

360 Ko et la version 3.0 était la première à accepter des disques haute capacité 5 pouces $1/4$.

Nous allons voir quelle version du DOS vous avez à l'aide de la commande interne VER (raccourci de *version*). Procédez de la façon suivante :

1. Mettez l'ordinateur sous tension et répondez aux messages de date et d'heure s'ils apparaissent.

2. Tapez **VER** puis pressez la touche Retour. Un message semblable à celui-ci apparaît :

MS-DOS Version 5.00

Il se peut que la commande VER affiche aussi des informations relatives au BIOS ; le *BIOS* -de l'anglais Basic Input Output System, système d'entrées-sorties- est un programme intégré à votre ordinateur. Il est employé lors de la réinitialisation de votre disque et effectue quelques tests sur les fonctions de l'ordinateur. En fait, c'est le BIOS qui détermine la compatibilité de votre ordinateur avec les modèles IBM.

Certains fabricants fournissent des versions modifiées du DOS qui comprennent des commandes externes supplémentaires en relation spécifique avec leur matériel. Par exemple, certaines versions du DOS comprennent une commande SPEED qui contrôle les processeurs multivitesses, les programmes qui transfèrent des fichiers d'un ordinateur portable vers des ordinateurs de bureau ou les utilitaires qui suppriment des fichiers.

Le DOS est cependant resté remarquablement cohérent. les commandes de base qui étaient employées il y a cinq ans sont toujours utilisées aujourd'hui.

■ *ACCÈS À UN DISQUE*

La lettre affichée au signal DOS représente le nom du lecteur de disque en cours ; A> signifie que vous êtes sur le lecteur A ; B> sur le lecteur B et C> sur le disque dur.

Le DOS a besoin de connaître le lecteur de tous les programmes que vous voulez qu'il exécute. Si vous entrez un nom de fichier batch ou de programme (incluant une commande externe DOS) sur la ligne de signal DOS sans spécifier de lecteur, le DOS s'attend à le trouver dans le lecteur en cours indiqué par le signal DOS.

Supposons par exemple que vous entrez la commande **CHKDSK** au signal DOS A>. Le DOS s'attend à trouver le programme CHKDSK.COM sur le disque du lecteur A et affiche le message "Nom de commande ou de fichier incorrect" s'il n'y est pas. (Vous pouvez cependant exécuter une commande interne à partir de n'importe quel lecteur ou répertoire).

Pour accéder à un lecteur, tapez simplement la lettre qui le représente suivie du symbole deux-points puis pressez la touche Retour. Faites maintenant un essai ; votre ordinateur doit déjà être sous tension.

1. Si vous avez un disque dur, insérez un disque souple dans le lecteur A. Si vous avez deux lecteurs de disquettes, insérez un disque dans le lecteur B.

2. Tapez **A:** ou **B:** (selon le lecteur que vous utilisez) puis pressez la touche Retour pour accéder au disque que vous venez d'insérer.

3. Tapez **DIR** et pressez la touche Retour. Les fichiers listés se trouvent dans le disque auquel vous venez d'accéder.

4. Tapez **C:** ou **A:** pour revenir au disque d'amorçage.

Il existe deux manières d'exécuter un programme qui ne se trouve pas sur le disque en cours. La première consiste à accéder d'abord au lecteur puis à entrer le nom du programme. Vous pouvez aussi faire précéder le nom du programme par son indicateur de lecteur, comme dans B:CHKDSK pour exécuter le programme CHKDSK se trouvant dans le lecteur B.

■ *COMPRÉHENSION DES RÉPERTOIRES ET DES CHEMINS DOS*

Les disques peuvent être divisés en plusieurs répertoires. Chacun d'eux contient ses propres fichiers et programmes ; vous pouvez donc regrouper les fichiers qui ont un thème commun. Des répertoires plus petits sont plus faciles à gérer que des répertoires importants, ce qui facilite la manipulation de fichiers à l'aide de commandes DOS.

La division d'un disque en répertoires est souvent comparée à celle d'un arbre. Le répertoire principal, appelé répertoire *racine*, ressemble au tronc de l'arbre. Les autres répertoires sont des branches qui partent du répertoire racine.

La Figure 3.1 montre une représentation graphique d'un disque dur comprenant plusieurs répertoires. Le disque comporte un répertoire racine et les répertoires WP, LOTUS et DOS. Comme vous le voyez, chacun de ces quatre répertoires contient ses propres sous-répertoires et fichiers.

Un *sous-répertoire* est une division supplémentaire de répertoire, une branche partant d'une autre branche. La Figure 3.2 montre des sous-répertoires ajoutés à notre exemple de disque.

En réalité, tous les répertoires sont des sous-répertoires, à l'exception du répertoire racine, puisqu'ils partent du répertoire racine. Mais, pour plus de simplicité, nous

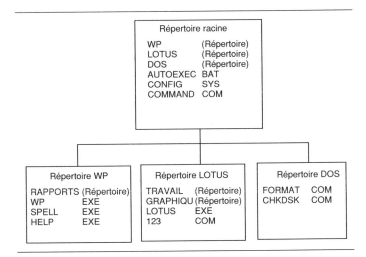

Figure 3.1 : Disque divisé en sections ou répertoires.

appellerons répertoires les branches qui démarrent directement de la racine et sous-répertoires celles qui partent de ces répertoires.

Indication de chemins d'accès

Pour opérer sur un fichier ou un programme, le DOS doit localiser ce fichier ou ce programme sur le disque. Etant donné que tous les fichiers partent du répertoire racine, vous pouvez localiser n'importe quel fichier en suivant son chemin d'accès à partir de la racine et à travers tous les répertoires et sous-répertoires.

Un chemin d'accès de fichier prend généralement la forme :

<lecteur:>\<répertoire>\<sous-répertoire>\<nom de fichier>

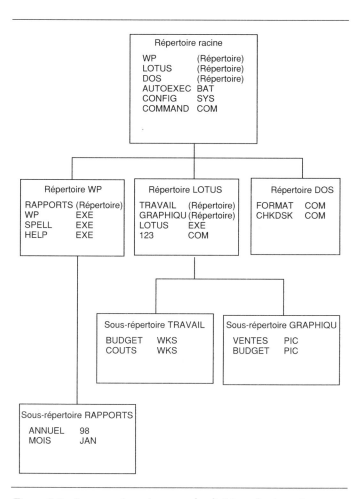

Figure 3.2 : Les sous-répertoires sont des divisions de répertoires.

La notation *<lecteur:>* représente le lecteur à partir duquel vous voulez commencer ; *<répertoire>* et *<sous-répertoire>*

sont les branches spécifiques que vous voulez suivre ; <*nom de fichier*> est le fichier à trouver. Tout au long de ce livre, nous utiliserons les italiques à l'intérieur des symboles < et > pour représenter les entrées utilisateur variables que vous devez entrer. Ne tapez pas les symboles < et >. Par conséquent, l'instruction :

PRINT <*nom de fichier*>

signifie qu'il faut taper le mot **PRINT** suivi du nom de l'un de vos fichiers.

Nous allons examiner une manière de voir comment spécifier un chemin en utilisant l'organisation du disque de la Figure 3.2. Supposons que vous voulez vous servir de la feuille de calcul appelée BUDGET.WKS qui se trouve dans le sous-répertoire EXEM. En commençant depuis la racine (lecteur C), le chemin est :

C:\LOTUS\EXEM\BUDGET.WKS

Notez que chaque branche du chemin est séparée par une barre oblique inverse, le caractère \. Le répertoire racine est indiqué par C:\ ; il est donc possible de localiser le fichier par l'intermédiaire du chemin suivant :

C:**   **Débute au répertoire racine (lecteur C)
LOTUS**   **Accès au répertoire LOTUS depuis la racine
EXEM**   **Accès au sous-répertoire EXEM depuis LOTUS
BUDGET.WKS **Accès au fichier BUDGET.WKS dans EXEM**

Si vous entrez un nom de fichier batch ou de programme sur la ligne de signal DOS sans spécifier de répertoire, le DOS s'attend à le trouver dans le répertoire en cours du lecteur en cours.

Vous pouvez exécuter un programme se trouvant dans un autre répertoire de deux manières différentes. L'une consiste à faire précéder le nom du programme du chemin complet. Le chemin comprend la lettre du lecteur de disque ainsi que tous les noms de répertoires conduisant à un fichier spécifique. Vous pouvez omettre la lettre du lecteur si le fichier se trouve dans le répertoire en cours.

Changement de répertoire

Une autre manière d'exécuter un programme consiste à accéder d'abord à son répertoire puis à entrer le nom du programme. Pour accéder à un autre répertoire se trouvant dans le lecteur en cours, tapez **CD ** ou **CHDIR ** suivi du chemin du répertoire.

Vous taperez par exemple **CD \LOTUS** pour accéder au répertoire LOTUS ou **CD ** pour accéder au répertoire racine. La barre oblique inverse suivant CD indique au DOS de commencer le chemin à partir du répertoire racine. Par conséquent, pour accéder au sous-répertoire EXEM de LOTUS depuis n'importe quelle zone du disque, tapez :

CD \LOTUS\EXEM

Cette commande indique au DOS de revenir au répertoire racine puis de suivre le chemin par LOTUS jusqu'à EXEM.

Vous pouvez rapidement accéder à un sous-répertoire se trouvant dans le répertoire en cours en indiquant au DOS de démarrer au répertoire en cours sans revenir à la racine. Si vous avez déjà accédé à C:\LOTUS par exemple, accédez à EXEM avec la commande :

CD EXEM

Sans la barre oblique inverse, le DOS s'attend à ce que EXEM soit un sous-répertoire du répertoire en cours.

Etant donné que les répertoires (pas les sous-répertoires) partent de la racine, vous pouvez omettre la barre oblique inverse quand vous passez du répertoire racine à un autre répertoire en entrant par exemple :

CD LOTUS

à partir du répertoire racine. Cependant, CD EXEM est incorrect si vous vous trouvez dans le répertoire racine parce que EXEM part de LOTUS.

Si cette forme abrégée n'a pas de succès quand vous essayez de changer de répertoire, ajoutez la barre oblique inverse et le chemin complet.

Vous devez vous trouver dans un lecteur pour accéder à un répertoire de ce lecteur. Il est impossible de changer de lecteur et de répertoire dans une seule commande. La frappe de **CD \D:\POLICE** n'est pas "valide" si vous vous trouvez dans le lecteur C. Vous devez d'abord accéder au lecteur **D** en entrant **D:** puis changer de répertoire avec **CD \POLICE**.

█ *UTILISATION DE CARACTÈRES GÉNÉRIQUES*

De nombreuses commandes DOS internes peuvent seulement accepter les caractères génériques * et ? dans les noms de fichier. Utilisez le caractère * pour représenter un nombre quelconque de caractères inconnus soit dans le nom, soit dans l'extension ; utilisez un ? à la place d'un caractère unique.

.BAK par exemple se réfère à tous les fichiers portant l'extension .BAK alors que LETTRE. représente tous les fichiers appelés LETTRE, quelle que soit leur extension. La mention *.* renvoie à tous les fichiers se trouvant dans le répertoire et dans le disque en cours.

Le caractère ? représente lui un caractère unique. La notation ?.BAK représente tous les noms de fichier à un caractère portant l'extension .BAK. W?.* se réfère à tous les noms de fichier à deux caractères commençant par W alors que ???.DOC se réfère à tous les noms de fichier à trois caractères portant l'extension .DOC.

■ *CONVENTIONS D'ATTRIBUTION DES NOMS*

Un nom de fichier DOS se compose d'un maximum de huit caractères plus une extension optionnelle de trois caractères. Le nom et l'extension sont séparés par un point. Les noms doivent se composer seulement de lettres, de chiffres et des caractères $, %, ', -, @, {, }, ~, ! et #.

Quand vous nommez votre propre fichier, sélectionnez un nom qui indique clairement son contenu, même si vous disposez d'un maximum de 11 caractères avec lesquels travailler. Par exemple, LETTR.MAM est plus significatif que juste LETTRE ; BUDGET.93 est meilleur que ARGENT. Les noms de fichiers comme LETTRE.1, LETTRE.2 et LETTRE.3 n'ont plus aucun sens quand votre disque se remplit.

Il ne faut pas donner à un fichier .EXE, .COM ou .BAT le même nom qu'à une commande DOS interne. Si vous avez appelé un fichier COPY.BAT ou REN.EXE, le DOS ne l'exécutera jamais. Quand vous entrez **COPY** ou **REN**, le DOS exécute automatiquement la commande interne. Vous pouvez cependant utiliser pour des fichiers les noms de commandes internes sans extension ou avec une extension différente de .BAT, .EXE ou .COM. Par exemple, COPY et DEL.TXT sont des noms de fichier corrects.

De plus, il existe d'autres mots réservés utilisés par le DOS que vous ne pouvez pas employer comme noms de fichier. Ce sont :

aux	nul	lpt1
lpt2	lpt3	com1
com2	clock$	prn

Alors que ces mots peuvent faire partie de noms de fichier tels que LPT105 ou ANNUL, il est impossible de les employer comme nom complet, même avec une extension.

▓ *LES TOUCHES FONCTION DOS*

Vous pouvez utiliser les touches F1, F2 et F3 pour répéter rapidement la totalité ou une partie de la dernière commande DOS tapée au signal DOS.

Touche	Fonction
F1	Affiche le caractère suivant depuis votre dernière commande DOS à chaque fois que vous pressez la touche F1.
F2 *<caractère>*	Affiche la commande jusqu'à l'occurrence suivante du caractère spécifié.
F3	Répète les caractères restants sur la ligne de signal.

Supposons par exemple que votre dernière commande était :

DIR C:\WP\LETTRES*.DOC

Pressez la touche F1 après le signal DOS pour afficher le caractère D. Pressez à nouveau F1 pour afficher I et une fois encore pour afficher R. Continuez à presser la touche F1 pour afficher toute la commande caractère par caractère.

Si vous pressez la touche F2 puis **L** à partir du signal DOS, tous les caractères situés avant le premier L de la dernière commande apparaissent, **DIR C:\WP**. Pressez la touche F3 à partir de ce point pour afficher les caractères de la commande restants.

En combinant la touche Retour Arrière et les touches fonction, vous pouvez accélérer votre travail avec le DOS. Par exemple, après l'entrée de la commande **DIR C:\WP\LETTRES*.DOC**, vous voulez afficher tous les fichiers portant l'extension .BAK dans le même répertoire. Au lieu d'entrer toute la ligne de commande, vous pouvez procéder aux opérations suivantes :

1. Pressez la touche F3 pour afficher **DIR C:\WP\LETTRES*.DOC**.

2. Pressez trois fois la touche Retour Arrière pour effacer DOC.

3. Tapez **BAK** puis pressez la touche Retour.

Pause dans l'affichage

Si vous voulez afficher une longue liste de répertoires ou de fichiers sans l'imprimer, utilisez les combinaisons de touche DOS pour faire une pause dans l'affichage. Cela vous laisse le temps de lire l'écran avant que le texte ne défile en haut.

Pour faire une pause dans l'affichage, pressez les touches Ctrl-Verr Num ou Ctrl-S. L'opération en cours d'exécution est temporairement suspendus. Pour reprendre l'affichage, pressez une touche autre qu'une touche de contrôle ou qu'une touche fonction comme la barre d'espacement, une touche lettre ou une touche chiffre.

Votre clavier a peut-être aussi une touche pause ; pressez-la simplement pour suspendre une opération.

Comment sortir d'un mauvais pas

Il arrivera parfois que votre ordinateur commence à se conduire de façon incorrecte : il est impossible d'interrompre une opération, votre écran se remplit de charabia, le système ne répond pas à votre clavier ou l'imprimante commence à vomir des pages.

Ces événements appellent tous une intervention drastique. Pressez les touches Ctrl-Pause ou Ctrl-C pour arrêter et non pas seulement suspendre une opération. Si cela n'a pas d'effet, il faudra peut-être réinitialiser votre ordinateur en pressant les touches Ctrl-Alt-Suppr, toutes les trois simultanément. Cela provoque un "amorçage à chaud" en rechargeant le DOS mais en sautant tout programme de diagnostic. Alors qu'un amorçage à chaud restitue le contrôle de l'ordinateur, tout ce sur quoi vous travailliez dans une application est perdu.

Enfin, si votre système ne répond pas aux touches Ctrl-Alt-Suppr, mettez l'ordinateur hors tension, attendez une minute, remettez-le sous tension (certains ordinateurs ont un *bouton de réinitialisation* qui a le même effet que la frappe des touches Ctrl-Alt-Suppr. Si ces touches n'ont pas d'effet, essayez de presser ce bouton avant de mettre hors puis sous tension l'ordinateur).

Combinaisons de touches non standard

Les combinaisons de touches traitées jusqu'à présent sont proposées par toutes les versions du DOS. Certains fabricants ont ajouté leur propre séquence de touches pour contrôler certaines fonctions matérielles ou logicielles sur leurs appareils.

L'ordinateur portable Compaq, par exemple, utilise les touches Ctrl-Alt-Plus et Ctrl-Alt-Moins pour contrôler le bruit des touches.

Les ordinateurs Zenith utilisent les touches Ctrl-Alt-Inser pour exécuter un programme moniteur en ROM. C'est un programme de diagnostic et de contrôle stocké dans la mémoire permanente de l'ordinateur. Si vous n'avez pas d'ordinateur Zenith, la frappe de cette combinaison de touches risque de n'avoir aucun effet. Mais si vous en avez un, votre ordinateur se réamorcera et tout ce qui se trouve en mémoire sera perdu.

Ne soyez donc pas surpris si vous obtenez d'étranges résultats avec certaines combinaisons de touches.

QUELQUES COMMANDES DOS UTILES

Dans les chapitre suivants, nous allons utiliser le DOS pour adapter votre système à vos propres besoins et gérer votre disque dur et vos disquettes. A titre de préparation, nous allons revoir un jeu de commandes DOS élémentaires que vous utiliserez souvent. Cette section illustre l'emploi de commandes internes et externes ainsi que les principes des répertoires et des chemins. Lisez cette présentation dans le détail puis faites des essais de commande sur votre propre système. Répétez-les plusieurs fois en utilisant différents fichiers ou options jusqu'à ce que vous connaissiez bien leur fonctionnement.

Listes de répertoires

Utilisez la commande DOS interne DIR quand vous voulez visualiser les fichiers qui se trouvent sur un disque ou dans un répertoire.

Tapez **DIR** et pressez la touche Retour pour visualiser la liste des fichiers du répertoire en cours dans le lecteur en cours. La commande affiche tous les noms de fichier, leur extension, leur taille en octets et la date et l'heure de leur création ou de leur dernière modification.

Si vous avez un grand nombre de fichiers dans le répertoire, la liste défile trop rapidement sur l'écran pour que vous puissiez la lire. Vous pouvez utiliser la commande **DIR /P** pour afficher la liste des fichiers écran par écran ou la commande **DIR /W** pour afficher une liste en largeur, comme dans la Figure 3.3 (la partie P ou W de la commande s'appelle une *option*). Notez que seuls les noms et les extensions apparaissent avec la commande DIR /W mais pas la taille du fichier ni la date et l'heure de création.

Utilisez la barre oblique ordinaire -le caractère /- avant une option et la barre oblique inverse (\) pour séparer chaque branche d'un chemin de répertoire.

Utilisez cette commande	Pour lister les fichiers du
DIR	répertoire en cours du lecteur en cours
DIR B:	lecteur B
DIR \	répertoire racine du lecteur en cours
DIR \LOTUS	répertoire LOTUS du lecteur en cours
DIR \LOTUS\EXEM	sous-répertoire EXEM du lecteur en cours
DIR /W \WP	répertoire WP du lecteur en cours en affichage large
DIR B:\DOC	répertoire DOC du lecteur B
DIR /P \WINWORD\DOC	sous-répertoire DOC de WINWORD en faisant une pause à chaque fois qu'un écran est plein

```
Le volume dans l'unité C s'appelle DOS500
Le numéro de série du volume est 16F1-60F3
Répertoire de C:\WINWORD
```

[.]	[..]	[CLIPART]	[WINWORD.CBT]	50CONVRT.GLO
55CONVRT.GLO	CONVINFO.DOC	DATAFILE.DOT	DBASE.CNV	DCA_RTF.TXT
DIALOG.FON	DOSW50W.DOC	DOSW55W.DOC	ETIQUETT.DOT	EXAMEN.DOT
GRAPHICS.DOC	GR_FR.COD	GR_FR.DIC	GR_FR.DLL	GR_FR.HLP
GR_FR.INI	GR_FR.LEX	HYPH.DLL	HY_FR.LEX	IMPRIM.DOC
INSTALL.EXE	LETBLOC1.DOT	LETBLOC2.DOT	LETPERSO.DOT	LISE2MOI.DOC
LISE2MOI.MCW	LISE2MOI.TXT	LOTUS123.CNV	MACROCNV.DOC	MACRODE.EXE
MLTIPLAN.CNV	MODELES.DOC	MSWORD.DOT	MULTIMAT.CNV	MW5_RTF.TXT
NOUVMACR.DOC	OFFRE.DOT	PAYSAGE.DOT	PCW_RTF.TXT	PERSO.DIC
PORTRAIT.DOT	PRESSE.DOT	RFTDCA.CNV	RTF_DCA.TXT	RTF_MW5.TXT
RTF_PCW.TXT	RTF_WP5.TXT	RTF_WWP.TXT	SPELL.DLL	SP_FR.LEX
TELECOP.DOT	THES.DLL	TH_FR.LEX	TITRE.DOT	TOTO.DOC
TRANSPAR.DOT	TT.DOC	TXTWLYT.CNV	WINWORD.EXE	WINWORD.HLP
WINWORD.INI	WORDDOS.CNV	WORDMAC.CNV	WORDSTAR.CNV	WORDWIN1.CNV
WP5_RTF.TXT	WPFT4.CNV	WPFT5.CNV	WRITWIN.CNV	WRKSDOS.CNV
WRKSWIN.CNV	WWORD20.INF	WWP_RTF.TXT	XLBIFF.CNV	

```
        79 fichier(s)       9078343 octets
                           38998016 octets libres

C:\WINWORD>
```

Figure 3.3 : Liste en largeur.

Vous pouvez utiliser les caractères génériques pour afficher des groupes de fichiers sélectionnés. Voir Tableau Page 2.

Si vous avez des difficultés à accéder à un répertoire, c'est probablement que le chemin est entré de façon incorrecte, c'est-à-dire avec une faute d'orthographe dans un nom de répertoire ou en ayant oublié l'une des branches.

Utilisez cette commande	Pour lister les fichiers
DIR L*.*	tous les fichiers commençant par la lettre L
DIR L?.*	tous les fichiers portant des noms à deux caractères commençant par la lettre L
DIR *.*	tous les fichiers ; la même chose que DIR
DIR *.	les fichiers sans extension, y compris les répertoires

Affichage des chemins avec la commande TREE.COM

Les sous-répertoires ne sont pas fréquemment utilisés sur des disques souples mais ils sont importants pour les utilisateurs de disque dur. Il serait très difficile de manipuler les centaines de fichiers que vous pouvez stocker sur un disque dur s'il n'y avait qu'un seul répertoire.

TREE.COM est une commande DOS externe qui affiche le nom de tous les répertoires et sous-répertoires de votre disque. Si vous entrez TREE.COM, une liste semblable à celle de la Figure 3.4 apparaît. Chaque répertoire et sous-répertoire apparaît avec son chemin complet à l'exception de la lettre du lecteur. N'oubliez pas que vous pouvez faire une pause dans l'affichage en pressant les touches Ctrl-Verr Num ou Ctrl-S.

Copie de fichiers avec la commande COPY

La commande COPY duplique un fichier ou un groupe de fichiers. Sa syntaxe générale est :

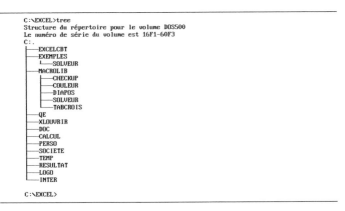

```
C:\EXCEL>tree
Structure du répertoire pour le volume DOS500
Le numéro de série du volume est 16F1-60F3
C:.
├───EXCELCBT
├───EXEMPLES
│   └───SOLVEUR
├───MACROLIB
│   ├───CHECKUP
│   ├───COULEUR
│   ├───DIAPOS
│   ├───SOLVEUR
│   └───TABCROIS
├───QE
├───XLOUVRIR
├───DOC
├───CALCUL
├───PERSO
├───SOCIETE
├───TEMP
├───RESULTAT
├───LOGO
└───INTER

C:\EXCEL>
```

Figure 3.4 : Affichage généré par la commande TREE.

COPY <nom de fichier initial> <nom du fichier de destination>

Utilisez cette commande pour faire une copie du fichier dans le même lecteur et le même répertoire mais avec un nom différent ou pour copier le fichier sur un autre disque. Nous allons examiner plusieurs exemples de la commande COPY.

La commande :

COPY LETTRE.DOC LETTRE.BAK

génère une copie du fichier LETTRE.DOC qui s'appelle LETTRE.BAK. Vous avez maintenant deux fichiers identiques sur le même lecteur et dans le même répertoire mais avec des noms différents.

Si vous exécutez la commande :

COPY LETTRE.DOC B:

le DOS copie le fichier du lecteur en cours sur le disque du lecteur B en donnant au fichier le même nom. Vous avez maintenant deux fichiers identiques appelés LETTRE.DOC, un dans le lecteur en cours et un dans le lecteur B.

La commande :

COPY LETTRE.DOC B:LETTRE.BAK

copie le fichier dans le lecteur B en changeant le nom de la copie en LETTRE.BAK. Le fichier original n'est pas modifié.

Pour réaliser une copie d'un fichier se trouvant dans un autre lecteur ou répertoire, ou pour placer la copie dans un autre répertoire, utilisez le chemin complet comme :

COPY B:LETTRE.DOC C:\WP\REPONSE.DOC

Cette commande copie et renomme un fichier du lecteur B dans le répertoire WP du lecteur C.

Vous pouvez utiliser les caractères génériques pour copier des groupes de fichiers sélectionnés. Par exemple, la commande :

COPY A:*.DOC C:\WP

copie tous les fichiers DOC du lecteur A dans le répertoire WP du lecteur C.

La commande :

COPY *.* D:

copie tous les fichiers du disque et du répertoire en cours dans le répertoire en cours du lecteur D.

Si le lecteur de destination n'a pas assez de place pour stocker le fichier, le message :

Espace disque insuffisant

apparaît.

Dans le Chapitre 5, vous apprendrez à utiliser la commande COPY et d'autres commandes pour faire une sauvegarde de votre disque dur. Le Chapitre 6 explique comment faire des copies de vos disques souples.

Affichage de fichiers sur l'écran avec la commande TYPE

La commande TYPE affiche le contenu d'un fichier sur l'écran. Sa syntaxe est :

TYPE *<nom de fichier>*

TYPE affiche le contenu des fichiers ASCII sur l'écran ; cette commande est donc surtout utile pour les fichiers qui ne contiennent rien d'autre que des lettres et des chiffres, comme les fichiers AUTOEXEC.BAT et CONFIG.SYS.

Les fichiers contenant des informations binaires, comme les programmes exécutables, sont illisibles à l'écran parce que les codes binaires ne sont pas représentés par des caractères ASCII. Les fichiers document et de données créés par des programmes d'application peuvent sembler incompréhensibles quand ils sont affichés avec la commande TYPE.

IMPRESSION DE FICHIERS À PARTIR DU DOS

PRINT est une commande externe qui envoie le contenu d'un fichier à votre imprimante. Cela est réalisé par l'intermédiaire d'une *file d'attente d'impression* dans laquelle un fichier attend que l'imprimante soit prête à le recevoir.

Etant donné qu'il s'agit d'une commande externe, vous devez vous trouver sur le disque ou dans le répertoire dans lequel se trouve le fichier PRINT.COM.

La commande PRINT est similaire à la commande TYPE en ce sens qu'elle fonctionne mieux avec des fichiers ASCII ou texte. Si vous essayez d'imprimer un fichier programme, vous risquez de perdre beaucoup de papier et de temps étant donné que les informations binaires de ces fichiers ne peuvent pas être traduites en caractères imprimables.

La syntaxe est :

PRINT *<lecteur:>\<chemin>\<nom de fichier>*

comme dans :

PRINT C:\WORD\LETTRE.TXT

Quand vous utilisez la commande PRINT pour la première fois, le DOS affiche le message :

Nom d'imprimante [PRN]:

Pressez la touche Retour pour accepter l'imprimante parallèle standard. Vous voyez ensuite le message :

Partie résidente de la commande PRINT installée

et un message indiquant que le fichier spécifié est en cours d'impression.

Vous pouvez ajouter d'autres fichiers à la file d'attente même avant l'impression du premier. Entrez simplement à nouveau la commande PRINT suivie d'un autre nom de fichier. Arrêtez l'impression avec la commande **PRINT /T**.

Bien que PRINT semble être une commande simple, il y a de nombreux aspects matériels à prendre en compte. Sauf indication contraire au DOS, le résultat de la commande PRINT est envoyé au port parallèle de votre ordinateur. Cela ne pose pas de problème tant qu'une imprimante est reliée à ce port. Si vous avez une imprimante série ou plusieurs ports parallèles, il faut donner au DOS certaines instructions spéciales avant l'impression du fichier. Nous verrons cela en détail dans le Chapitre 8, "Travail avec l'imprimante".

La commande PRINT propose aussi un certain nombre d'options ou commutateurs que vous pouvez entrer après elle sur la ligne de commande DOS. Ces options varient malheureusement d'une version du DOS à l'autre, surtout entre des fabricants différents. Certaines versions offrent une plus grande souplesse et un plus grand contrôle sur la file d'attente.

Vous pouvez aussi imprimer des fichiers, des sections de fichiers et des affichages écran à l'aide des touches Ctrl, Maj et Imp écr. Vous avez appris dans le Chapitre 2 à imprimer des listes de répertoire en pressant les touches Maj-Imp écr. Cette combinaison de touches génère une copie rapide de ce qui se trouve à l'écran.

Pour imprimer ce qui va apparaître ensuite sur l'écran, pressez les touches Ctrl-Imp écr ou Ctrl-P. Cela active la *fonction d'impression continue* ou *echo imprimante*, en envoyant une copie de chaque caractère qui apparaît ensuite sur votre écran à l'imprimante.

Les touches Maj-Imp écr impriment un écran puis l'impression s'arrête alors que les touches Ctrl-Imp écr continuent l'impression jusqu'à la deuxième frappe des mêmes touches (ou des touches Ctrl-P).

Pour imprimer une longue liste de répertoires, procédez de la façon suivante :

1. Pressez les touches Ctrl-Imp écr à partir du signal DOS.

2. Tapez **DIR** ou la commande de répertoire de votre choix et pressez la touche Retour.

3. Pressez les touches Ctrl-Imp écr après l'impression de la liste.

Pour imprimer le contenu d'un fichier, procédez de la façon suivante :

1. Pressez les touches Ctrl-Imp écr à partir du signal DOS.

2. Tapez **TYPE** et le nom du fichier puis pressez les touches Retour.

3. Pressez les touches Ctrl-Imp écr après l'impression du fichier.

Gardez simplement à l'esprit que chaque caractère est envoyé à l'imprimante, même les messages d'erreur et d'avertissement.

Comme les commandes TYPE et PRINT, les touches Maj-Imp écr et Ctrl-Imp écr ont de meilleurs résultats avec des fichiers qui contiennent seulement des caractères ASCII. Pour générer des impressions d'écrans graphiques, vous avez besoin d'utiliser quelques techniques spéciales traitées dans le Chapitre 8.

Avec certaines version du DOS, les touches Ctrl-Imp écr risquent de ne pas fonctionner correctement s'il y a déjà des caractères sur la ligne de signal. Dans ce cas, vérifiez que seul le signal DOS apparaît quand vous pressez la combinaison de touches.

Maintenant que vous êtes familiarisé avec le DOS, nous allons travailler à la personnalisation de votre système et à l'organisation de votre disque dur et des disques souples.

4
PERSONNALISATION DE VOTRE ORDINATEUR

Etant donné qu'il appartenait avant à quelqu'un d'autre, votre ordinateur était configuré pour répondre à la manière de travailler de son ancien propriétaire. Mais maintenant qu'il vous appartient, le système doit être adapté à votre travail et à votre personnalité.

Dans ce chapitre, vous apprendrez à opérer quelques changements fondamentaux et importants sur votre ordinateur. Vous verrez comment supprimer des fichiers indésirables, installer vos propres programmes et modifier des fichiers de configuration et des fichiers batch, en utilisant les ressources disponibles dans le DOS lui-même.

SUPPRESSION DE FICHIERS INDÉSIRABLES

Bien que vos disques puissent contenir de nombreux logiciels utiles, ils risquent aussi d'être alourdis avec les fichiers laissés par le dernier propriétaire. Vous pouvez y trouver des documents issus d'un traitement de texte, des feuilles de calcul, des bases de données ou d'autres fichiers qui étaient sans aucun doute importants pour quelqu'un d'autre mais qui, en ce qui vous concerne, occupent simplement de l'espace.

Vous pouvez supprimer ou effacer des fichiers dont vous n'avez pas besoin sur vos disques. La suppression de fichiers est facile à réaliser ; il faut vous assurer que vous n'en aurez plus besoin. Un fichier qui vous semble sans utilité peut être la clé d'une application importante et coûteuse. Même certains fichiers très petits, composés seulement de quelques octets, peuvent être essentiels pour une programme d'application. Le Tableau 4.1 montre par exemple juste quelques-uns des fichiers utilisés par WordPerfect 5.1. La suppression de l'un de ces fichiers empêche le déroulement du programme ou ne le laisse pas opérer totalement dans votre configuration. Gardez donc cette règle d'or à l'esprit : n'effacez pas un fichier sauf si vous êtes absolument sûr de ne pas en avoir besoin.

Il existera toujours des programmes commercialisés à part qui vous aideront à restituer un fichier effacé accidentellement. Mais aucun de ces programmes ne peut garantir la restitution de tous les fichiers supprimés.

Les disques souples étant relativement bon marché, utilisez-les pour sauvegarder les fichiers pour lesquels vous n'êtes pas sûr. Une boîte de disquettes est moins onéreuse que le remplacement d'un programme d'application comme Lotus 1-2-3 ou Ventura Publisher.

Conseils relatifs à la suppression de fichiers

Il existe quelques règles générales que vous pouvez suivre pour prendre ces décisions.

- Ne jamais effacer des fichiers se trouvant sur des disques de distribution ou sur la seule copie du DOS ou du disque d'application en votre possession.

ALTRNAT WPK	CONVERT EXE	CURSOR COM
EGA512 FRS	EGAITAL FRS	EGASMC FRS
EGAUND FRS	EHANDLER PS	ENHANCED WPK
EQUATION WPK	FINST COM	FIXBIOS COM
GRAB COM	HPLASERJ PRS	HRF12 FRS
HRF6 FRS	INSTALL EXE	KEYS MRS
MACROS WPK	NWPSETUP EXE	PRINTER TST
PTR EXE	PTR HLP	REBUILD BAT
SHORTCUT WPK	SPELL EXE	STANDARD CRS
STANDARD IRS	STANDARD PRS	STANDARD VRS
STY STY	TYPETHRU EXE	VGA512 FRS
VGAITAL FRS	VGASMC FRS	VGAUND FRS
WP DRS	WP EXE	WP FIL
WP LRS	WP MRS	WP QRS
WP-PIF DVP	WP{WP} SET	WP{WP}SPW
WP{WP}US HYC	WP{WP}US LCN	WP{WP}US LEX
WP{WP}US SUP	WP{WP}US THS	WP51 INS
WP51-286 PIF	WP51-386 PIF	WPHELP FIL
WPHP1 ALL	WPINFO EXE	WPPS1 ALL
WPSMALL DRS		

Tableau 4.1 : Certains des fichiers requis par WordPerfect 5.1.

- Ne jamais supprimer COMMAND.COM de votre disque dur ou du disque souple DOS.

- Eviter de supprimer un programme exécutable de votre disque dur sauf si vous en avez une copie sur un disque souple.

- Dans certains cas, mais pas dans tous, vous pouvez effacer en toute sécurité des fichiers du disque dur qui ne se trouvent pas sur les disquettes de distribution originales.

- Ne supprimez pas une application de votre disque dur si le même répertoire contient un programme appelé UNINSTAL. Consultez la section "Logiciel protégé contre la copie" un peu plus loin dans ce chapitre.

Au sujet des extensions

Une extension de fichier est souvent le meilleur indice pour savoir s'il faut ou non l'effacer. Les extensions .DOC, .TXT et BAK par exemple sont normalement celles qui sont ajoutées aux documents, aux publications et aux autres fichiers créés par l'utilisateur. Elles ne font généralement pas partie d'un programme d'application sauf pour les fichiers d'exemples et informatifs. Si vous connaissez l'application, vous devez savoir quelle est l'extension qu'elle ajoute aux fichiers utilisateur. Le Tableau 4.2 donne la liste des extensions utilisées pour vos fichiers de données par des applications très connues. Vous pouvez généralement supprimer ces fichiers sans endommager le programme lui-même.

Quand des fichiers ont d'autres extensions, cela signifie probablement qu'ils appartiennent à une application ; ce sont des fichiers qui stockent du code programme, des informations de configuration ou des données auxiliaires par exemple. Méfiez-vous de la suppression d'un fichier portant les extensions du Tableau 4.3. Il existe de nombreuses autres extensions qui sont utilisées par des applications spécifiques telles que .PIF et .FON employées par

Extension	Fichier utilisateur
.CHP	Ventura Publisher publications
.CHT	Harvard Graphics chart files
.DBF	fichiers bases de données DBASE
.DOC	documents Word et XYWRITE
.PIC	Graphiques Lotus 1-2-3
.PM3	publications Pagemaker
.PRG	fichiers programme DBASE
.PRN	fichiers d'information imprimante XYWRITE
.PT3	gabarits Pagemaker
.PUB	publications First Publisher
.SPR	documents Sprint
.STY	feuilles de style Word et Ventura Publisher
.WKQ	feuilles de calcul Quattro
.WKS, .WK1, .WK3	feuilles de calcul Lotus 1-2-3

Tableau 4.2 : Quelques extensions courantes ajoutées aux fichiers utilisateurs.

Windows et .PRD et .DAT employées par Word Microsoft. N'effacez pas ces fichiers ; ils sont essentiels pour les applications.

Les extensions .BAS, .PAS, .COB et .C sont utilisées pour des fichiers contenant du *code source*, c'est-à-dire les instructions utilisées pour générer des programmes exécutables .COM ou .EXE en BASIC, Pascal, COBOL et C.

Extension	Type de fichier
.AFM, .SFP, .USP	polices imprimante
.BAT	fichiers BATCH qui comprennent des commandes. Le fichier AUTOEXEC.BAT est exécuté quand vous mettez votre ordinateur sous tension. D'autres fichiers batch peuvent faire partie de vos programmes d'application.
.COM et .EXE	programmes exécutables qui peuvent être exécutés à partir du signal DOS ou depuis Windows
.DRV	information de gestionnaire de périphérique
.FON	polices écran
.HLP	fichiers d'aide contenant des instructions pour l'utilisation de votre application
.OVL	fichiers de recouvrement contenant des instructions supplémentaires pour les programmes exécutables
.SYS	fichiers qui contiennent des gestionnaires de périphérique et des informations de configuration tels que CONFIG.SYS et MOUSE.SYS

Tableau 4.3 : Extensions des fichiers qui ne devraient pas être effacés.

Si vous voyez de nombreux fichiers avec ces extensions, cela signifie probablement que le propriétaire précédent bricolait en programmation. Etant donné que tous les fichiers, à l'exception des fichiers .BAS, contiennent des caractères

ASCII, vous pouvez utiliser les commandes DOS, TYPE ou PRINT, pour visualiser leur contenu.

Vous pouvez sauvegarder les fichiers code source en tant qu'exemples si vous souhaitez écrire vos propres programmes. Certains de ces programmes peuvent aussi être des utilitaires intéressants que vous pourrez exécuter vous-même si vous avez l'interpréteur ou le compilateur correct qui convertit le code source en une forme exécutable.

Un *interpréteur* comme le programme BASICA convertit et exécute les lignes de code source une par une. Les *compilateurs* eux convertissent l'ensemble du programme sous une forme exécutable pour qu'il soit possible de l'exécuter à partir du signal DOS.

Renommer un fichier

Pour voir si un fichier est important, vous pouvez le renommer puis essayer de faire tourner l'application. Si elle n'est pas correctement exécutée, le fichier est nécessaire et il faut lui restituer son nom initial. Si le programme se déroule correctement, supprimez le fichier. Pour changer le nom d'un fichier, utilisez la commande interne REN (pour *rename* = renommer). La syntaxe générale est :

REN *<nom initial> <nouveau nom>*

Supposons par exemple que vous pensez effacer le fichier DBASE.SER du répertoire DBASE. Utilisez la commande suivante pour renommer le fichier :

REN DBASE.SER DBASE.BAK

Notez l'extension de programme initiale puis essayez de faire tourner le programme DBASE. Vous obtenez dans ce cas un message d'erreur car DBASE recherche le fichier DBASE.SER pour trouver le numéro d'enregistrement et les informations d'installation.

Redonnez au fichier son nom initial avec la commande :

REN DBASE.BAK DBASE.SER

Pour renommer un fichier se trouvant dans un autre lecteur ou répertoire, ajoutez le chemin complet dans le nom initial comme dans l'exemple ci-dessous :

REN C:\WINWORD\LETTRE.DOC RESIGN.DOC

Il est impossible de renommer un fichier et de le déplacer en même temps sur un nouveau disque ou dans un nouveau répertoire ; n'ajoutez donc pas de nom de lecteur ou de répertoire dans un nouveau nom de fichier.

Vous pouvez aussi utiliser des caractères génériques pour renommer plusieurs fichiers simultanément. Par exemple, la commande :

REN *.DOC *.BAK

renomme tous les fichiers portant l'extension .DOC en leur attribuant l'extension .BAK.

Duplication de fichiers

Certains utilisateurs de disque dur installent le même programme plus d'une fois en faisant quelques modifications mineures dans les configurations. Ils peuvent avoir une copie du programme établie pour une imprimante PostScript dans un répertoire et une autre copie établie pour une imprimante IBM Graphiques dans un répertoire différent.

D'autres utilisateurs conservent plusieurs versions du même programme sur leur disque dur comme WordPerfect 5.0 et WordPerfect 5.1 ou Windows 3.1 et Windows 386.

Si vous avez besoin d'une seule version ou configuration, vous souhaiterez peut-être effacer l'autre. Ne vous précipitez cependant pas pour éliminer les anciennes versions d'une application juste parce que vous en avez une nouvelle. Vous ne savez jamais si vous n'en aurez pas besoin pour lire un fichier ou exécuter une autre fonction existant uniquement dans cette version du logiciel.

Logiciel protégé contre la copie

Il était un temps où de nombreux programmes étaient *protégés contre la copie* c'est-à-dire modifiés d'une certaine manière qui rendait impossible, ou au moins difficile, leur copie. Alors que cette protection limitait la duplication illégale de logiciels, elle gênait l'utilisateur légitime. Vous étiez très ennuyé si votre copie était endommagée ou si votre disque dur était reformaté par erreur. Il était généralement possible d'échanger la disquette défectueuse contre une autre mais cela prenait du temps.

Heureusement, la pression du consommateur a convaincu la plupart des fabricants de supprimer cette protection de leurs produits. Maintenant, très peu d'entre eux protègent leurs logiciels contre la copie, en s'appuyant sur notre honnêteté et sur notre fair-play.

Si vous avez un programme protégé contre la copie sur votre disque dur, ne l'effacez pas avant d'avoir examiné toutes les conséquences de cette suppression. La simple copie des fichiers du programme sur un disque souple ne suffit pas car il sera probablement impossible d'utiliser cette version.

Le fait d'avoir le programme initial sur des disques souples ne garantit même pas que vous pouvez toujours le réinstaller sur votre disque dur. Certains schémas de protection rendent la disquette inutilisable dès que le programme est installé sur le disque dur. Pour savoir si vous pouvez réinstaller un programme, cherchez sur votre disque dur un programme ou un fichier batch portant le nom

UNINSTAL. Ce programme est conçu pour supprimer un programme du disque dur de telle façon que la version sur disquette soit à nouveau utilisable. Si vous voulez supprimer le programme du disque dur, exécutez d'abord le programme UNINSTAL.

Comment supprimer des fichiers

Si vous décidez de supprimer un fichier, utilisez la commande DOS interne DEL. Sa syntaxe générale est :

DEL *<nom de fichier>*

Pour supprimer un fichier se trouvant dans un autre lecteur ou répertoire, utilisez le chemin complet comme dans :

DEL B:\LETTRES\PERSO.DOC

ou accédez d'abord au lecteur ou au répertoire et utilisez juste la commande DEL sans spécifier le lecteur ou le répertoire.

Vous pouvez effacer des fichiers individuels ou des groupes de fichiers à l'aide de caractères génériques. Pour supprimer par exemple tous les fichiers portant l'extension .BAK du répertoire en cours ou du lecteur en cours, entrez la commande :

DEL *.BAK

Pour supprimer tous les fichiers du répertoire dans lequel vous vous trouvez, entrez la commande :

DEL *.*

Utilisez le chemin complet pour supprimer des fichiers se trouvant dans un autre répertoire comme :

DEL \WP50\LETTRES

Quand vous incluez le chemin du répertoire, le DOS suppose que la commande concerne tous les fichiers (*.*) et vous demande confirmation avec le message :

**Tous les fichiers du répertoire seront supprimés !
Etes-vous sûr (O/N) ?**

Pressez la touche O pour supprimer des fichiers ou N si vous changez d'avis. La commande DEL *.* supprime des fichiers seulement dans le répertoire en cours. Si vous vous trouvez dans le répertoire racine, les sous-répertoires ne sont pas affectés.

Soyez très prudent quand vous utilisez la commande DEL, surtout avec des caractères génériques, car vous pouvez supprimer accidentellement des fichiers ou des programmes importants. Il faut en fait utiliser d'abord la commande DIR pour vérifier quels sont les fichiers à effacer.

Pour visualiser par exemple tous les fichiers portant l'extension .DOC, entrez la commande :

DIR *.DOC

Examinez la liste pour vérifier que vous voulez supprimer tous les fichiers affichés puis, quand vous êtes sûr de vous, tapez la commande :

DEL *.DOC

La touche F3 est utile quand vous utilisez la commande DIR avec la commande DEL. Après confirmation de la liste avec la commande DIR, tapez **DEL** puis pressez la touche F3 pour afficher le même chemin et la même spécification de fichier utilisée dans la commande DIR. Pressez la touche Retour pour supprimer les fichiers.

Supposons que vous avez entré cette ligne de commande pour contrôler les fichiers que vous souhaitez supprimer :

DIR C:\LOTUS\BUDGET*.92

Au lieu de retaper le chemin entier, en faisant éventuellement une erreur et en n'effaçant pas les bons fichiers, tapez la commande DEL puis la touche F3. Vous pouvez utiliser cette commande ERASE à la place de la commande DEL.

Suppression de répertoires

Pour supprimer un répertoire de votre disque, utilisez la commande :

RD *<nom de chemin>*

(RD signifie *remove directory*, supprimer répertoire).

Il est cependant impossible de supprimer un répertoire si vous vous trouvez dedans ou bien s'il contient des fichiers ou des sous-répertoires. A titre d'exemple, pour effacer un répertoire appelé WP42 qui contient un sous-répertoire LETTRES, procédez de la façon suivante (pressez la touche Retour après chaque étape) :

Tapez	Pour
CD \WP42\LETTRES	accéder au sous-répertoire LETTRES
DIR *.*	confirmer la suppression de tous les fichiers
DEL *.* Retour O	supprimer tous les fichiers
CD \WP42	accéder à un autre répertoire, WP42 dans ce cas
RD \WP42\LETTRES	supprimer le sous-répertoire
DEL *.* Retour O	supprimer les fichiers du répertoire WP42
CD \	accéder au répertoire racine
RD \WP42	supprimer le répertoire

■ *INSTALLATION DE LOGICIELS*

L'*installation* d'un programme signifie le rendre prêt à travailler sur votre système ; la manière de procéder à cette installation dépend du logiciel lui-même.

Les programmes de votre disque dur sont probablement déjà installés et prêts à être utilisés. Consultez la section "Réinstallation" (un peu plus loin dans ce chapitre) si vous avez des difficultés à les faire tourner. Les logiciels fournis sur disquettes peuvent aussi avoir besoin d'être installés, surtout s'il ne s'agit pas de versions originales. Vous pouvez avoir une copie de logiciel (légale ou non) établie par le propriétaire précédent.

Si vous avez un logiciel que vous venez juste d'acheter, qui reste de votre ancien système ou qui ne semble pas fonctionner correctement, vous aurez probablement besoin de passer par une procédure d'installation. Les programmes qui nécessitent une installation affichent généralement un message d'avertissement si vous les exécutez avant cette procédure. S'ils sont configurés de façon incorrecte pour votre système, l'affichage écran ou le résultat imprimé ne conviennent pas.

Dans le Chapitre 5, "Apprivoisez votre disque dur", vous apprendrez à organiser votre disque dur pour obtenir une efficacité maximum. Si vous avez une application importante à installer, ou bien une installation qui nécessite la création de répertoires, commencez par lire ce chapitre.

Faites toujours une copie de sauvegarde de vos disques avant d'installer n'importe quel programme. Les instructions nécessaires à la réalisation de copies de sauvegarde sont données dans le Chapitre 6, "Gestion des disques souples".

Logiciels à installation automatique

De nombreux programmes ne nécessitent pas de procédure d'installation spéciale. Vous exécutez le programme à partir du disque souple ou vous copiez tous les fichiers sur le disque dur avant d'exécuter le programme. Ces programmes sont capables "d'appréhender" le type du moniteur que vous avez et se configurent automatiquement eux-mêmes pour votre affichage. D'autres peuvent vous poser quelques questions relatives à votre système lors de sa première exécution puis stocker vos réponses dans un fichier de configuration spécial. Dans ces cas-là, il n'y a rien à faire avant d'utiliser l'application.

Programmes d'installation

Les applications plus importantes ou plus complexes sont fournies avec leurs propres utilitaires qui gèrent l'installation à votre place. Ces programmes s'appellent généralement INSTALL, CREATE ou quelque chose qui y ressemble et sont soit des fichiers batch, soit des fichiers exécutables. Il suffit simplement d'entrer le nom au signal DOS et de suivre les messages affichés sur l'écran.

La plupart des programmes d'installation copient simplement les fichiers sur votre disque dur puis vous guident étape par étape pour l'installation plus ou moins personnalisée du logiciel. La Figure 4.1 montre l'écran qui apparaît lors de l'installation de Windows 3.1. A la fin de l'installation, le logiciel donne à l'utilisateur la possibilité d'installer une ou plusieurs imprimantes (Figure 4.2).

La Figure 4.3, quant à elle, montre le premier écran qui est présenté à l'utilisateur lors de la procédure d'installation de 1-2-3 pour Windows.

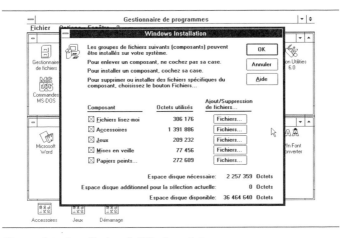

Figure 4.1 : Installation de Windows 3.1.

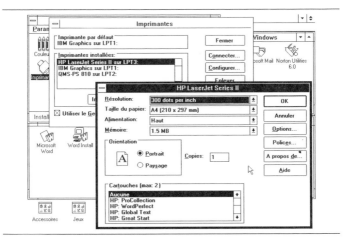

Figure 4.2 : Spécification d'une imprimante dans Windows 3.1.

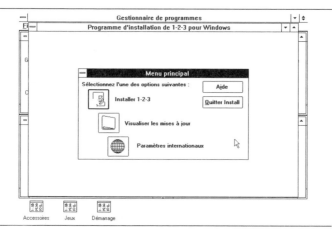

Figure 4.3 : Installation de 1-2-3 pour Windows.

Un nombre croissant d'applications sont constituées de *fichiers compressés* qui doivent être décompressés durant l'initialisation. La compression permet au fabricant de fournir moins de disquettes et d'inclure des fichiers trop importants pour tenir normalement sur un disque souple. Word pour Windows 2.0, par exemple, comporte plusieurs fichiers supérieurs à 1 Mégaoctet (le fichier d'aide WINWORD.HLP dépasse même 2 Mo !) qui sont commercialisés sous la forme de fichiers compressés sur des disques de 1,44 Mo. Son programme d'installation comporte un menu qui vous permet d'exécuter une première installation, de modifier la configuration ou d'installer des fichiers de mise à jour dès qu'ils sont disponibles (Figure 4.4).

N'essayez pas de contourner ou de bâcler la procédure d'installation d'une application. Vérifiez que vous répondez correctement à tous les messages et affichages.

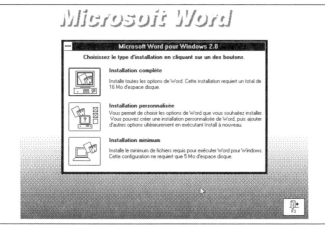

Figure 4.4 : Menu d'installation Word Windows.

Si vous installez un programme sur un disque souple, protégez en écriture les disques originaux. La *protection en écriture* vous protège des suppressions de fichier accidentelles. Avec les disquettes 5 pouces $^1/_4$, les languettes de protection sont les petites étiquettes rectangulaires qui sont emballées avec les disquettes vierges. Pliez l'une des étiquettes sur l'encoche carrée située sur le côté du disque. Si vous avez des disques 3 pouces $^1/_2$, protégez-les en poussant le petit taquet vers le bord du disque. Si le petit carré est bloqué, le disque est déverrouillé et les informations peuvent être supprimées. Verrouillez le disque en poussant le taquet de telle sorte que le trou soit libéré. Ceci vous empêche de supprimer des fichiers importants si vous insérez accidentellement le disque au mauvais moment. Suivez soigneusement les messages écran et insérez le disque original seulement lorsque le programme vous le demande.

N'insérez jamais un disque original quand le signal demande un disque de destination. Le disque de *destination* est le disque sur lequel vous installez le programme. La plupart des messages vous indiquent d'insérer un disque puis de presser une touche pour continuer ; vérifiez donc deux fois que vous avez inséré le bon disque avant de taper une touche.

Réinstallation

Si vous utilisez un type d'affichage ou une imprimante différents de ce que votre prédécesseur employait, vous devrez peut-être réinstaller le programme pour votre propre configuration. Un programme établi pour un moniteur couleur et une imprimante laser ne fonctionne pas avec un moniteur monochrome et une imprimante matricielle.

Exécutez le programme pour voir comment il fonctionne avec votre moniteur et votre imprimante. Si l'image est claire sur l'écran et que le résultat s'imprime sur votre imprimante, vous n'avez pas besoin de réinstaller le programme. Mais si l'affichage de votre écran ou votre impression est nulle ou illisible, il faut le réinstaller.

Cherchez sur votre disque dur ou sur votre disquette un programme ou un fichier batch portant un nom comme INSTALL, SETUP ou CREATE ; ce sont les noms des programmes d'installation les plus courants. Exécutez-le à partir du signal DOS puis suivez les instructions de l'écran. S'il n'y a pas de programme d'installation séparé, exécutez à nouveau l'application et cherchez les options de menu ou une autre fonction permettant de modifier la configuration.

Pour réinstaller un programme sur votre disque dur, vous aurez besoin des originaux ou bien des copies de sauvegarde de vos disques initiaux. Certains programmes d'installation copient seulement les fichiers spécifiques au système sur le disque dur. Ce sont les fichiers nécessaires à l'exécution du programme sur la configuration matérielle que vous avez désignée. Les informations relatives à l'utilisation d'autres moniteurs, imprimantes ou souris sont stockées sur des disques souples. Quand vous essayez de réinstaller l'application, même si le programme d'installation se trouve sur le disque dur, un message vous demande d'insérer un disque souple dans le lecteur A. Si vous n'avez pas le disque souple, vous ne pouvez pas modifier la configuration ; vérifiez donc auprès du propriétaire précédent ou contactez le fabricant du logiciel.

TRAVAIL SUR LES FICHIERS DE CONFIGURATION

Si vous effacez, installez ou réinstallez n'importe quel programme, vous devrez peut-être faire des modifications sur les fichiers AUTOEXEC.BAT et CONFIG.SYS, fichiers qui se trouvent soit sur votre disque dur, soit sur votre disquette système DOS. Le DOS cherche ces deux fichiers à chaque fois que vous mettez l'ordinateur sous tension. S'il les trouve, il exécute leurs instructions.

CONFIG.SYS donne au DOS certaines instructions qui décrivent l'environnement opératoire matériel. Il peut y avoir d'autres fichiers avec l'extension .SYS mais seuls CONFIG.SYS et les fichiers système cachés sont automatiquement utilisés par le DOS.

AUTOEXEC.BAT répète une ou plusieurs commandes DOS que vous devez normalement entrer vous-même à chaque mise sous tension de l'ordinateur. Vous pouvez aussi exécuter ce fichier en entrant **AUTOEXEC** au signal DOS. Il n'est pas nécessaire de taper l'extension .BAT ; le nom du fichier suffit. Votre disque peut contenir d'autres fichiers batch mais seul le fichier AUTOEXEC.BAT est exécuté automatiquement.

Examen de la configuration des fichiers

Avant d'apprendre comment modifier ces fichiers, nous allons les examiner pour voir s'ils vous en disent plus sur votre système.

Procédez aux opérations suivante :

1. Tapez **CD ** et pressez la touche Retour pour accéder au répertoire racine. Si vous avez un système à disques souples, vérifiez que le disque d'amorçage se trouve dans le lecteur.

2. Tapez **TYPE CONFIG.SYS** et pressez la touche Retour.

Si le message "Fichier introuvable" apparaît sur l'écran, votre disque ne contient pas de fichier de configuration. Dans le cas contraire, un affichage de ce type peut apparaître :

```
FILES = 5
BUFFERS = 15
DEVICE = EMMS.SYS
```

La commande FILES désigne le nombre de fichiers ouverts maximum auxquels le DOS peut accéder. BUFFERS met de côté un nombre de blocs de mémoire pour le stockage temporaire de données sur son passage vers et depuis le disque. Les valeurs associées à ces commandes dans le fichier CONFIG.SYS dépend des programmes d'application que vous utilisez.

La commande DEVICE charge un gestionnaire de périphérique dans la mémoire de l'ordinateur. Un *gestionnaire de périphérique* contient des informations dont le DOS a besoin pour communiquer avec des composants comme une souris et des moniteurs et pour utiliser des logiciels spéciaux pour la gestion des disques et de la mémoire. Dans la liste de fichiers précédente, un gestionnaire est installé pour accéder à une extension mémoire supplémentaire au-delà de la mémoire de base reportée par CHKDSK (vous apprendrez à utiliser l'extension mémoire dans le Chapitre 12).

3. Tapez **AUTOEXEC.BAT** et pressez la touche Retour.

Si le message "Fichier introuvable" apparaît sur l'écran, il n'y a pas de fichier batch AUTOEXEC sur votre disque. Dans le cas contraire, un fichier ressemblant à celui-ci apparaît :

```
PATH C:\DOS
ASTCLOCK
```

La commande PATH indique au DOS de rechercher des programmes dans le répertoire DOS s'ils ne se trouvent pas dans le lecteur ou dans le répertoire en cours. Vous en apprendrez plus sur la commande PATH dans le Chapitre 5.

Les ordinateurs qui ont été conçus avec un circuit horloge/calendrier intégré lisent automatiquement la date et l'heure. Cependant, si votre machine est équipée d'une horloge/calendrier installée par le propriétaire précédent, une commande doit être inclue au fichier AUTOEXEC.BAT pour transférer la date et l'heure en cours au DOS.

ASTCLOCK est une commande qui lit la date et l'heure à partir d'un circuit horloge/calendrier réalisé par la société AST Research. Elle apparaît (elle ou une commande similaire contenant généralement le mot "clock" si elle provient d'un autre fabricant) si le propriétaire précédent a installé une horloge/calendrier optionnelle.

Modification des fichiers de configuration

Si vous ajoutez ou modifiez des éléments matériels ou logiciels à votre système, vous aurez peut-être besoin de faire des modifications dans les fichiers AUTOEXEC.BAT et CONFIG.SYS. Les deux fichiers AUTOEXEC.BAT et CONFIG.SYS sont des fichiers texte ASCII qui peuvent contenir seulement des commandes DOS et des informations de configuration. Vous pourriez utiliser un programme de traitement de texte pour les modifier mais vous devez les sauvegarder comme des fichiers ASCII. Dans le cas contraire, le traitement de texte peut sauvegarder ses propres informations de formatage et de contrôle avec les commandes DOS et votre système rejette entièrement le fichier.

Une autre façon de modifier les fichiers consiste à utiliser la commande DOS COPY. Ce n'est pas aussi pratique que d'utiliser un traitement de texte mais cela vous garantit que seuls les caractères ASCII sont inclus dans les fichiers. Vous pouvez utiliser la commande COPY pour réécrire l'ensemble du fichier ou pour ajouter simplement des lignes supplémentaires.

Dans cette section, nous utilisons les deux techniques pour ajouter le support à l'utilisation d'une souris (nous aborderons d'autres modifications sur ces fichiers dans des chapitres ultérieurs). Il vous reste peut-être une souris de votre ancien système ou bien vous venez juste d'en acheter une. Pour utiliser une souris avec le DOS, son programme de gestion doit se trouver sur le disque que vous utilisez pour amorcer votre ordinateur. Si votre programme de gestion est un fichier exécutable, comme MOUSE.COM, vous devez ajouter la commande MOUSE au fichier AUTOEXEC.BAT. Si le gestionnaire est un fichier système comme MOUSE.SYS, vous aurez besoin d'une commande de périphérique dans CONFIG.SYS. Si vous ne voyez pas de commande MOUSE dans l'un ou dans l'autre fichier, il faut en ajouter une vous-même.

Préparation du gestionnaire

La première étape consiste à déterminer le type du gestionnaire que vous avez et à le placer dans le répertoire racine. Cherchez dans le répertoire racine, dans le répertoire de l'application, sur la disquette de l'application ou sur la disquette qui accompagne la souris, un programme appelé MOUSE.COM ou MOUSE.SYS. Votre application peut utiliser un nom différent pour son gestionnaire de souris ; consultez votre documentation si vous l'avez. Dans le cas contraire, recherchez un programme contenant le mot MOUSE ou contactez la société qui a fabriqué la souris.

Quand vous localisez le gestionnaire, copiez-le dans le répertoire racine ou placez-le sur le disque que vous utilisez pour lancer votre système. Entrez :

COPY A:<*nom du programme gestionnaire de souris*> **C:**

Continuez avec la section suivante "Réécriture ou création de fichiers" pour ajouter la commande au répertoire racine ou au disque de démarrage.

Réécriture ou création de fichiers

Exécutez la procédure de réécriture de CONFIG.SYS pour inclure le gestionnaire pour MOUSE.SYS.

1. Tapez **CD ** et pressez la touche Retour pour accéder au répertoire racine. Si vous avez un système à disques souples, vérifiez que le disque d'amorçage se trouve dans le lecteur A. Si le fichier CONFIG.SYS ne se trouve pas sur votre disque, passez à l'étape 4.

2. Tapez **COPY CONFIG.SYS CONFIG.BAK** et pressez la touche Retour pour faire une copie de sauvegarde du fichier original. Si vous faites une

erreur lors de la création, le fichier original se trouve toujours là pour une référence ultérieure.

3. Entrez **TYPE CONFIG.SYS** et pressez la touche Retour pour afficher le fichier sur votre écran de telle sorte que vous puissiez copier les lignes dans la nouvelle version. Recopiez tout le fichier sur un morceau de papier ou préparez votre imprimante et pressez les touches Maj-Imp écr pour imprimer une copie du fichier.

Si le fichier contient déjà une commande MOUSE, lisez simplement les étapes restantes pour savoir comment réécrire le fichier si vous voulez ensuite le modifier. Dans le cas contraire, continuez la création du fichier avec l'étape suivante.

4. Tapez **COPY CON: CONFIG.SYS** et pressez la touche Retour. Le curseur passe à la ligne suivante mais il ne se passe rien d'autre ; ne vous inquiétez pas, c'est normal. Cette commande indique au DOS de copier ce que vous tapez dans le fichier CONFIG.SYS en effaçant le contenu initial du fichier.

5. Entrez **DEVICE=MOUSE.SYS** et pressez la touche Retour. Le curseur se déplace sur la ligne suivante.

6. Tapez maintenant toutes les autres lignes qui se trouvaient dans le fichier initial CONFIG.SYS. Copiez-les exactement telles qu'elles apparaissaient dans le fichier initial et pressez la touche Retour après chaque ligne.

7. Pressez les touches Ctrl-Z ou la touche F6, ce qui indique la fin de votre entrée.

8. Pressez la touche Retour. Les commandes que vous avez entrées sont écrites dans le fichier CONFIG.SYS.

Si vous voulez maintenant utiliser votre souris, pressez les touches Ctrl-Alt-Suppr pour réamorcer votre ordinateur. Le DOS lit le fichier CONFIG.SYS et exécute ses commandes. Dans le cas contraire, le DOS lit le fichier à la mise sous tension suivante de l'ordinateur.

Ajout de lignes à des fichiers

Il n'est pas nécessaire de retaper l'ensemble du fichier si vous voulez seulement lui ajouter une ligne. A titre d'exemple, ces étapes ajoutent un gestionnaire pour le programme MOUSE.COM, une version exécutable du gestionnaire de souris, à AUTOEXEC.BAT.

1. Tapez **COPY AUTOEXEC.BAT+CON: AUTOEXEC.BAT** et pressez la touche Retour. Vous voyez apparaître :

```
AUTOEXEC.BAT
CON
```

Si vous voyez le message "Fichier introuvable", le fichier batch n'existe pas encore sur votre disque. Tapez **COPY CON: AUTOEXEC.BAT** et pressez la touche Retour.

2. Tapez **MOUSE** et pressez la touche Retour.

3. Pressez la touche F6 ou les touches Ctrl-Z pour afficher ^Z.

4. Pressez la touche Retour.

L'ajout de la commande ne génère pas son exécution jusqu'à la mise sous tension de l'ordinateur suivante. Pour utiliser immédiatement la souris, tapez **MOUSE** de façon à exécuter le gestionnaire ou **AUTOEXEC** pour exécuter tous les instructions du fichier batch.

Comment résoudre les problèmes dans vos fichiers de configuration

Revoyez soigneusement les fichiers AUTOEXEC.BAT et CONFIG.SYS pour repérer des conflits ou des commandes qui ne sont pas nécessaires à votre configuration matérielle.

Si le propriétaire précédent utilisait par exemple une imprimante série, vous pouvez trouver les lignes :

```
MODE COM1:9600,N,8,1,P
MODE LPT1:=COM1:
```

dans le fichier AUTOEXEC.BAT. Il faut supprimer ces lignes et réamorcer votre ordinateur si vous utilisez une imprimante parallèle.

Quand vous n'êtes pas sûr qu'une ligne soit nécessaire, faites une copie du fichier BAT ou SYS, réécrivez le fichier sans la ligne puis relancez le système. Si une application ne se déroule pas correctement, cela signifie que la ligne était nécessaire.

Commandes de date et d'heure

Si vous n'avez pas d'horloge/calendrier intégrée, le fichier AUTOEXEC.BAT peut empêcher l'apparition des messages date et heure lors de l'amorçage du système. Pour afficher les messages, AUTOEXEC. BAT doit inclure les commandes TIME et DATE. Utilisez l'une des techniques que nous venons juste de voir pour ajouter ces commandes au fichier AUTOEXEC.BAT comme dans le fichier batch :

```
TIME
DATE
MOUSE
```

Puisque vous êtes maintenant familiarisé avec votre ordinateur, passez aux Chapitres 5 et 6 pour vous attaquer au disque dur ou à la pile de disquettes.

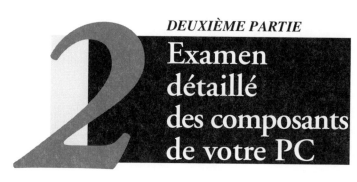

2

Examen détaillé des composants de votre PC

5 APPRIVOISEZ VOTRE DISQUE DUR

Quand vous aurez pris l'habitude d'utiliser un disque dur, vous ne pourrez sans doute jamais plus vous resservir d'un système à disques souples. Vous n'avez pas besoin de chercher un disque DOS à chaque fois que vous mettez l'ordinateur sous tension ni de mélanger vos disquettes en essayant de trouver une application, ni d'intervertir les disques dans les lecteurs.

Mais les disques durs nécessitent des soins et de l'attention et la possibilité d'une terrible *catastrophe* existe toujours, dommage physique sur le disque dur qui peut le rendre, lui et tous les programmes qu'il contient, sans aucune utilité.

Dans ce chapitre, nous verrons comment gérer votre disque dur à l'aide de commandes DOS. Vous apprendrez à créer des répertoires et à travailler avec, puis à sauvegarder vos données pour plus de sécurité.

Etant donné que vous utilisez un ordinateur d'occasion, vous pouvez supposer que votre disque dur a déjà été **formaté** ou préparé pour être utilisé avec le DOS. Si vous pouvez démarrer à partir de votre disque dur, c'est qu'il a été formaté comme un disque système qui contient le système d'exploitation du disque.

Si vous ne pouvez pas démarrer à partir de votre disque dur, amorcez votre système à partir d'une disquette puis regardez si vous pouvez accéder au lecteur C. Si cela est possible, le disque dur a été formaté mais ne contient pas le DOS. Vous devez y transférer les fichiers système. Mais, si vous ne pouvez même pas accéder au lecteur C, le disque dur n'a pas encore été formaté. Vous apprendrez à transférer les fichiers système et à formater votre disque dur dans le Chapitre 14.

Les techniques discutées dans ce chapitre utilisent les ressources qui sont disponibles dans le DOS.

ORGANISATION DES FICHIERS ET DES RÉPERTOIRES

Imaginez que vous essayez de trouver un livre dans une bibliothèque dans laquelle les livres ont justé été empilés au hasard les uns sur les autres depuis le sol jusqu'au plafond. En utilisant un disque dur qui n'est pas structuré en répertoires, c'est aussi difficile. Imaginez simplement la longueur de la liste des fichiers de votre répertoire si votre disque dur a un répertoire qui contient 40 000 000 octets de programmes ou plus encore.

La création de répertoires et de sous-répertoires limite le nombre de fichiers affichés dans une liste de répertoires. Mais, plus important, la création de répertoires vous donne une chance d'organiser vos fichiers et vos programmes autour d'un sujet commun, ce qui facilite la localisation et l'utilisation des fichiers. Les répertoires vous aident aussi à empêcher un désastre total provoqué par des commandes de suppression incorrectes. L'effacement de tous les fichiers avec la commande DEL *.* n'affecte que les fichiers du répertoire en cours, ce qui sauve les fichiers des répertoires d'une disparition prématurée.

Planification de l'organisation de votre disque dur

En planifiant la structure de votre disque dur, donnez à vos répertoires des noms courts, faciles à mémoriser et qui représentent leur contenu. Comme pour les fichiers, les noms de répertoire peuvent comporter un maximum de huit caractères, lettres, chiffres ainsi que les symboles $, %, ', -, @, {, }, ~, !, #, (,) et &, et peuvent inclure une extension, bien que la plupart des gens n'en mettent pas. Les noms peuvent refléter le logiciel, comme LOTUS, WORD ou VENTURA ou bien le type des programmes qui y sont stockés, comme dans JEUX ou GRAPHIQU.

Sélectionnez un nom de sous-répertoire selon ces règles en pensant au regroupement de fichiers de données qu'il va contenir. Appelez un sous-répertoire qui stocke les feuilles de calcul relatives aux budgets annuels BUDGET93 ou sauvegardez les documents du service des études sous le nom S&E.

En utilisant la liste des programmes collectés dans le Chapitre 2, planifiez la manière dont vous voulez diviser votre disque dur. Travaillez à partir de la racine, puis créez des répertoires et enfin des sous-répertoires. Comme vous pouvez toujours créer ou supprimer des répertoires, ne vous occupez pas de la présentation pour l'instant.

Le répertoire racine

Conservez un nombre de fichiers minimum dans le répertoire racine. Les fichiers dont vous avez besoin sont COMMAND.COM, AUTOEXEC.BAT et CONFIG.SYS. Vous avez aussi besoin du gestionnaire de souris si vous l'avez ajouté dans une commande de périphérique dans le Chapitre 4.

A part ces quelques fichiers, la commande DIR servira de table des matières, en listant les principales applications ou divisions de votre disque dur.

Répertoires

Créez un répertoire séparé pour chaque application importante. Vous pouvez avoir un répertoire pour contenir votre traitement de texte, un pour votre tableur, un autre pour un gestionnaire de base de données et un autre pour des commandes DOS externes. Si vous avez plusieurs types d'applications importantes, comme deux programmes de traitement de texte, prévoyez un répertoire séparé pour chacun d'eux.

Regroupez des applications similaires dans un répertoire avec un sujet central. Vous pouvez créer un répertoire pour les petits utilitaires et un autre pour les jeux. Tracez un diagramme de vos répertoires comme dans la Figure 5.1.

De nombreux programmes d'installation de logiciels créent et nomment automatiquement un répertoire pour l'application au cours du processus d'installation. Ne vous occupez pas de cela pour l'instant parce que la plannification des répertoires vous préparera à installer le programme et à décider de la présentation générale de votre disque.

Sous-répertoires

Conservez vos fichiers de données dans un sous-répertoire de l'application que vous avez utilisée pour les créer. Stockez par exemple vos documents de traitement de texte dans un sous-répertoire du programme de traitement de texte. Les sous-répertoires facilitent la localisation et la sauvegarde ultérieures de votre travail. Ecrivez les noms des sous-répertoires dans votre diagramme arborescent (Figure 5.2).

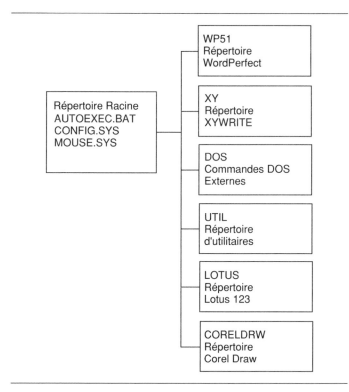

Figure 5.1 : Tracez un diagramme de vos répertoires principaux.

Vous souhaiterez peut-être conserver des fichiers de données qui sont utilisés par plusieurs applications dans leur propre répertoire, et non pas dans un sous-répertoire. Cela facilite leur accès quand vous utilisez un programme d'application. Vous avez peut-être par exemple Corel Draw établi pour une imprimante matricielle dans C:\CDMAT et pour une imprimante laser dans C:\CDLASER. Si vous stockez vos fichiers sur C:\CDLASER\PUBS, vous devrez entrer ce long chemin

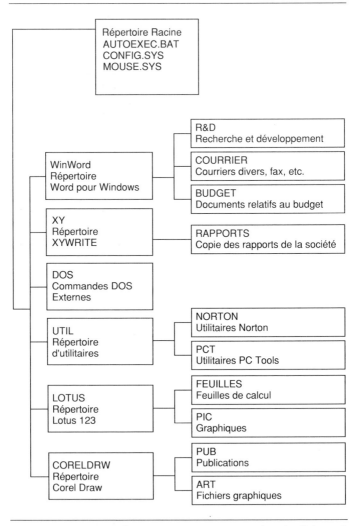

Figure 5.2 : Ajoutez des sous-répertoires pour stocker des fichiers de données.

quand vous voudrez charger un document pour l'une ou l'autre version. En conservant les fichiers dans C:\PUB, vous réduisez le nombre de touches à taper.

Fichiers existants

Avant d'installer de nouveaux programmes, réorganisez les fichiers et les répertoires existants. Notez les fichiers à déplacer dans les répertoires prévus et les répertoires à laisser tels quels. Si vous prévoyez de conserver un répertoire existant, ajoutez son nom au diagramme ou modifiez un nom qui en fait déjà partie.

Pour créer un nouveau répertoire, tapez **MD ** (pour *make directory*, créer répertoire) suivi du nom du répertoire comme dans :

MD \XYWRITE

La barre oblique inverse indique au DOS de créer un répertoire partant du répertoire racine. Si vous vous trouvez dans le répertoire racine, la barre oblique inverse est optionnelle.

Une fois le répertoire créé, créez les sous-répertoires. Si vous vous trouvez au niveau du répertoire racine, utilisez le chemin complet pour créer des sous-répertoires comme dans :

MD \XYWRITE\RAPPORT

Si vous vous trouvez au niveau du répertoire XYWRITE, utilisez le raccourci :

MD RAPPORT

Copiez enfin les fichiers dans les nouveaux répertoires. Utilisez des caractères génériques si vous le pouvez pour accélérer le processus. Effacez ensuite les fichiers de leur position initiale. Supprimez le répertoire source s'il ne contient pas de fichiers.

Renommer des répertoires

Il est impossible de renommer un répertoire avec les commandes DOS. Si vous n'aimez pas le nom d'un répertoire en cours, vous devez copier tous les fichiers dans un nouveau répertoire puis effacer les fichiers originaux. Vérifiez simplement qu'il y a suffisamment de place sur le disque pour stocker temporairement les deux exemplaires des mêmes fichiers.

Supposons par exemple que le propriétaire précédent a placé tous les fichiers de commande DOS externes dans un répertoire appelé BIN, raccourci de *binaire*. Voici toutes les étapes nécessaires pour modifier le nom du répertoire en DOS (pressez la touche Retour après chaque étape) :

Tapez	Pour
CD \	accès au répertoire racine
MD \DOS	création du répertoire DOS
CD \BIN	accès au répertoire BIN
COPY *.* \DOS	copie de tous les fichiers dans le répertoire DOS
DEL *.* Retour O	suppression des fichiers du répertoire BIN
CD \	accès au répertoire racine
RD \BIN	suppression du répertoire BIN

Vous devez modifier toutes les commandes PATH (voir un peu plus loin dans ce chapitre) qui font référence au répertoire initial.

■ *UTILISATION DE RÉPERTOIRES*

Quand vous travaillez avec votre système, vous commencez par ajouter des fichiers aux répertoires et aux sous-répertoires. Examinez périodiquement votre disque pour voir si la structure de votre organisation en répertoires est toujours pertinente.

Si le nombre des fichiers d'un répertoire devient trop important et difficile à gérer, envisagez de les répartir dans deux répertoires en fonction d'autres critères. Surveillez attentivement vos répertoires d'application en copiant les fichiers de données dans le sous-répertoire approprié.

Affichage de sous-répertoires

Quand vous commencez à aller et venir entre des répertoires, vous pouvez facilement perdre la trace de votre position. Cela peut vous poser des problèmes comme l'effacement de fichiers à conserver parce que vous tapez la commande DEL *.* Retour O Retour alors que vous vous trouvez dans le mauvais répertoire.

Vous pouvez savoir où vous êtes en affichant le chemin du répertoire en cours ; entrez simplement **CD** à partir de la ligne du signal DOS. Il est également possible de faire apparaître le chemin du répertoire dans le signal DOS en ajoutant la commande :

PROMPT pg

au fichier AUTOEXEC.BAT. Cela modifie le signal DOS pour inclure le nom du répertoire aussi bien que la lettre du lecteur, suivis du symbole >, comme dans :

C:\LOTUS>

La commande PROMPT est une commande interne qui peut aussi ajouter la date, l'heure et le numéro de la version DOS dans le signal DOS. La commande :

PROMPT pg_time = t_date = d_Entrez votre commande :

génère un signal DOS de quatre lignes comme celui-ci :

C:\LOTUS>
time = 12:2545.12
date = Mar 10-17-1991
Entrez votre commande :

Le caractère de soulignement inséré dans la commande PROMPT est à l'origine du retour à la ligne.

GESTION DE RÉPERTOIRES

L'exécution d'une application qui ne se trouve pas dans le répertoire racine peut être une corvée. Il vous faut mémoriser le répertoire dans lequel se trouve le programme et accéder à ce répertoire avec la commande CD avant d'exécuter le programme. Ces opérations sont presque aussi lourdes que l'utilisation de disques souples.

Vous pouvez éviter ce problème en utilisant une combinaison quelconque de ces trois méthodes : établissement d'un chemin DOS, écriture de fichiers batch pour changer de répertoire et substitution d'un indicateur de lecteur pour un chemin.

Utilisation de chemins

Une commande PATH dans un fichier AUTOEXEC.BAT vous permet d'exécuter un programme se trouvant dans un répertoire sans qu'il soit nécessaire d'accéder d'abord à ce répertoire. Par exemple, la commande :

PATH C:\DOS;C:\WORD

établit un *chemin* ou "canal", vers deux répertoires, DOS et WORD, indiquant au DOS que si un programme ne se trouve pas dans le lecteur ou le répertoire en cours, il faut le chercher dans les répertoires DOS et WORD du lecteur C.

En plaçant toutes les commandes externes dans le répertoire DOS et en utilisant une commande PATH, vous pouvez exécuter toutes les commandes externes DOS à partir de n'importe quel lecteur et de n'importe quel répertoire.

Ajout et suppression de chemins

Vous pourriez ajouter des chemins au fichier AUTOEXEC.BAT si vous aviez installé de nouveaux programmes sur votre disque dur. Il faut supprimer définitivement des chemins conduisant à des répertoires que vous avez effacés. Ajoutez ou supprimez des chemins avec la commande COPY que nous avons étudiée dans le Chapitre 4.

S'il n'y avait pas de chemin dans le fichier original, tapez **PATH** suivi du chemin de répertoire complet que vous voulez ajouter au fichier. Ajoutez par exemple un chemin à WORD en ajoutant **C:\WORD** au chemin actuel. Séparez les chemins multiples avec un symbole point-virgule comme dans :

PATH C:\BIN;DOS;C:\WINDOWS;C:\LOTUS;C:\WORD

S'il existe déjà une commande PATH dans le fichier AUTOEXEC.BAT, copiez-le exactement tel qu'il apparaît mais en abandonnant tous les répertoires que vous avez effacés. Une fois la commande copiée, ajoutez les nouveaux répertoires de votre choix.

Dans certaines circonstances, une commande PATH doit être placée au bon endroit à l'intérieur du fichier AUTOEXEC.BAT. Par exemple, si votre programme gestionnaire de souris, MOUSE.COM, se trouve dans le répertoire DOS, le fichier batch suivant ne convient pas parce que le DOS essaie d'exécuter le programme MOUSE avant de savoir quel chemin suivre :

```
MOUSE
PATH C:\DOS
```

A la place, entrez le fichier batch de cette manière :

```
PATH C:\DOS
MOUSE
```

Essayez de placer les répertoires que vous utilisez le plus souvent au début de la commande PATH car le DOS scrute chaque répertoire du chemin, de gauche à droite, jusqu'à ce qu'il trouve le fichier.

Ecriture de fichier batch personnalisés

L'ajout de chemins au fichier AUTOEXEC.BAT peut parfois compliquer l'accès aux fichiers pour certaines applications dans la mesure où le programme doit scruter tous les répertoires spécifiés jusqu'à ce qu'il trouve le fichier désiré.

Au lieu de définir un chemin long et complexe, écrivez les commandes permettant de passer au répertoire WORD et exécutez Word dans un fichier batch séparé portant un nom proche du logiciel (afin de le mémoriser facilement).

Voici comment créer un petit fichier batch dans le répertoire racine :

1. Tapez **CD ** pour accéder au répertoire racine. Si vous avez un système à disques souples, vérifiez que le disque d'amorçage se trouve dans le lecteur A.

2. Entrez **COPY CON: W.BAT** et pressez la touche Retour.

3. Tapez :

   ```
   CD \WORD
   WORD
   CD \
   ```

4. Pressez les touches Ctrl-Z ou la touche F6 et la touche Retour.

Quand vous voulez exécuter Word, il suffit de taper **W** à partir du répertoire racine. Le fichier batch passe au répertoire WORD puis démarre Word. Quand vous sortez du logiciel Word, la commande CD \ vous renvoie au répertoire racine. Etant donné que le fichier batch se trouve dans le répertoire racine, vous ne pouvez pas l'exécuter à partir d'un autre répertoire. Pour accéder à un fichier depuis n'importe quel répertoire du disque, copiez le fichier batch dans vos autres répertoires et sous-répertoires.

Pour exécuter automatiquement ce fichier batch, incluez son nom comme dernière ligne du fichier AUTOEXEC.BAT.

Substitution d'un chemin par un lecteur

Il est également possible de rationaliser la tâche en modifiant les répertoires avec la commande SUBST qui remplace un chemin de répertoire par une lettre de lecteur. Cette commande était disponible pour la première fois dans la version DOS 3.0.

Sa syntaxe est :

   SUBST <lecteur:> <répertoire>

Par exemple, la commande :

   SUBST D: C:\LOTUS

indique au DOS de traiter le répertoire LOTUS comme le lecteur D. Quand vous voulez accéder à ce répertoire, tapez **D:** juste comme si vous vouliez accéder réellement au lecteur D.

Vous pouvez remplacer un chemin de répertoire par n'importe quel lecteur inutilisé de A à E. Certaines versions vous laissent cependant assigner des lettres de lecteur de A à Z en ajoutant à CONFIG.SYS une commande telle que :

LASTDRIVE = Z

Si vous avez oublié les substitutions que vous avez faites, tapez **SUBST** tout seul sur la ligne de commande. Le DOS affiche les substitutions sous la forme :

D: = >C:\LOTUS

Ajoutez la commande SUBST au fichier AUTOEXEC.BAT pour qu'elle soit exécutée dès la mise sous tension de l'ordinateur. Dans le cas contraire, la substitution reste effective jusqu'à la mise hors tension de l'ordinateur ou désengage l'assignation avec la commande SUBST D:/D. Certaines versions du DOS risquent de ne pas désengager une substitution si vous avez une configuration complexe de gestionnaires de périphériques et d'autres matériels. Si cela se produit, redémarrez votre ordinateur.

■ *SAUVEGARDE DE VOTRE DISQUE DUR*

Bien que votre disque dur soit scellé et installé à l'intérieur de l'ordinateur, il n'est pas protégé d'un accident. La fumée et les particules de poussière peuvent se frayer un chemin jusqu'au disque et les vibrations ou les tensions électriques peuvent faire des ravages sur vos données. Quand votre disque dur tombe en panne, quelques fichiers, ou tous les fichiers, peuvent être détruits et les avantages merveilleux du disque dur s'évanouissent en un instant.

La réalisation d'une sauvegarde de votre disque dur -une duplication de tous les fichiers- est la seule garantie sur laquelle vous pouvez vous appuyer. Vous pouvez faire des sauvegardes images, totales ou sélectives.

Une *sauvegarde image* est une duplication complète de chaque bit de donnée sur votre disque dur. Au lieu de copier votre disque fichier par fichier, la sauvegarde enregistre chaque bit rencontré, y compris les bits qui ne sont pas utilisés pour des fichiers actifs mais qui restent encore physiquement sur le disque. Quand vous restituez la sauvegarde image sur le disque dur, les bits sont replacés sur leur position d'origine. Les commandes DOS peuvent seulement faire une sauvegarde image d'une disquette mais pas d'un disque dur.

Une *sauvegarde totale* copie chaque fichier sur votre disque, même les fichiers qui n'ont pas été modifiés depuis la dernière sauvegarde. Une *sauvegarde sélective* copie elle seulement les fichiers modifiés depuis votre dernière sauvegarde en utilisant le *bit d'archive* que le DOS sauvegarde avec le nom de fichier dans le répertoire. Quand vous créez ou modifiez un fichier, le DOS active le bit d'archive pour indiquer que ce fichier n'a pas encore été sauvegardé. La sauvegarde sélective sauvegarde seulement les fichiers dont le bit d'archive est activé, en ignorant tous les fichiers qui n'ont pas été modifiés depuis la dernière sauvegarde. Le bit d'archive est désactivé après la copie du fichier, ce qui indique qu'il a été sauvegardé.

Les sauvegardes totales et sélectives copient vos données comme des fichiers et non pas comme des bits individuels et indépendants. Quand vous restituez les données, les fichiers sont replacés sur le disque dur mais pas nécessairement à leur position initiale.

Vous aurez sans doute besoin de faire une seule sauvegarde totale de votre disque dur car de nombreux fichiers ne seront pas affectés par votre travail. Vous devez déjà avoir des copies de sauvegarde individuelles de vos disques originaux DOS et applications ; il n'est donc pas nécessaire de sauvegarder régulièrement ces fichiers. Après l'exécution d'une sauvegarde totale par mesure de sécurité, utilisez les sauvegardes sélectives pour sauvegarder vos travaux en cours.

L'exécution d'une sauvegarde de disque dur peut prendre beaucoup de temps (cette opération n'est pas équivalente à celle de vos disquettes). Vous pouvez acheter des programmes qui sont conçus pour générer des sauvegardes dans l'intervalle de temps le plus court possible. Dans cette section, nous allons voir quelles sont les options de sauvegarde proposées par le DOS.

Utilisation des programmes BACKUP et RESTORE

Le DOS ne fournit pas de moyen d'exécuter une sauvegarde image. Mais, à partir de la version 2.0, il propose les programmes BACKUP et RESTORE permettant d'exécuter une sauvegarde totale de votre disque dur ou de répertoires sélectionnés.

BACKUP sauvegarde vos fichiers dans un format que le DOS lui-même ne reconnaît pas. Cela signifie que vous ne pouvez pas utiliser les fichiers des disques de sauvegarde tant qu'ils n'ont pas été restitués avec le programme RESTORE, ce qui a fait passer quelques nuits blanches à bon nombre d'utilisateurs.

Les commandes BACKUP et RESTORE ayant été légèrement modifiées avec chaque version du DOS, vous devez utiliser le programme RESTORE et le programme BACKUP de la même version DOS ; une autre version de

RESTORE risque de ne pas marcher. Voilà une raison de garder toujours une copie sur disquette de la version du DOS qui se trouve sur votre disque dur. Il y a des chances pour que vous utilisiez le programme BACKUP de votre disque dur pour faire des sauvegardes. Si votre disque dur est détruit, vous avez toujours le programme RESTORE de vos disquettes. Si vous avez une version de RESTORE qui ne correspond pas à la version BACKUP que vous avez utilisée, vos disques de sauvegarde risquent de n'avoir aucune utilité.

Utilisation de BACKUP

Avant de sauvegarder votre disque dur, vérifiez que vous avez suffisamment de disquettes sous la main pour stocker vos fichiers. Vous aurez approximativement besoin de trois disquettes de 360 Ko, deux de 720 Ko, une de 1,2 Mo ou une de 1,44 Mo pour chaque Mégaoctet de fichiers.

Certaines versions de BACKUP formatent la disquette pour vous si nécessaire, à condition que le programme FORMAT.COM se trouve dans le répertoire en cours ou dans le chemin d'accès. Les versions BACKUP plus anciennes, généralement avant la version 3.0, imposent que les disquettes de sauvegarde soient déjà formatées.

La syntaxe de cette commande est :

BACKUP *<lecteur source:>**<chemin>**<nom de fichier>*
**   *<lecteur cible:><chemin><nom de fichier>* /*<options>***

Entrez les noms de fichier ou chemins contenant les fichiers que vous voulez sauvegarder puis le lecteur de disque dans lequel vous insérez les disquettes. Pour sauvegarder le répertoire LOTUS du lecteur C sur les disquettes du lecteur A par exemple, entrez :

BACKUP C:\\LOTUS*.* A:

Les options de la ligne de commande vous permettent de personnaliser l'opération de sauvegarde. Elles varient avec les versions du DOS mais la plus utile est l'option /S qui indique au DOS de sauvegarder les fichiers du répertoire en cours et de tous ses sous-répertoires. La commande permettant de sauvegarder la totalité de votre disque dur sur des disquettes du lecteur A est :

BACKUP C:*.* A: /S

BACKUP commence la copie de vos programmes, en vous demandant d'insérer une disquette à chaque fois que celle du lecteur est remplie, en assignant à chaque disque un numéro de volume à partir de 1. Les fichiers plus importants que la capacité de vos disques souples sont divisés entre deux disques ou plus ; c'est un point important car certaines applications ont des fichiers plus importants que 360 Ko. Quand vous restituez le fichier, les sections sont ajoutées les unes aux autres.

Certaines versions du DOS vous permettent d'économiser du temps et des disquettes en excluant des groupes de fichiers de la procédure de sauvegarde avec l'option /E. Excluez par exemple de la sauvegarde les fichiers programme exécutables que vous devez déjà avoir sur disques souples avec la commande :

BACKUP C:*.* A:/S/E:*.COM+*.EXE

BACKUP exclut les fichiers dont les extensions sont .COM et .EXE.

Des versions de BACKUP plus récentes vous laissent faire des sauvegardes sélectives. Au fur et à mesure que vous modifiez des fichiers sur votre disque, utilisez l'option /M pour sauvegarder seulement les fichiers dont le bit d'archive est établi. Par exemple, la commande :

BACKUP C:*.* A:/S/M

exécute une sauvegarde sélective en sauvegardant seulement les fichiers que vous avez créés ou modifiés depuis la dernière sauvegarde. Certaines versions du DOS utilisent l'option /W à cet effet.

Certaines options BACKUP sont listées dans le Tableau 5.1. Consultez votre manuel DOS pour voir lesquelles sont proposées par votre version du DOS.

Option	Fonction
/A	ajoute des fichiers à ceux qui sont déjà sur le disque de sauvegarde.
/B:DATE	sauvegarde des fichiers datés de la date spécifiée ou antérieurs.
/D:DATE	sauvegarde des fichiers datés de la date spécifiée ou postérieurs.
/E	exclut des fichiers de la sauvegarde.
/F	formate les disques de destination sans avertissement.
/M	exécute une sauvegarde sélective des nouveaux fichier ou des fichiers modifiés.
/N	ne formate pas les disques de destination.
/Q	demande confirmation avant la sauvegarde de chaque fichier.
/R	déclenche un signal sonore pour demander des réponses.
/S	sauvegarde le répertoire en cours et tous les sous-répertoires.
/T	sauvegarde seulement les fichiers datés du jour.
/V	vérifie la sauvegarde.

Tableau 5.1 : Options de la commande BACKUP.

Restitution des fichiers de sauvegarde

Si vous supprimez accidentellement un répertoire ou même un seul fichier, vous pouvez le récupérer à partir de vos disquettes de sauvegarde à l'aide de la commande RESTORE. La syntaxe générale de cette commande est :

RESTORE *<disque de sauvegarde>\<chemin>\<nom de fichier> <disque dur> /<options>*

Pour opérer une restitution totale, utilisez la commande :

RESTORE A:*.* C: /S

L'option /S indique au DOS de restituer les fichiers de tous les répertoires du lecteur C.

Restituez les fichiers dans un seul répertoire avec une commande du type :

RESTORE A:\LOTUS*.* C:

Restituez un fichier spécifique avec une commande du type :

RESTORE A:\WORD\RESUME C:

Les fichiers de sauvegarde maintiennent leur lien avec leur répertoire initial. Quand vous restituez un fichier, le répertoire doit exister sur le disque.

Le Tableau 5.2 donne la liste des options disponibles dans certaines versions de RESTORE. Consultez votre manuel DOS pour voir quelles options sont disponibles dans votre version.

Options	Fonction
/B:DATE	Restitue les fichiers datés de la date spécifiée ou antérieurs.
/D:DATE	Restitue les fichiers datés de la date spécifiée ou postérieurs.
/E:TIME	Restitue les fichiers modifiés à l'heure spécifiée ou avant (certaines versions utilisent /E pour exclure des fichiers de l'opération RESTORE).
/F	Restitue tous les fichiers du répertoire en cours.
/O	Restitue les fichiers du système d'exploitation.
/P	Génère un message qui propose la restitution des fichiers en lecture seule et des fichiers qui ont été modifiés depuis la dernière sauvegarde.
/Q	Demande confirmation avant la restitution de chaque fichier.
/R	Déclenche un signal sonore pour demander les réponses.
/S	Restitue les fichiers du répertoire en cours et tous les sous-répertoires.
/T	Restitue seulement les fichiers qui sont datés du jour.
/V	Contrôle la restitution.

Tableau 5.2 : Options de la commande RESTORE.

Utilisation des commandes COPY et XCOPY

Etant donné que les disquettes générées par BACKUP ne peuvent pas être lues par le DOS, vous trouverez peut-être que le programme est malcommode pour sauvegarder votre travail quotidien. Pour sauvegarder tous les jours de nouveaux fichiers ou des fichiers importants, utilisez les commandes DOS COPY ou XCOPY. COPY sauvegarde des fichiers au format DOS ordinaire pour qu'ils puissent être utilisés sans une procédure RESTORE formelle. Les versions DOS plus récentes comportent aussi une commande XCOPY qui exécute des sauvegardes totales ou sélectives d'un fichier au format DOS normal. XCOPY et COPY ne peuvent cependant pas sauvegarder un fichier qui est plus important que ce qu'une disquette peut contenir.

Les deux programmes requièrent l'utilisation d'une disquette formatée. Si vous ne savez pas comment formater un disque, consultez la section "Formatage de disques de données" dans le Chapitre 6.

Utilisation de la commande COPY

Dans le Chapitre 3, vous avez appris à copier des fichiers en utilisant la commande interne COPY. COPY n'est pas appropriée à la réalisation d'une sauvegarde complète de votre disque dur. Si vous voulez exécuter ce type de sauvegarde, il faut suivre le processus manuellement, insérer une nouvelle disquette quand l'autre est pleine et noter les fichiers qui sont sur chaque disque.

Mais la commande COPY est utile pour exécuter des sauvegardes quotidiennes de votre travail en cours. Sauvegardez chaque jour sur une disquette tous les documents ou autres fichiers que vous avez créés ou modifiés. Vous pouvez créer un répertoire de disque dur séparé pour vos fichiers courants. Ne stockez pas dans celui-ci plus de fichiers que la disquette en peut contenir. Quand votre journée est terminée, accédez au répertoire, insérez une disquette vierge dans le lecteur A puis entrez :

COPY *.* A:

COPY copie seulement les fichiers du répertoire en cours et non pas ceux des sous-répertoires. Vous devez manuellement accéder à chaque répertoire pour copier ses fichiers. Cependant, si vous avez des fichiers dans plusieurs répertoires ou si vous travaillez avec un grand nombre de fichiers, vous trouverez que la commande XCOPY est plus pratique.

Utilisation de XCOPY

XCOPY est une commande externe proposée par le DOS 3.2 et les versions suivantes. Elle sauvegarde des fichiers au format DOS ordinaire et sa syntaxe pour la copie de fichiers individuels ou de groupes de fichiers est identique à celle de la commande COPY. Par exemple :

XCOPY C: A:

sauvegarde tous les fichiers du répertoire en cours dans le lecteur A.

XCOPY a un certain nombre d'options qui lui permettent de servir d'utilitaire de sauvegarde totale ou sélective. Ces options apparaissent dans le Tableau 5.3.

Pour exécuter une sauvegarde sélective de votre disque dur, utilisez la commande :

XCOPY C:\A:/S/M

Les options indiquent à XCOPY de copier les fichiers de chaque répertoire du lecteur (/S) mais de copier seulement les fichiers qui ont le bit d'archive établi (/M), c'est-à-dire

Option	Fonction
/A	Copie les fichiers qui ont leur bit d'archive établi mais ne modifie pas le bit d'archive.
/D:DATE	Copie les fichiers datés de la date spécifiée ou postérieurs.
/E	Quand elle est utilisée avec l'option /S, recrée tous les répertoires vides depuis le disque source vers le disque cible.
/M	Copie les fichiers qui ont leur bit d'archive établi mais modifie ensuite le bit d'archive.
/P	Génère une demande de confirmation pour la copie de tous les fichiers.
/S	Copie des fichiers dans le répertoire en cours et tous les sous-répertoires.
/V	Vérifie chaque copie.
/W	Attend et affiche un message avant de copier des fichiers ; pressez une touche quelconque pour commencer l'opération ou pressez les touches Ctrl-Pause pour l'arrêter.

Tableau 5.3 : Options de la commande XCOPY.

les fichiers qui ont été créés ou modifiés depuis la dernière sauvegarde. Le DOS désactive le bit d'archive après la copie du fichier ; celui-ci n'est donc pas copié à nouveau sauf s'il est modifié.

Le DOS affiche un message du type :

Dépassement de capacité du disque

sur l'écran quand un disque souple est rempli. Insérez un autre disque formaté, pressez la touche F3 et la touche Retour pour répéter la commande XCOPY. Etant donné que le DOS a changé le bit d'archive des fichiers déjà copiés, XCOPY continue là où elle s'était arrêtée, en ignorant les fichiers déjà copiés.

Quand vous utilisez l'option /S, XCOPY duplique la structure du répertoire sur la disquette. Si vous spécifiez un répertoire tel que :

XCOPY C:\JEUX A:\JEUX

mais que le répertoire ne se trouve pas sur le disque souple, XCOPY affiche le message :

JEUX représente-t-il un nom de fichier ou de répertoire sur l'unité cible (F = Fichier, R = Répertoire) ?

Pressez **R** pour créer le répertoire.

Enfin, vous pouvez utiliser l'option /D pour copier des fichiers en fonction de leur date. Par exemple, la commande :

XCOPY C:\WSTAR\DOCS A:/D:10-22-91

copie seulement les fichiers créés le 22 octobre 1991 ou plus tard. Avant de quitter votre travail de la journée, utilisez la commande XCOPY avec l'option date pour sauvegarder le travail de cette journée.

Etablissement du bit d'archive

Pour utiliser XCOPY dans le but de faire une sauvegarde totale de votre disque dur, il faut vous assurer que tous les fichiers ont le bit d'archive activé. Dans le cas contraire, les options /A et /M ne généreront qu'une sauvegarde sélective.

Activez le bit d'archive à l'aide de la commande DOS externe ATTRIB :

ATTRIB + A C:*.*/S

Cette commande active le bit d'archive des fichiers dans chaque répertoire en utilisant l'option /S. Les bits d'archive étant activés, la commande :

XCOPY C:*.* A:/S/M

exécute maintenant une sauvegarde totale.

En utilisant les deux commandes, ATTRIB et XCOPY, vous pouvez exclure certains fichiers ou répertoires de votre sauvegarde totale. Vous avez par exemple peut-être des répertoires auxquels vous n'ajoutez jamais de fichiers ou que vous ne modifiez jamais, comme DOS ou JEUX. Etant donné que vous avez les fichiers sur leurs disques originaux, ne gaspillez pas de disquettes en les sauvegardant.

Après l'utilisation de la commande :

ATTRIB +A C:*.* /S

pour préparer vos fichiers pour une sauvegarde totale, entrez les commandes :

ATTRIB -A C:\DOS*.*
ATTRIB -A C:\JEUX*.*

La commande -A active les bits d'archive de ces fichiers de telle sorte que la commande XCOPY les ignore quand elle exécute une sauvegarde totale. Utilisez la même technique pour exclure les fichiers .EXE et .COM de la sauvegarde avec les commandes :

ATTRIB -A C:*.COM /S
ATTRIB -A C:*.EXE /S

PROTECTION DE VOTRE DISQUE DUR AVEC LA COMMANDE PARK

Les lecteurs de disque dur sont construits pour des normes d'utilisation très précises. Ils comportent des *têtes lecture/écriture* qui flottent juste au-dessus de la surface du disque. La tête lit les données à partir du disque et les écrit sur celui-ci. Si vous déplacez votre ordinateur ou si vous le heurtez accidentellement, la tête de lecture/écriture peut se cogner sur la surface du disque et l'endommager (on parle alors d'atterrissage). Ces dégâts peuvent se produire même si vous prenez beaucoup de soins. A chaque fois que vous mettez votre système sous tension, les tensions électriques qui traversent la tête de lecture/écriture du lecteur de disque peuvent endommager ou détruire les données qui sont stockées au-dessous.

Par mesure de précaution, vous avez intérêt à "parker" votre disque à chaque fois que vous mettez l'ordinateur hors tension. Cette opération déplace la tête sur une zone du disque dans laquelle aucune donnée n'est stockée. Si la tête ne heurte pas le disque, aucune donnée n'est perdue.

La plupart des versions du DOS proposent une commande externe appelée PARK ou SHIP qui "parke" la tête de lecture/écriture. Placez le programme dans un répertoire faisant partie de votre commande PATH et exécutez-le à chaque fois que vous mettez l'ordinateur hors tension.

6
GESTION DES DISQUES SOUPLES

La préparation, l'utilisation et la maintenance d'une bibliothèque de disquettes nécessitent une planification et une organisation minutieuses. Il n'y a rien de plus frustrant que de perdre un temps précieux à intervertir les disquettes à la recherche d'un fichier ou de découvrir que votre seule copie d'un disque important a été accidentellement reformatée ou endommagée.

Dans ce chapitre, vous apprendrez à gérer vos disques souples. Nous verrons comment copier et formater des disquettes, comment faire des disques système et comment travailler avec des disques de différentes tailles et capacités.

EXÉCUTION DE SAUVEGARDES

Il est conseillé de faire des copies des disques d'application avant d'essayer de les utiliser ou de les installer. Les disques pouvant devenir inutilisables, un jeu de disques supplémentaires est simplement une précaution contre la perte de programmes de valeur.

Tout d'abord, protégez vos disques d'application en écriture pour éviter un effacement accidentel de vos programmes. Avec une disquette 5 pouces $^1/_4$, placez une languette de protection sur la petite encoche située sur le bord de chaque disque. Si vous avez un disque de 3 pouces $^1/_2$, protégez-le en poussant le petit taquet vers le bord de la disquette.

Ne verrouillez pas ou ne protégez pas en écriture les disques vierges sur lesquels vous allez exécuter des copies. Ces disques doivent être libres d'accès pour qu'il soit possible d'y transférer vos programmes.

Sauvegardes avec DISKCOPY

La commande DOS externe DISKCOPY exécute une sauvegarde image d'une disquette sur une autre disquette. Elle copie tout sur le disque, y compris des fichiers système cachés qui n'apparaissent pas dans une liste de répertoire. Utilisez DISKCOPY quand vous voulez une duplication exacte d'un disque souple.

DISKCOPY formate le disque pour vous si vous utilisez un disque vierge. Dans le cas contraire, la commande efface tous les fichiers qui se trouvent déjà sur le disque. Par conséquent, si vous n'utilisez pas un disque vierge, vérifiez qu'il ne contient pas de programmes ou de fichiers que vous souhaitez conserver.

Systèmes à deux lecteurs de disquettes

Suivez ces instructions pour exécuter une copie d'une disquette sur des systèmes à deux lecteurs de disques souples identiques, que vous ayez aussi ou non un disque dur. Si vos lecteurs de disques souples n'ont pas la même taille ou la même capacité, utilisez les techniques décrites dans la section "Systèmes à disque dur avec un lecteur de disquettes".

1. Mettez l'ordinateur sous tension et répondez aux messages de date et d'heure s'ils apparaissent.

2. Vérifiez que le programme DOS DISKCOPY.COM se trouve dans le lecteur, répertoire ou chemin en

cours. S'il n'y est pas, insérez un disque DOS qui contient le programme ou accédez au sous-répertoire approprié avec la commande CD \.

3. Tapez **DISKCOPY A: B:** et pressez la touche Retour. L'écran affiche :

Insérez la disquette SOURCE dans l'unité A
Insérez la disquette CIBLE dans l'unité B
Tapez une touche pour continuer . . .

La *disquette source* est le disque original à partir de laquelle vous faites la copie ; la disquette *cible* est le disque vierge sur lequel vous exécutez la copie. N'insérez *jamais* le disque original dans le lecteur B ; ce disque sera effacé si vous oubliez de le protéger en écriture.

4. Placez le disque que vous voulez copier dans le lecteur A. Pour un disque 5 pouces $^1/_4$, vous devez avoir une languette de protection écriture sur l'encoche et, pour un disque 3 pouces $^1/_2$, le taquet doit être poussé sur la position verrouillée.

5. Placez dans le lecteur B un disque vierge ou un disque contenant des fichiers dont vous n'avez plus besoin. Ne protégez pas ce disque en écriture.

6. Pressez une touche quelconque pour commencer la copie. Lorsqu'elle est terminée, le message :

Copier une autre disquette (O/N) ?

apparaît.

7. Enlevez les disques et étiquetez immédiatement la copie. Ecrivez le nom du disque sur l'étiquette avant de la coller sur le disque. Si vous écrivez sur le disque lui-même, la pression du stylo ou du crayon peut endommager la surface d'enregistrement. Si vous avez besoin d'écrire sur un disque, utilisez un stylo feutre et écrivez très légèrement.

8. Pressez **O** et répétez cette opération pour tous vos disques.

Placez vos disques originaux dans un endroit sûr et utilisez les copies pour votre travail courant.

Systèmes à disque dur avec un lecteur de disques souples

Pendant cette procédure, vous devez faire très attention de suivre les instructions affichées sur l'écran. N'oubliez pas de protéger vos disques en écriture pour éviter un effacement accidentel.

1. Mettez l'ordinateur sous tension et répondez aux messages de date et d'heure s'ils apparaissent.

2. Vérifiez que le programme DOS DISKCOPY.COM se trouve dans le répertoire en cours. S'il n'y est pas, accédez au répertoire approprié avec la commande CD\.

3. Tapez **DISKCOPY A: A:** et pressez la touche Retour. l'écran affiche :

   Insérez la disquette SOURCE dans l'unité A
   Tapez une touche pour continuer . . .

   Vous allez faire une copie en utilisant un seul lecteur de disque. Pendant le processus, vous recevrez des instructions vous demandant d'insérer la disquette source ou la disquette cible dans le lecteur A. N'insérez *jamais* le disque original quand on vous demande d'insérer le disque cible ; les programmes du disque risqueraient d'être effacés.

4. Placez un de vos disques originaux dans le lecteur A. Vous avez intérêt à placer une languette de protection sur les disquettes 5 pouces $\frac{1}{4}$ et à déplacer le

taquet en position verrouillée pour les disquettes 3 pouces $^1/_2$.

5. Pressez une touche quelconque. Le message :

Insérez la disquette CIBLE dans l'unité A
Tapez une touche pour continuer . . .

apparaît.

6. Retirez le disque original et insérez un disque vierge dans le lecteur A. Vous pouvez aussi utiliser un disque qui contient des fichiers dont vous n'avez plus besoin.

7. Pressez une touche quelconque pour démarrer la copie. Vous verrez plusieurs messages vous demandant d'intervertir des disques jusqu'à ce que toutes les informations du disque original aient été copiées sur le disque vierge. Vérifiez que le disque initial se trouve dans le lecteur seulement quand l'écran demande la disquette source. Quand la copie est terminée, le message :

Copier une autre disquette (O/N) ?

apparaît.

8. Enlevez le disque et étiquetez immédiatement la copie. Ecrivez le nom du disque sur l'étiquette avant de la coller sur le disque. Si vous écrivez sur le disque lui-même, la pression du stylo ou du crayon peut endommager la surface d'enregistrement. Si vous avez besoin d'écrire sur un disque, utilisez un stylo-feutre et écrivez très légèrement.

8. Pressez **O** et répétez cette opération pour tous vos disques.

Placez les disques originaux en lieu sûr et utilisez les copies pour votre travail courant.

Exécution de sauvegardes avec COPY

Vous pouvez aussi faire des sauvegardes de vos disques avec la commande COPY. Contrairement à la commande DISKCOPY, COPY transfère des données fichier par fichier en ignorant les fichiers système cachés. Vous ne pouvez donc pas utiliser COPY pour dupliquer un disque système.

Pour exécuter une sauvegarde de disque souple avec COPY, insérez le disque original dans le lecteur A et un disque vierge formaté dans le lecteur B puis tapez **COPY A: B:**.

Si vous avez un disque dur et un lecteur de disques souples, vous pouvez copier des fichiers à partir d'un disque souple vers un autre disque souple en passant par le disque dur. Créez un répertoire sur le disque dur où vous stockerez temporairement les fichiers du disque souple. Copiez les fichiers du disque source dans le répertoire, insérez un disque vierge dans le lecteur puis copiez les fichiers depuis le disque dur vers le disque souple cible. Supprimez les fichiers du répertoire temporaire puis répétez le processus pour n'importe quel autre disque. Supprimez le répertoire quand vous avez terminé. Voici par exemple les étapes nécessaires à la copie d'un disque du lecteur A en passant par le disque dur (pressez la touche Retour après chaque étape).

Souvenez-vous simplement que COPY transfère seulement les fichiers du répertoire en cours en ignorant les sous-répertoires. Si vous êtes dans le répertoire racine d'un disque souple, la commande COPY A: B: sauvegarde juste le répertoire racine et non pas le disque entier. Il faut accéder à chaque sous-répertoire et le copier vous-même.

DISKCOPY contre COPY

Les commandes DISKCOPY et COPY peuvent toutes deux être utilisées pour sauvegarder les fichiers d'un disque

Tapez	Pour
MD \TEMP	créer un répertoire pour stocker les fichiers.
CD \TEMP	accéder au répertoire.
COPY A:*.* C:	copier les fichiers du disque souple dans le répertoire.
COPY *.* A:	copier les fichiers du disque dur dans le nouveau disque souple.
DEL *.* Retour O	supprimer les fichiers du répertoire du disque dur.
CD \	accéder au répertoire racine.
RD \TEMP	supprimer le répertoire.

à un autre. Le Tableau 6.1 montre quelques différences très importantes entre ces deux méthodes.

▓ *FORMATAGE DE DISQUES DE DONNÉES*

Pour utiliser une nouvelle disquette vierge qui contiendra vos données, il faut la formater avec la commande FORMAT. Le *formatage* prépare la disquette pour qu'elle puisse être utilisée avec le DOS. Ces instructions concernent les ordinateurs qui comportent deux lecteurs de disques et pas de disque dur (si votre système a deux lecteurs de taille et de capacité différentes, consultez la section "Travail avec des formats de disque différents"). Le disque DOS se trouve dans le lecteur A et le disque vierge dans le lecteur B. Si vous avez un disque dur et un lecteur de disques souples, vous pouvez utiliser ces instructions mais il faut placer le disque vierge dans le lecteur A et utiliser le lecteur A au lieu du lecteur B dans chacune des étapes ci-après.

DISKCOPY	COPY
Formate le disque cible si nécessaire.	Le disque cible doit être déjà formaté.
Efface tous les fichiers existants sur le disque cible, qu'il soit formaté ou non.	Ajoute les fichiers à un disque. Supprime seulement les fichiers qui portent le même nom que les fichiers que vous copiez. Etant donné que les fichiers existants ne seront pas effacés, il risque de ne pas y avoir assez de place pour les nouveaux fichiers.
Copie les fichiers cachés.	Copie seulement le répertoire en cours.
Ne devrait pas être utilisée avec des disques de tailles et de capacités différentes.	Peut copier les fichiers entre des disques de taille et de capacité quelconques mais seulement jusqu'à ce que le disque soit plein.

Tableau 6.1 : Différences entre les commandes DISKCOPY et COPY.

Vérifiez dans votre manuel DOS si vous avez le moindre problème avec la procédure suivante.

1. Mettez votre ordinateur sous tension.

2. Vérifiez que le programme DOS FORMAT.COM se trouve dans le lecteur, répertoire ou chemin en cours. S'il n'y est pas, accédez au répertoire approprié avec la commande CD \ ou insérez un disque DOS avec le programme FORMAT. Vérifiez que le disque est protégé en écriture.

3. Tapez **FORMAT B:** et pressez la touche Retour. L'écran affiche :

Insérez la nouvelle disquette dans l'unité B

et appuyez sur ENTREE pour continuer . . .

4. Placez un disque vierge dans le lecteur B et tapez la touche Retour. Au bout de quelques minutes, le disque vierge est formaté. Sur certains systèmes, le message :

Nom de volume (11 caractères, si aucun : appuyez sur ENTREE) ?

est affiché.

Un *nom de volume* (ou *label*) est un nom de disque qui est affiché quand vous listez le répertoire. Cela peut être un nom quelconque qui identifie rapidement la nature des documents de ce disque.

5. Entrez un nom de volume pour le disque et pressez la touche Retour ou pressez seulement la touche Retour si vous ne voulez pas donner de label au disque. L'écran affiche maintenant :

Formater une autre disquette (O/N) ?

6. Pressez **N** pour arrêter le programme ou **O** si vous avez d'autres disques à formater.

▨ *FORMATAGE D'UN DISQUE SYSTÈME*

Vous devriez toujours avoir une copie du DOS disponible sur disquette. Si quelque chose arrive à votre copie du DOS unique, à votre disque dur, à un fichier de configuration ou à la batterie interne, vous ne pouvez pas redémarrer votre ordinateur sans un disque souple.

La commande FORMAT elle-même n'ajoute pas le système d'exploitation à un disque. Vous pourrez sauvegarder vos fichiers sur le disque formaté mais pas démarrer votre ordinateur à partir de celui-ci. Un disque capable de démarrer votre ordinateur s'appelle un *disque système.*

Vous pouvez créer un disque système en utilisant DISKCOPY pour copier un disque système existant ou l'option /S pour copier les programmes DOS quand vous formatez un disque vierge.

Procédez aux opérations suivantes pour créer un disque système avec la commande FORMAT. Ces instructions concernent les ordinateurs qui possèdent deux lecteurs de disques. Si vous avez un disque dur et un lecteur de disques souples, placez votre disquette cible dans le lecteur A et utilisez le lecteur A au lieu du lecteur B dans chacune des étapes ci-dessous.

1. Mettez votre ordinateur sous tension.

2. Vérifiez que le programme DOS FORMAT.COM se trouve dans le lecteur, répertoire ou chemin en cours. S'il n'y est pas, accédez au répertoire approprié avec la commande CD \ ou insérez un disque DOS contenant FORMAT.COM.

3. Tapez **FORMAT B: /S** et pressez la touche Retour.

4. Placez un disque vierge dans le lecteur B et tapez la touche Retour. Le DOS formate le disque et transfère les deux fichiers système cachés, IBMBIO.COM et IBMDOS.COM (ou IO.SYS et MSDOS.SYS).

5. Pressez **N** au message :

    Formater une autre disquette (O/N) ?

Avec certaines versions du DOS, le disque formaté contient maintenant une partie suffisamment grande du système d'exploitation pour démarrer votre ordinateur. Cependant, d'autres versions du DOS ne copient pas COMMAND.COM sur le disque cible. Il est préférable de vérifier pour voir si ce fichier se trouve sur le nouveau disque système et, dans le cas contraire, de le copier à partir du disque DOS.

6. Tapez **DIR B:** pour voir si COMMAND.COM se trouve sur le disque nouvellement formaté.

7. S'il n'est pas sur le disque, tapez **COPY COMMAND.COM B:** et pressez la touche Retour. Cette instruction copie le programme sur le disque du lecteur B.

Si vous avez déjà formaté un disque sans l'option /S, vous pourrez peut-être encore en faire un disque système. La commande externe SYS transfère les deux fichiers système cachés mais pas l'interpréteur de commande -d'un disque à l'autre.

Pour faire un disque système d'un disque formaté sur un système à disques souples, insérez le disque DOS dans le lecteur A et le disque formaté dans le lecteur B. Tapez **SYS B:** et pressez la touche Retour. Avec un système à disque dur, insérez le disque formaté dans le lecteur A, tapez **SYS A:** et pressez la touche Retour. Vérifiez si COMMAND.COM se trouve sur le disque. S'il n'y est pas, copiez le programme depuis le disque dur ou le système à disques souples sur le nouveau disque système.

La commande SYS risque de ne pas fonctionner si vous avez déjà des fichiers sur le disque. À l'inverse de la plupart des fichiers, système ou DOS, les fichiers doivent se trouver à des endroits spécifiques sur un disque. S'il trouve des fichiers système qui sont déjà sur ces positions, SYS copie les fichiers seulement si les nouveaux et les anciens fichiers occupent exactement le même espace. Les fichiers système des versions DOS antérieures peuvent être plus petits pour qu'il ne soit pas possible de mettre le disque à jour avec la nouvelle version en utilisant SYS ; vous devez formater un disque vierge avec l'option /S puis transférer les fichiers avec COPY ou XCOPY.

La commande SYS arrête son exécution si elle trouve des fichiers ou des programmes non système là où elle devrait copier les fichiers système.

■ *TRAVAIL AVEC DES DISQUES DE FORMAT DIFFÉRENT*

Vous avez peut-être deux lecteurs de disques qui n'ont pas la même taille ou la même capacité. Vous avez un lecteur 5 pouces $1/4$ et un lecteur 3 pouces $1/2$ ou un lecteur normal et un lecteur de haute capacité.

Bien que certaines versions de DISKCOPY puissent travailler avec certaines combinaisons de lecteurs, il existe trop de variables pour donner des conseils pertinents. Utilisez donc la commande DISKCOPY comme si vous n'aviez qu'un seul lecteur. Copiez un disque du lecteur A dans le lecteur A et un disque du lecteur B dans le lecteur B en utilisant la procédure générale indiquée dans la section "Systèmes à disque dur avec un lecteur de disquettes".

Le programme SYS copie les fichiers système d'un disque sur un disque de taille ou de capacité différentes, à condition que le disque cible ait suffisamment de place pour stocker les fichiers système à l'endroit approprié.

Lorsque vous formatez des disques, essayez d'utiliser un disque qui corresponde à la capacité maximum du lecteur. Si vous n'avez pas de disque dur, cela signifie qu'il faudra peut-être formater un disque dans le lecteur A. Supposons par exemple que vous avez un lecteur A de 1,2 Mo et un lecteur B de 360 Ko. Pour formater un disque 360 Ko, suivez simplement les instructions de la section "Formatage de disques de données".

Cependant, pour formater un disque 1,2 Mo, vous devez utiliser le lecteur A pour l'ensemble de la procédure. Amorcez votre ordinateur à partir d'un disque DOS placé dans le lecteur A, tapez **FORMAT A:** et pressez la touche

Retour. Quand le message vous demandant d'insérer le disque cible apparaît, *enlevez* votre disque DOS, insérez un disque vierge dans le lecteur A et pressez la touche Retour.

Etant donné la diversité des capacités disque disponibles, vous souhaiterez peut-être formater un disque de capacité inférieure dans un lecteur haute capacité. Ces disques sont moins chers et vous aurez peut-être à partager un disque avec quelqu'un qui a seulement des disques basse capacité.

Pour formater un disque 360 Ko dans un lecteur 1,2 Mo (5 pouces $^1/_4$), utilisez la commande :

FORMAT A: /4

L'option /4 est seulement disponible dans la version 3.0 et dans les versions suivantes, les seules versions qui acceptent des lecteurs 5 pouces $^1/_4$ haute capacité.

Pour formater un disque 720 Ko dans un lecteur 1,44 Mo (3 pouces $^1/_2$), utilisez la commande :

FORMAT A: /N:9

Vous pouvez lire et écrire sur des disques 3 pouces $^1/_2$ 720 Ko dans des disques 3 pouces $^1/_2$ haute capacité sans abîmer le disque pour des lecteurs de capacité normale.

L'utilisation d'un disque 5 pouces $^1/_4$ dans des lecteurs qui ne correspondent pas à sa capacité maximum est plus complexe. Vous pouvez lire et écrire sur des disques 360 Ko dans des lecteurs haute capacité. Mais quand vous écrivez sur le disque, vous risquez de ne pas pouvoir le lire dans un lecteur 360 Ko. Il existe des méthodes de formatage et d'écriture sur des disques basse capacité dans des lecteurs 1,2 Mo qui ne les abîment pas toujours pour une utilisation dans des lecteurs 360 Ko mais ne faites pas confiance au disque pour des fichiers importants. Si vous avez des lecteurs de disque 360 Ko et 1,2 Mo, écrivez seulement sur vos disques basse capacité dans le lecteur 360 Ko.

7

DIAGNOSTIC ET RÉSOLUTION DE PROBLÈMES

Le Chapitre 2, "Apprenez à connaître votre PC", a souligné certains des problèmes courants que vous pouvez rencontrer à la mise sous tension de l'ordinateur. Dans ce chapitre, nous allons voir comment diagnostiquer, corriger et prévenir un grand nombre de problèmes à l'aide du DOS et des utilitaires.

Si le problème est dû à une panne matérielle, il faudra remplacer ou réparer la partie en question. Si vous avez un penchant pour la mécanique ou si cela ne vous dérange pas de travailler à l'intérieur de votre ordinateur, vous pourrez faire de nombreuses réparations vous-même en remplaçant une pièce usagée par une nouvelle. Mais, si vous ne savez pas trop comment réparer les circuits imprimés, les circuits intégrés et les câbles, emmenez votre matériel chez un réparateur.

La plupart des boutiques peuvent réparer ou remplacer bon nombre de pièces génériques comme les lecteurs ou le moniteur. Cela n'a en général pas d'importance si ces pièces sont remplacées par des unités qui ne sont pas exactement identiques aux pièces originales. Cependant, les circuits plus techniques nécessitent souvent des pièces ou une connaissance spéciales dont seul dispose un réparateur agréé ou spécialisé dans votre système. Un réparateur agréé est celui qui est recommandé par le fabricant de votre ordinateur. De nombreux fabricants ont des numéros de téléphone verts (gratuits) que vous pouvez appeler pour avoir une liste des réparateurs. Si vous n'avez aucune idée au sujet de ce qui ne va pas, faites appel à un réparateur agréé ou au revendeur spécialisé dans votre modèle.

La sélection d'un réparateur pour l'entretien général est le résultat de la combinaison de la recherche et de la chance. Si possible, visitez la boutique et parlez de votre problème. Regardez s'ils ont déjà en réparation des ordinateurs comme le vôtre ou s'ils connaissent votre marque et votre modèle. Une boutique honorable vous garantira son travail par écrit.

ENREGISTREMENT DES INFORMATIONS CMOS

Au lieu d'apprendre à résoudre des problèmes après qu'ils se posent, vous pouvez les prévenir. Les derniers modèles d'ordinateur ont une zone spéciale en mémoire appelée mémoire *CMOS* qui stocke des informations critiques relatives à la configuration de votre système. Une pile alimente la mémoire pour que les données soient conservées quand votre ordinateur est mis hors tension ou débranché. Si la pile est "morte" ou si sa puissance diminue jusqu'à une charge minimum, les données sont perdues et votre système risque de ne pas se réamorcer ou de ne pas opérer correctement (selon le matériel que vous avez, cette pile peut aussi alimenter l'horloge/calendrier).

La mémoire CMOS est aussi effacée quand vous enlevez la pile pour la remplacer. Après l'insertion d'une nouvelle pile, vous devez réentrer les informations de configuration. Il est conseillé d'enregistrer ces informations *avant* qu'il soit nécessaire de changer la pile de telle sorte que vous sachiez quoi entrer. Dans certains cas, vous trouverez les données dans votre documentation système. Mais la configuration peut être unique pour votre propre combinaison de mémoire et de lecteurs de disque dur et de disques souples et vous risquez de ne plus pouvoir entrer les données sauf si vous en avez conservé un enregistrement.

■ *DIAGNOSTIC ET TECHNIQUES D'EXPERTISE*

La première étape dans la résolution d'un problème consiste à vérifier que le problème existe réellement et d'isoler une cause éventuelle. Dans ce chapitre, vous apprendrez à diagnostiquer tous les problèmes à l'exception de ceux qui sont en relation avec votre imprimante. Les problèmes d'imprimante sont traités dans le Chapitre 8, "Travail avec l'imprimante".

Programmes autotest et messages d'erreur

Certains ordinateurs possèdent un programme d'autotest fourni soit sur disque soit comme faisant partie de la ROM. Le programme teste tous les composants clés du système et affiche des messages d'erreur s'il y a un problème avec votre système.

Les ordinateurs IMB, par exemple, sont livrés avec une disquette de test et de configuration ; le programme analyse d'abord le système, en reportant la quantité de mémoire, les ports d'interface et les lecteurs de disques (Figure 7.1). Il opère ensuite un contrôle sur le processeur, la mémoire, le clavier, les circuits vidéo et les *pages mémoire affichage* (les zones de mémoire qui stockent l'image affichée sur l'écran).

Le programme Zenith TEST est un exemple de programme de diagnostic basé sur la ROM. Il est exécuté à travers ce que Zenith appelle le Moniteur, un utilitaire de diagnostic d'utilité générale auquel on accède en tapant les touches Ctrl-Alt-Inser.

```
Affichage de la configuration


Mémoire totale du système
      Mémoire installée ..................... 4096ko (4.0Mo)
      Mémoire utilisable ................... 3968ko (3.9Mo)

Dispositifs intégrés
      Mémoire installée ..................... 4096ko (4.0Mo)
      Type de l'unité de disquette A ........ 3-1/2 pouces 1,44 Mo
      Type de l'unité de disquette B ........ 3-1/2 pouces 1,44 Mo
      Coprocesseur mathématique ............. Pas installé
      Port série ........................... SERIE_1
      Port parallèle ....................... PARALLELE_1

Emplacement n°1 - 3Com EtherLink/MC Ethernet Adapter
      Enable/Disable Adapter ................ Adapter Enabled
      I/O Address Range .................... 300 to  307
      Interrupt Level ...................... Channel 3
      Packet Buffer RAM Address Range ....... 0C0000 to 0C5FFF

Echap = Sortie
F1 = Aide                                      Fin    Page
```

Figure 7.1 : Programme de diagnostic IBM.

Consultez votre guide utilisateur ou d'autres manuels système pour voir si un programme d'autotest est intégré à la ROM ou cherchez sur votre disque DOS un programme appelé TEST. Vous avez peut-être aussi un disque portant le nom *Disque de diagnostic* ou *Utilitaires Système* qui contient des logiciels de diagnostic. Si vous ne trouvez pas de programme de diagnostic ni de procédure d'autotest, contactez le fabricant ou un revendeur qui travaille avec cette marque.

Quand vous rencontrez un problème, vous voyez souvent un message d'erreur sur l'écran. Bien que certains messages d'erreur soient les mêmes pour toutes les versions du DOS, d'autres ont été ajoutés par différents fabricants. Il serait impossible de lister tous les messages qui peuvent apparaître sur votre écran.

De nombreux messages d'erreur sont cependant significatifs et présentent suffisamment d'informations pour qu'il vous soit possible de diagnostiquer le problème. Si vous voyez par exemple le message :

DISK ERROR:drive not ready

ou :

No system

vous n'avez probablement pas de disque formaté dans le lecteur ou bien la porte du lecteur n'est pas fermée.

Quand le problème n'est pas aussi évident, consultez un chapitre ou une annexe qui explique les messages d'erreur dans votre manuel DOS, dans votre manuel système ou dans les manuels de vos logiciels. Si vous n'avez pas ces manuels, consultez la section "Guide d'expertise". Cernez le problème jusqu'à ce que vous puissiez tenter une solution ou identifier le besoin d'une aide professionnelle.

▓ *GUIDE D'EXPERTISE*

Si votre système ne comprend pas de programme autotest, ou si le message n'est pas significatif, il vous faudra rechercher tout seul la cause du problème. Les mécaniciens auto, les électriciens, les physiciens et les autres personnes dont les travaux consistent à réparer des choses utilisent une technique de résolution de problèmes appelée *expertise*. Ils commencent d'abord par se poser des questions pour identifier la partie du système qui peut provoquer le problème comme par exemple "Où cela se produit-il ?" "Que se passe-t-il quand vous tournez la clé ?" La réponse permet d'isoler le système défectueux qui contient vraisemblablement la panne ou le problème spécifique.

Vous pouvez utiliser des techniques similaires pour résoudre les problèmes que vous rencontrez avec votre ordinateur. La Figure 7.2 est un guide permettant d'isoler la cause des problèmes. Les guides d'expertise comme celui-ci fonctionnent comme les branches d'un arbre ou les chemins d'un répertoire. Vous commencez à la racine -la première question- puis vous passez par une série de questions basées sur vos réponses. Les chiffres entre parenthèses dans le "Guide d'expertise" correspondent aux sections de la partie "Référence d'expertise" un peu plus loin dans ce chapitre. Consultez la référence appropriée pour avoir une explication du problème et des solutions possibles.

Quand vous rencontrez un problème, commencez avec la première question de la Figure 7.2, "Est-ce que le système boote et affiche le signal DOS ?". Si la réponse à cette question est oui, prenez le chemin Oui qui pose la question "Y a-t-il un message d'erreur sur l'écran ?". Si vous ne voyez pas le signal DOS, prenez le chemin commençant par "Entendez-vous un ventilateur ou un lecteur de disque ou bien voyez-vous un voyant lumineux allumé ?".

Si vous voyez le signal DOS mais pas de message d'erreur, passez à la question 2 qui pose des questions spécifiques sur le problème. Quand vous atteignez le point où vous n'avez plus de questions auxquelles répondre, vous avez isolé une cause de problème possible.

A titre d'exemple, imaginons une situation hypothétique :

Vous mettez votre ordinateur sous tension. Vous entendez le ventilateur du système et vous voyez l'indicateur lumineux du lecteur allumé. Ensuite, le message "General failure error" apparaît sur l'écran.

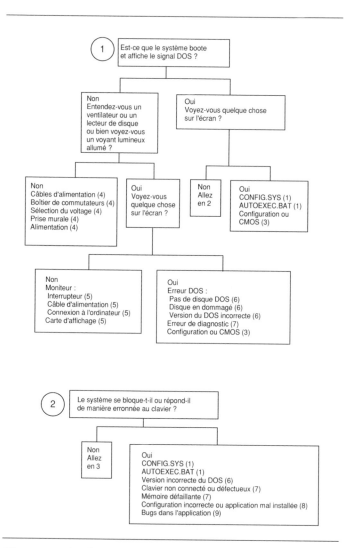

Figure 7.2 : Guide d'expertise.

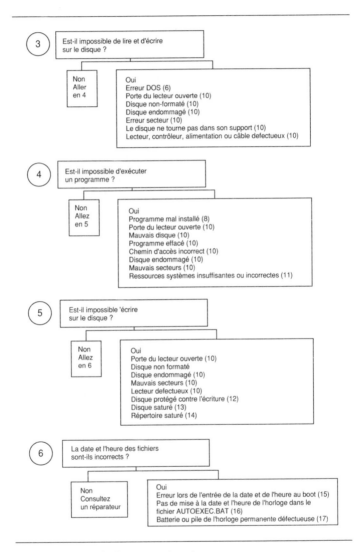

Figure 7.2 : Guide d'expertise (suite).

Quel est le problème ?

Etant donné que vous ne voyez pas le signal DOS, vous choisissez le chemin Non à la première question. Vous entendez le ventilateur et vous voyez l'indicateur allumé, donc vous prenez ensuite le chemin Oui. Etant donné que vous voyez le message d'erreur sur l'écran, vous suivez à nouveau le chemin Oui.

Le problème est soit une erreur DOS, CMOS ou de configuration, soit une erreur affichée par l'autotest de diagnostic du système. Consultez la section appropriée dans la partie "Référence d'expertise".

Imaginez maintenant la situation suivante :

> Votre système s'amorce correctement et vous commencez l'exécution d'un programme de traitement de texte. Cependant, à chaque fois que vous essayez de sauvegarder un document, un message d'erreur apparaît sur l'écran.

Le signal DOS apparaît et vous suivez donc le chemin Oui. Il n'y a pas de message d'erreur (à ce stade) et vous suivez donc le chemin Non et vous passez à la question 2. La réponse aux questions 2, 3 et 4 est non mais, étant donné que vous ne pouvez pas faire de sauvegarde, qui est une fonction d'écriture sur le disque, la réponse à la question 5 est oui. Vérifiez la liste des causes possibles listées dans cette question.

▓ *RÉFÉRENCE D'EXPERTISE*

Les éléments numérotés dans cette section correspondent aux éléments indiqués entre parenthèses dans le "Guide d'expertise".

1. CONFIG.SYS

   Il peut y avoir une commande dans CONFIG.SYS qui ne peut pas être exécutée ou qui entre en conflit avec votre matériel. Le DOS risque par exemple d'être incapable de localiser un lecteur de périphérique référencé dans une commande de périphérique. Affichez le fichier en entrant la commande **TYPE CONFIG.SYS**. Vérifiez que chacune des commandes est appropriée à votre matériel et correctement libellée.

2. AUTOEXEC.BAT

   Comme avec CONFIG.SYS, il y a probablement une commande impropre ou inappropriée dans le fichier. Cherchez des commandes PATH qui font référence à des répertoires ou du matériel non installés.

3. Configuration système ou installation CMOS

   Deux problèmes peuvent se poser. Tout d'abord, le matériel réellement installé peut ne pas correspondre au matériel spécifié dans votre initialisation ROM. Consultez le manuel de votre système pour des instructions sur la manière d'établir votre configuration CMOS.

   Deuxièmement, le programme de diagnostic du système peut avoir trouvé une erreur qui n'est pas suffisamment sérieuse pour empêcher le système de s'amorcer. Consultez la référence 7, "Erreur de diagnostic", et votre manuel système.

4. Panne d'alimentation

   Votre système, ou une partie du système, ne reçoit pas d'alimentation. Consultez la section "Si vous ne voyez pas le signal DOS" dans le Chapitre 2.

5. Panne d'affichage

   Il y a une erreur dans l'affichage des caractères sur votre écran. Vérifiez que votre ordinateur est branché, connecté à l'ordinateur et sous tension. Vérifiez que vous avez le moniteur correct pour votre adaptateur d'affichage. Si le voyant du moniteur n'est pas allumé, vous avez peut-être un moniteur hors d'usage.

6. Erreur DOS

   Les erreurs DOS résultent de deux types de problèmes. Tout d'abord, vous essayez peut-être d'amorcer à partir d'un disque non système ou d'un disque abîmé. Remplacez le disque et essayez à nouveau. Si vous avez un disque dur, amorcez avec une disquette puis accédez au lecteur C. Si vous pouvez lire et écrire sur le disque dur, les informations d'amorçage du DOS risquent d'être perdues. Essayez d'utiliser la commande SYS C: pour re-transférer les données d'amorçage sur le disque dur. Si le problème n'est pas corrigé, sauvegardez toutes les données que vous pouvez lire à partir du disque. Reformatez le disque dur ou achetez un utilitaire de maintenance de disque dur tel que les utilitaires Norton qui peuvent formater les secteurs défectueux sans effacer d'autres fichiers.

   Deuxièmement, vous utilisez peut-être la mauvaise version du DOS. Certains ordinateurs nécessitent une version DOS fournie par le fabricant et ne s'amorcent pas avec une autre version.

7. Erreur de diagnostic

   Le programme de diagnostic du système a trouvé un problème matériel ou CMOS. Si le système ne s'amorce pas, il faudra peut-être consulter un réparateur.

Cherchez une indication permettant d'identifier l'un de ces cinq types d'erreur :

Disque	Lecteur, contrôleur, câble ou alimentation défectueux. Consultez votre documentation pour voir si votre système a des options permettant un amorçage à partir de lecteurs autres que A ou le disque dur. Si vous n'avez pas de documentation, consultez un magasin qui vend votre matériel ou contactez le fabricant.
Mémoire RAM ou ROM, CPU	Ecrivez le message exact qui apparaît sur l'écran. Désactivez la machine, attendez quelques instants et remettez-le sous tension. Si le message apparaît à nouveau, consultez votre manuel ou un réparateur.
CMOS	Il s'agit peut-être d'une erreur matérielle résultant d'un problème de configuration. Si votre système a un programme d'installation, cherchez une configuration correcte. Ce peut aussi être provoqué par une faiblesse de la pile.
Pile faible	La pile qui alimente votre CMOS s'épuise ; remplacez-la.
Clavier	Vérifiez que votre clavier est connecté et de type correct. Vous avez peut-être un mauvais clavier ou un mauvais câble de clavier.

8. Installation du programme

   Le programme n'est peut-être pas correctement installé ou configuré pour votre matériel. Installez ou réinstallez-le.

9. Application défectueuse

   Il peut y avoir des erreurs dans l'application qui ne le laissent pas opérer correctement sur votre matériel. Consultez le manuel de l'application, le fournisseur du logiciel ou le fabricant.

10. Problèmes disque

    Un certain nombre de problèmes peuvent être provoqués par un problème avec le disque ou avec le lecteur.

Porte de lecteur ouverte	Vérifiez que la porte du lecteur de disque est complètement fermée. Essayez d'enlever et de réinsérer le disque.
Disque non formaté	Vous utilisez un disque non formaté. Remplacez le disque par un disque que vous savez être formaté.
Disque endommagé	La poussière, les peluches, la fumée et d'autres particules étrangères ont endommagé le disque. Le disque est courbé ou rayé. Sauvegardez tous les fichiers que vous pouvez sauvegarder puis jetez-le.
Erreur de secteur	La zone du disque dans laquelle se trouve le fichier est endommagée. Essayez à nouveau de lire le fichier.

Même si le disque est endommagé, d'autres fichiers peuvent être encore lisibles. Copiez-les sur un autre disque.

La zone du disque où le DOS essaie d'écrire un fichier est endommagée. Sauvegardez le fichier sur un autre disque. Copiez les fichiers depuis l'original puis reformatez.

Il y a la FAT (table d'allocation des fichiers) ou un répertoire endommagé ; essayez d'exécuter CHKDSK. Si vous avez de nombreuses erreurs avec un disque dur, sauvegardez toutes les données que vous pouvez lire à partir du disque. Achetez un utilitaire qui reformate les secteurs défectueux ou utilisez la commande DOS DETECT pour déterminer les secteurs défectueux puis reformatez le lecteur de telle sorte que le DOS ignore les secteurs défectueux.

La disquette ne tourne pas

Les parois de la *couverture du disque* (l'enveloppe de plasti que permanente qui enferme le disque) appuient sur le disque en l'empêchant de tourner. Essayez d'abord d'enlever et de réinsérer le disque. Si cela ne fonctionne pas, maintenez le disque par un angle, glissez deux doigts à l'intérieur du trou central et faites doucement tourner le disque. En cas d'échec, maintenez le disque juste au-dessous des deux angles supérieurs et essayez d'en aplatir le bord sur une surface dure ou un dessus de table.

Lecteur de disque, contrôleur de disque ou câble endommagé	Si aucun disque ne fonctionne correctement dans le lecteur, faites-le réparer ou remplacer.
Mauvais disque, programme effacé	Le programme que vous essayez d'exécuter ne se trouve pas sur le disque. Remplacez-le. Si le pro gramme a été accidentellement effacé ou le disque formaté, un utilitaire DOS peut être capable de récupérer le fichier.
Mauvais chemin	Le programme que vous essayez d'exécuter ne se trouve pas dans le répertoire. Passez à un autre répertoire. Contrôlez votre commande PATH.

11. Ressources système insuffisantes ou incorrectes

Le programme nécessite plus de mémoire ou d'autres facilités que les disponibilités de votre système.

Vérifiez dans votre documentation les impératifs minimum. Ajoutez de la mémoire ou un gestionnaire de mémoire. Essayez d'installer ou de réinstaller le programme.

12. Disque protégé en écriture

Le disque est protégé par une languette de protection. Enlevez (pour les disques 5 pouces 1/4) la languette ou abaissez (pour les disques 3 pouces 1/2) le taquet et essayez à nouveau.

13. Disque saturé

Il n'y a pas de place sur le disque pour le fichier. Supprimez certains fichiers sans intérêt ou faites la sauvegarde sur un autre disque.

14. Répertoire saturé

Bien que l'espace libre apparaisse avec la commande DIR ou la commande CHKDSK, le répertoire est plein et ne peut plus contenir d'entrées. Supprimez certains des fichiers qui ne sont pas nécessaires ou sauvegardez le fichier sur un autre disque.

15. Erreur d'entrée de l'heure et de la date à l'amorçage

Vous n'avez pas entré la date et l'heure à l'amorçage ou bien vous les avez entrées dans un format incorrect. Revenez au DOS et exécutez les commandes internes TIME et DATE.

16. Commande horloge manquante dans AUTOEXEC.BAT

La commande de l'horloge est incorrecte ou manquante. Vérifiez le fichier AUTOEXEC.BAT.

17. Pile en baisse dans l'horloge/calendrier

Cherchez des instructions dans la section "Trouvez et remplacez la pile système" (un peu plus loin dans ce chapitre).

■ *UTILISATION DE CHKDSK*

Le programme CHKDSK ne se contente pas de renvoyer des informations sur l'état du disque et de la mémoire mais peut isoler et réparer deux problèmes disque courants : les groupes (unités d'allocation ou clusters) perdus et les références croisées. Ce sont des erreurs qui sont liées au répertoire du disque et à la FAT ou table d'allocation du fichier. La *FAT* maintient une liste des secteurs disque qui sont utilisés, de ceux qui sont vides et de ceux qui sont endommagés. Les informations sont stockées dans des *groupes*, le plus petit nombre de secteurs que le DOS peut utiliser pour stocker un fichier unique. La FAT maintient le *chaînage des fichiers*, une liste de groupes stockant chaque fichier.

Pour localiser un fichier, le DOS trouve son nom et la place de son premier groupe dans le répertoire puis consulte la FAT pour localiser des groupes supplémentaires du fichier. Un *groupe perdu* est une chaîne de fichier dans la FAT qui n'a pas d'entrée de répertoire correspondante. Cela signifie que la FAT réserve des groupes pour un fichier qui n'existe pas. Une *référence croisée* se produit quand un groupe est inclus dans deux chaînes de la FAT, même si un groupe peut seulement être utilisé pour stocker un fichier.

Ces deux problèmes sont couramment provoqués par le réamorçage de l'ordinateur alors que vous ne vous trouvez pas au signal DOS. Les modifications effectuées au répertoire ou à la FAT par l'application n'étaient pas terminés et contenaient donc des enregistrements incomplets ou conflictuels.

La commande CHKDSK renvoie ces erreurs et vous demande si elle doit essayer de réparer les dégâts. Mais, quelle que soit votre réponse, elle ne résout pas vraiment le problème sauf si vous démarrez le programme avec l'option /F. Tapez :

CHKDSK /F

pour activer CHKDSK en mode Fix. Le programme examine le répertoire, en essayant de remédier aux problèmes qu'il rencontre.

Nous allons étudier quelques messages classiques renvoyés par CHKDSK et les opérations que vous pouvez mettre en oeuvre pour les corriger si vous utilisez l'option /F.

Message	Explication
Erreur d'allocation, taille ajustée	La taille du fichier enregistré dans le répertoire ne correspond pas au nombre de groupes réel alloués au fichier par la FAT. CHKDSK change l'entrée de répertoire pour correspondre à la FAT.
Tous les fichiers spécifiés sont contigus	Tous les fichiers spécifiés dans la commande CHKDSK sont stockés dans des secteurs contigus. Ce message apparaît seulement si vous incluez un indicateur de fichier à la commande CHKDSK tel que CHKDSK *.*. CHKDSK n'intervient pas.
CHKDSK impossible sur une unité affectée par commande ASSIGN ou SUBST	Vous ne pouvez pas utiliser CHKDSK sur un lecteur par lequel vous avez remplacé un chemin de répertoire. CHKDSK n'intervient pas.

Message	Explication
Contient n bloc(s) non contigus	Le fichier est fragmenté ou stocké dans des groupes non consécutifs. CHKDSK renvoie le nombre de blocs (*n*) mais n'intervient pas.
n unités d'allocation perdues décelées dans n chaînes. Convertir les chaînes perdues en fichiers (O/N) ?	CHKDSK a trouvé des chaînes perdues et renvoie le nombre de groupes (unités d'allocation) perdus et de chaînes perdues (*n*). Si vous répondez **O**, les groupes indiqués dans la chaîne sont écrits dans une série de fichiers appelés FILE0000.CHK, FILE0001.CHK, FILE0002.CHK, etc., dans le répertoire racine. Affichez les fichiers sur l'écran avec la commande TYPE pour déterminer si vous avez besoin des données. Si vous répondez **N**, CHKDSK supprime la chaîne de fichier de la FAT de telle sorte que les groupes puissent être à nouveau alloués à d'autres fichiers.
Erreurs trouvées, commutateur /f non spécifié	Vous n'avez pas spécifié l'option /F. Les erreurs sont renvoyées mais pas corrigées.
Espace insuffisant dans le répertoire racine	Le répertoire racine est plein et ne peut pas stocker les fichiers de chaîne perdue récupérés.

▦ *RECHERCHE ET REMPLACEMENT DE LA PILE SYSTÈME*

La pile qui alimente votre horloge/calendrier et la mémoire CMOS peut durer des années. Sa durée de vie dépend du temps pendant lequel votre ordinateur est éteint, c'est-à-dire le seul moment où l'alimentation par la pile est nécessaire.

Pour remplacer la pile système, vous devez enlever le couvercle de l'ordinateur. C'est une opération qui n'annule pas la garantie et que de nombreux utilisateurs exécutent eux-mêmes. Comme pour les autres réparations, si vous hésitez à travailler à l'intérieur de l'ordinateur, demandez à un revendeur de le faire.

Si vous décidez de remplacer la pile, vérifiez que tous les cordons d'alimentation sont bien débranchés avant de commencer. La mise hors tension de l'ordinateur n'est pas une protection adéquate contre les désatres qui vous guettent, vous et votre ordinateur.

Certains systèmes utilisent une petite pile plate circulaire ; d'autres une pile cylindrique similaire à la pile que vous mettez dans un poste de radio portatif ou dans un magnétophone. Vous devez remplacer la pile par une pile exactement du même type. Si vous ne trouvez pas le type de la pile dans le manuel de votre système, enlevez l'ancienne pile avant d'en acheter une nouvelle.

Localisation de la batterie

Selon le système utilisé, la pile peut se trouver sur une carte ou directement sur la carte mère de l'ordinateur. Une *carte* est une fine plaquette rigide contenant des composants électroniques. La plupart des cartes sont fixées sur le panneau arrière du système, là où se trouvent les ports d'interface. La connexion sur la carte mère est généralement réalisée sur la partie inférieure de l'ordinateur qui contient les *prises d'extension.*

Si un circuit horloge/calendrier est intégré à votre système, la pile se trouve soit sur une carte additionnelle insérée dans un slot, soit directement sur la carte mère. S'il a été ajouté à votre système par le propriétaire précédent, le circuit se trouve sur une carte circuit à part reliée au panneau arrière.

Vérifiez que vous avez une copie des informations CMOS avant d'enlever la pile. Bien que les méthodes d'accès à la pile diffèrent, suivez ces étapes générales. Tout d'abord, cherchez l'endroit où se trouve la batterie ainsi que son type.

1. Mettez l'ordinateur hors tension et débranchez le câble d'alimentation. N'essayez pas de travailler à l'intérieur de l'ordinateur lorsque la prise est branchée.

2. Enlevez le couvercle de l'ordinateur. La plupart des ordinateurs sont maintenus sur le côté ou à l'arrière par de petites vis Phillips. Enlevez-les et essayez de tirer le couvercle sur le côté ou en arrière.

Si le couvercle ne se déplace pas, cherchez deux ou trois vis le long du bord supérieur du tableau arrière. Il peut y avoir d'autres vis sur le tableau arrière qui maintiennent les composants internes comme l'interrupteur d'alimentation ou le ventilateur de refroidissement à l'arrière. Commencez par enlever les deux vis dans les angles. Si le couvercle ne bouge pas, cherchez une vis exactement au milieu du bord supérieur. Si le couvercle et le panneau avant semblent être solidaires, faites glisser le couvercle vers l'avant de l'ordinateur.

3. Localisez la pile puis passez à la section suivante pour les instructions permettant d'enlever et de remettre la pile.

Remplacement de la pile

Procédez de la façon suivante pour remplacer une pile située sur la face arrière :

1. Enlevez la batterie, en notant la position des extrémités positive et négative (Figure 7.3). Tirez la pile d'une main en maintenant sa prise de l'autre. Cela évite d'abîmer la connexion.

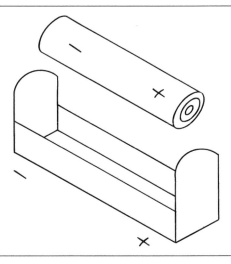

Figure 7.3 : Comment enlever une pile placée sur la face arrière.

2. Remplacez la pile par une nouvelle. Vérifiez que les extrémités positive et négative sont correctement positionnées.

3. Replacez le couvercle puis reconfigurez la mémoire CMOS comme c'est expliqué dans la section "Enregistrement des informations CMOS".

Une pile sur carte additionnelle est généralement circulaire. Quand vous enlevez la pile, faites particulièrement attention aux marques indiquant les pôles positif et négatif et à la face se trouvant au contact de la carte.

1. Enlevez la pile. Elle est généralement maintenue par un petit ressort. Levez *légèrement* le clip avec votre doigt ou avec un petit tournevis et tirez la pile en dehors de son logement. Faites attention de ne pas tirer sur le logement lui-même car vous risqueriez d'endommager la carte circuit. Si vous n'avez pas assez d'espace libre pour accéder à la pile, consultez la section "Travail avec des cartes additionnelles" dans le Chapitre 9.

2. Insérez la nouvelle pile dans la prise sous le clip. Vérifiez qu'elle est dans le bon sens et sur la bonne face.

3. Replacez le couvercle puis reconfigurez la mémoire CMOS comme nous l'avons vu dans la section "Enregistrement des informations CMOS".

8 TRAVAIL AVEC L'IMPRIMANTE

Vous avez peut-être acheté votre imprimante en même temps que votre ordinateur ou bien vous utilisez une imprimante que vous possédiez déjà. Chaque situation comprend ses propres défis.

Si vous utilisez une vieille imprimante, vous savez déjà comment elle opère. Votre tâche consiste à vérifier qu'elle est connectée et correctement établie pour l'ordinateur. Consultez un peu plus loin dans ce chapitre les sections "Communication avec l'imprimante" et "Guide des problèmes imprimante" si vous avez des problèmes.

Cependant, si votre imprimante est une machine d'occasion, vous devez l'examiner un peu plus en détail. Dans le Chapitre 2, vous avez appris à connecter à votre ordinateur des imprimantes série et parallèle. Dans ce chapitre, vous en apprendrez plus : comment la faire communiquer avec votre ordinateur et comment diagnostiquer et corriger des problèmes d'impression.

LES IMPRIMANTES

Il existe de nombreux types d'imprimante. Certaines utilisent un mécanisme à *impact* dans lequel un élément physique frappe un ruban pour transférer une image sur papier. Avec les imprimantes *sans impact*, l'image est transférée sans qu'aucune partie mobile ne frappe physiquement un ruban. Les imprimantes thermiques par exemple transfèrent l'image en appliquant de la chaleur à un papier recouvert d'un revêtement spécial. Le papier change de couleur quand la chaleur est appliquée.

Il y a aussi des imprimantes caractère, ligne et page. Les *imprimantes caractère* impriment un caractère puis passent au suivant ; les *imprimantes ligne* transfèrent du texte ligne par ligne ; les *imprimantes page* impriment toute la page en même temps.

Cependant, les imprimantes sont généralement classifiées selon la manière dont elles transfèrent l'image.

Imprimantes à marguerite

Les imprimantes à marguerite sont des imprimantes caractère à impact qui fonctionnent comme des machines à écrire électriques. Elles utilisent un disque plat en plastique ou en métal avec des caractères disposés comme des pétales. Après impression, il y a sur la feuille un caractère complètement formé. La roue tourne jusqu'à ce que le caractère approprié se trouve à l'opposé de la tête d'impression. La *tête d'impression* contient une petite aiguille qui est poussée en dehors et frappe l'élément contre le ruban, en transférant l'ensemble du caractère sur une feuille de papier.

Vous pouvez enlever la roue et mettre à la place une roue avec une *police* différente ou un style comme les italiques. Bien qu'il soit possible d'obtenir des caractères légèrement plus petits ou plus grands, les imprimantes sont limitées par la taille physique de la roue.

Les imprimantes à marguerite sont relativement lentes parce que la roue doit tourner pour chaque caractère mais elles produisent un résultat qui ressemble exactement à celui d'une machine à écrire standard.

Imprimantes matricielles

Les imprimantes matricielles sont aussi des imprimantes caractère à impact. Cependant, au lieu d'utiliser des caractères complètement formés, elles se servent d'aiguilles qui composent des caractères avec des séries de petits points.

Le nombre d'aiguilles détermine la qualité du caractère imprimé. Des imprimantes 24 aiguilles génèrent les caractères qui ressemblent plus aux caractères d'une imprimante à marguerite dans un mode d'impression appelé *near letter quality* ou NLQ.

Les imprimantes neuf aiguilles peuvent aussi avoir une qualité de ce type. Dans ce mode, la tête d'impression frappe une deuxième fois la même position mais un peu décalée par rapport à la première, ce qui remplit l'espace entre les points en donnant un aspect plus soigné.

Les imprimantes matricielles ne sont pas seulement plus rapides que les imprimantes à marguerite mais peuvent aussi imprimer différentes tailles et styles de caractère ainsi que des graphiques.

Imprimantes laser

Les imprimantes laser sont des imprimantes page sans impact qui génèrent du texte et des graphiques de grande qualité. Ce type d'imprimante fonctionne avec de l'électricité statique qui attire et maintient sur le papier de l'encre en poudre ou toner. L'imprimante chauffe le toner qui adhère à la page.

L'impression est conditionnée par l'orientation de la page et le processus ne démarre pas tant que l'imprimante n'a pas toutes les informations dont elle a besoin pour générer toute la page.

Il y a deux grandes classes d'imprimantes, les imprimantes PostScript et Hewlett-Packard PCL. Alors qu'elles peuvent toutes deux imprimer du texte et des graphiques dans différentes tailles, la plupart des imprimantes PCL imposent que vous ayez chaque police dans la taille appropriée avant de commencer l'impression. Les imprimantes PostScript créent des polices de toutes tailles à partir de *vecteurs*, c'est-à-dire des fichiers qui décrivent génériquement le style et la forme de chaque caractère (la LaserJet III utilise cependant des polices à hauteur variable comme les imprimantes PostScript).

Imprimantes à jet d'encre

Les imprimantes à jet d'encre produisent une image en éjectant des flots d'encre par l'intermédiaire d'un petit mécanisme de vaporisation appelé la *cartouche d'impression*. La cartouche contient des jets d'encre de la taille d'un point qui peuvent imprimer avec la même qualité que celle de nombreuses imprimantes laser. De plus, les imprimantes à jet d'encre DeskJet de Hewlett-Packard utilisent les mêmes commandes que les imprimantes laser PCL.

■ *CONNAISSANCE DE VOTRE IMPRIMANTE*

De tous les périphériques d'occasion, ce sont les imprimantes qui offrent le plus de variété. A une extrémité du spectre, on trouve les imprimantes qui génèrent seulement des caractères majuscules sur des rouleaux de papier de 5 cm de largeur. A l'autre extrémité, vous avez les imprimantes laser couleur haute vitesse capables de produire des documents de la qualité d'un document imprimeur.

Quelle que soit la catégorie dans laquelle tombe votre imprimante, il y a quelques caractéristiques clés que vous devez connaître avant de mettre votre imprimante au travail.

Sélection de l'alimentation papier

Votre imprimante peut accepter une alimentation par traction, par friction ou les deux.

Dans une *alimentation par traction*, on utilise du papier continu avec des trous d'entraînement sur les côtés. Cela garantit un déroulement du papier régulier et direct ; si vous alignez correctement le papier, vous pouvez imprimer un long document sans vous en occuper. Si votre imprimante a *seulement* une alimentation par traction, il est impossible d'utiliser des feuilles de papier individuelles.

Dans l'*alimentation par friction*, des roulettes intégrées prennent le papier et le guident, un peu comme celles d'une machine à écrire. Vous pouvez utiliser des feuilles de papier individuelles comme du papier à en-tête ou des formulaires. Vous pouvez aussi utiliser du papier continu, bien qu'il ait tendance à glisser dans certains mécanismes à friction si bien qu'il est nécessaire de vérifier l'alignement après l'impression de quelques feuilles.

De nombreuses imprimantes offrent les deux possibilités, l'alimentation à traction et l'alimentation à friction. Vous sélectionnez le type d'alimentation avec une manette gé-néralement située à gauche ou à droite sur le dessus (Figure 8.1). Poussez la manette dans la position alimenta-tion par traction pour dégager les roulettes de friction afin que le papier continu soit facilement tiré par les trous. Pour une alimentation avec des feuilles individuelles, placez la manette dans la position friction. Sur certaines imprimantes, vous pouvez enlever le mécanisme de traction pour faciliter l'accès aux roulettes.

Il est important de connaître le type d'alimentation avant d'installer des applications comme des traitements de

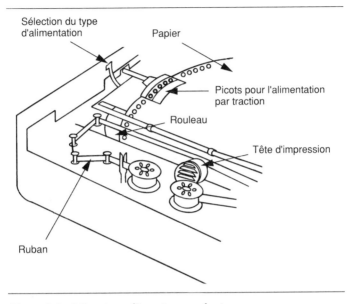

Figure 8.1 : Mécanisme d'imprimante classique.

texte. S'il est configuré pour une alimentation par friction, le programme peut s'arrêter avant l'impression de chaque feuille en attendant que vous insériez du papier. Cela vous fait perdre du temps quand vous utilisez du papier continu.

D'un autre côté, quand vous utilisez des feuilles individuelles, vérifiez que le programme n'est pas établi pour du papier continu. Il essaie d'imprimer une page même quand vous n'avez pas de papier chargé.

Taille de papier maximum

Les imprimantes sont à la taille du papier standard ou grande largeur. Les imprimantes *papier standard* manipulent du papier de 9 pouces $^1/_2$ maximum-8 pouces $^1/_2$ plus un pouce supplémentaire pour les trous sur le papier continu. les imprimantes *grande largeur* acceptent du papier de 17 pouces de large et plus et servent généralement pour les grandes feuilles de calcul et l'impression en format paysage sur les imprimantes à marguerite et matricielles. L'impression en format paysage permet d'imprimer du texte et des graphiques le long de la longueur (et non pas de la largeur) de la page.

Si votre imprimante manipule seulement du papier de taille standard, il est toujours possible d'imprimer des feuilles de calcul larges en sélectionnant une petite police ou en imprimante en format paysage.

Essais de polices et de styles

Une *police* est une collection de caractères, de chiffres et de symboles dans une taille et un style donnés. Les tailles de police sont mesurées en *points*. Un point est une mesure d'imprimante environ égale à $^1/_{72}$ de pouce ; il y a donc 72 points dans un pouce. Les styles de police sont classés par *familles*, le nom étant donné par le concepteur de la police. Times 14 points par exemple est une police de la famille Times dans la taille 14 points. Courier et Helvetica sont d'autres familles de polices très connues.

Si vous avez une imprimante à marguerite, chaque roue d'impression représente une police différente. Insérez la roue appropriée quand vous voulez imprimer dans une certaine police.

La plupart des imprimantes matricielles ont un certain nombre de polices intégrées. Il peut y avoir une police italiques, une police compressée et une police plus grande (expansée). Un certain nombre d'imprimantes matricielles peuvent aussi accepter des polices en cartouche qui sont insérées dans des connecteurs situés sur l'avant et des polices qui sont téléchargées dans la propre mémoire de l'imprimante.

Les imprimantes laser ont trois sources de polices : les polices internes, les cartouches connectées et les polices logicielles. Les *polices internes* sont intégrées au matériel, les *polices en cartouche* sont connectées à l'imprimante et les polices *logicielles* (ou *téléchargeables*) sont stockées sur un disque et transférées dans la mémoire de l'imprimante par l'ordinateur quand c'est nécessaire. Le nombre de polices que vous pouvez utiliser en même temps est déterminé par votre imprimante.

Vous sélectionnez des polices soit par l'intermédiaire de votre programme d'application, soit en utilisant les boutons du panneau de contrôle de l'imprimante. Utilisez une police compressée pour imprimer des documents larges sur du papier 8 pouces $^1/_2$ sur 11 pouces et des polices plus grandes pour les titres et les accroches.

LE PANNEAU DE CONTRÔLE

Votre imprimante a un panneau de contrôle à partir duquel vous gérez son fonctionnement, comme le montre la Figure 8.2. Alors que certains panneaux de contrôle offrent des possibilités particulières pour sélectionner des polices ou différentes sources d'alimentation papier, certaines fonctions peuvent être exécutées avec presque toutes les imprimantes.

Online (prête)

Quand l'imprimante est *online*, un voyant lumineux est allumé et elle est prête à accepter des caractères en provenance de l'ordinateur. Quand le voyant est éteint, l'imprimante est *offline* et ne peut pas recevoir des caractères. Pour passer d'un état à l'autre, pressez et relâchez le bouton online (ce bouton et le voyant lumineux peuvent aussi s'appeler *Select*).

Figure 8.2 : Le panneau de contrôle de l'imprimante.

Vous devez mettre l'imprimante offline pour utiliser l'un des autres boutons de contrôle du panneau. Pensez simplement à remettre l'imprimante online quand vous êtes prêt à imprimer.

Form feed (saut de page)

Pressez le bouton form feed pour éjecter la feuille de papier de l'imprimante (n'oubliez pas, l'imprimante doit être offline).

Vous pourriez éjecter la page en la tirant simplement hors de l'imprimante ou en faisant tourner le rouleau mais cela peut créer des problèmes avec certaines imprimantes et certaines applications. Il ne faut pas tourner manuellement le rouleau quand l'imprimante est activée. Vous risquez d'abîmer les mécanismes plastique qui sont engagés dans le système d'alimentation. Désactivez d'abord l'imprimante pour dégager le mécanisme.

En enlevant le papier manuellement, vous risquez aussi de perdre les information relatives au haut de la page. Quand vous imprimez un document, l'application mémorise le nombre de lignes imprimées sur la page. Elle suppose que vous avez commencé l'impression en haut de la page, au bon endroit dans l'imprimante. Quand la page est pleine, l'application exécute une commande de saut de page qui éjecte la feuille.

Certaines imprimantes gardent aussi la trace du nombre de lignes par page en fournissant automatiquement le papier quand arrive la fin de la page. A sa première mise sous tension, l'imprimante suppose que le haut de la feuille est aligné avec la tête d'impression et l'imprimante compte chaque ligne qu'elle imprime à partir de ce point.

Quand vous tirez une feuille de papier et en insérez une nouvelle alors que l'imprimante compte les lignes, elle ne sait pas reprendre le calcul à partir du haut de la page. Elle reprend là où elle s'est arrêtée, imprime quelques lignes puis éjecte la page avant qu'elle soit pleine.

Le bouton form feed éjecte le papier et rétablit le compteur de lignes au haut de la page. En fait, sur certaines imprimantes, ce bouton porte la mention *TOF.*

Avec une imprimante laser, le bouton form feed vide aussi le *tampon* de l'imprimante, une zone mémoire dans laquelle votre document est stocké après sa réception depuis l'ordinateur. Ne pressez pas le bouton form feed sauf si vous êtes sûr que toutes les données ont bien été transmises et que la page ne s'éjecte pas toute seule. Si vous utilisez le bouton form feed au milieu d'une fonction d'impression, vous risquez de perdre une partie de votre texte.

Line feed (saut de ligne)

La plupart des imprimantes matricielles utilisent le bouton line feed pour faire avancer le papier d'une ligne à la fois. Utilisez ce contrôle quand vous voulez faire avancer le papier mais sans l'éjecter de l'imprimante. Ces avancées de papier ligne à ligne sont ajoutées au décompte de lignes de l'imprimante pour déterminer la position du haut de page.

Manuel feed (alimentation manuelle)

Les imprimantes laser ont un contrôle d'alimentation manuelle qui permet à l'imprimante d'accepter du papier ou des enveloppes à partir d'un plateau d'alimentation manuelle et non pas à partir du bac d'alimentation. Le *bac d'alimentation* est un plateau qui contient des feuilles de papier et qui est inséré dans l'imprimante. Quand vous n'insérez pas de papier dans le plateau manuel, ou si vous ne pressez pas le bouton d'alimentation manuelle, l'imprimante utilise le papier du bac.

Même si le bouton d'alimentation manuelle n'est pas pressé, la plupart des imprimantes laser peuvent détecter si les feuilles de papier se trouvent dans le plateau manuel et utilisent ces feuilles au lieu du papier du bac. Si vous voulez que votre imprimante attende l'insertion manuelle du papier, pressez le bouton manual feed pour que l'imprimante ignore le bac (avec les imprimantes Apple LaserWriters et compatibles, vous pouvez seulement passer à l'alimentation manuelle par l'intermédiaire de vos programmes d'application ou des logiciels de contrôle imprimante).

Vous pouvez utiliser l'alimentation manuelle pour imprimer sur les deux faces d'une feuille de papier ou pour introduire une feuille qui ne tient pas dans le bac. Il est également possible de se servir de cette alimentation quand vous voulez imprimer sur du papier de taille légale alors que vous n'avez qu'un plateau de taille standard. Procédez de la façon suivante :

1. Pressez le bouton online jusqu'à ce que le voyant s'éteigne.

2. Pressez le bouton manual feed.

3. Pressez le bouton online pour réactiver le voyant.

4. Insérez une feuille de papier dans le plateau d'alimentation manuelle.

5. Etablissez votre application à la taille de papier légale.

6. Lancez l'impression.

L'imprimante attend l'insertion d'une feuille de papier dans le plateau d'alimentation manuelle même si le bac de papier est disponible.

Autotest

La plupart des imprimantes peuvent tester leurs fonctions, en imprimant un exemple de leurs polices et de leurs styles de caractères. Alors que certaines imprimantes laser ont un bouton qui lance le processus d'autotest, la plupart des imprimantes utilisent une certaine combinaison des autres boutons de contrôle. Il est parfois nécessaire de maintenir l'un des boutons pendant l'activation de la machine ou bien de presser simultanément deux des boutons. Consultez le manuel de votre imprimante.

Autres indicateurs

En plus de l'indicateur online, la plupart des imprimantes ont un voyant d'alimentation indiquant que l'imprimante est activée et un autre voyant indiquant qu'elle est prête à accepter des caractères.

De nombreuses imprimantes ont également un signal sonore ou un voyant signalant des problèmes comme le manque de papier, de ruban ou de toner.

■ COMMUNICATION AVEC L'IMPRIMANTE

Bien qu'il soit préférable d'avoir un exemplaire du manuel de fonctionnement de l'imprimante, vous pouvez généralement vous en sortir sans si vous avez une imprimante parallèle. Les imprimantes parallèles ne nécessitent pas d'installation particulière.

Les imprimantes série, elles, ont besoin d'une coordination entre l'ordinateur et l'imprimante ainsi que de l'établissement soigneux du protocole série (les ports série, parallèle et d'interface sont décrits en détail dans le Chapitre 1).

Installation d'une imprimante série

A chaque mise en route de votre ordinateur, vous devez lui indiquer comment vous voulez communiquer avec votre imprimante série. Vous utilisez pour ce faire des commandes se trouvant dans le fichier AUTOEXEC.BAT et qui ressemblent à cela :

```
MODE COM1:9600,N,8,1,P
MODE LPT1:=COM1:
```

La commande MODE établit le protocole série selon lequel les données sont transmises par l'ordinateur et acceptées par l'imprimante. Ces commandes particulières sont requises avec une imprimante laser Hewlett-Packard utilisant les caractéristiques série par défaut. Vos propres commandes dépendent de la manière dont votre imprimante est configurée.

La plupart des imprimantes série vous permettent de modifier leur protocole par l'intermédiaire d'une série de petits commutateurs (Figure 8.3). Cherchez les commutateurs situés à l'extérieur de l'imprimante, sous un panneau d'accès ou à l'intérieur du boîtier de l'imprimante. Dans certains cas, une étiquette indique la valeur des caractéristiques de le commutateur. Vous aurez cependant besoin du manuel de l'imprimante dans presque toutes les circonstances.

Les caractéristiques de la commande MODE *doivent* correspondre à celles de votre imprimante. Observez chacune de ces commandes en détail :

MODE   Utilise le programme MODE.COM, un programme externe DOS qui configure le circuit série du système.

COM1:   Détermine le port série relié à l'imprimante. Utilisez COM1: si vous avez seulement un port série ou si votre imprimante est reliée au premier de plusieurs ports série. Si votre imprimante est connectée au second port série, utilisez COM2:.

9600   Spécifie la vitesse en bauds (vitesse de transmission) à laquelle l'imprimante est établie pour recevoir des caractères. Les valeurs possibles sont 110, 150, 300, 600, 1200, 2400, 4800 et 9600. Certaines versions du DOS nécessitent seulement l'entrée des deux premiers caractères du nombre comme 30 ou 96.

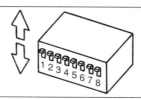

Figure 8.3 : Commutateurs pour sélectionner le protocole série et d'autres caractéristiques.

N	Etablit la parité, un système de communication pour le contrôle de la précision des données transmises. Les valeurs possibles sont N (Aucune), E (Paire) et O (Impaire).
8	Spécifie le nombre de bits qui composent chaque caractère, généralement 7 ou 8.
1	Spécifie le nombre de *bits d'arrêt* utilisés pour indiquer la fin de chaque caractère. peut avoir la valeur 1 ou 2. Les bits d'arrêt sont utilisés pour séparer chaque caractère transmis et sont traités en détail dans le Chapitre 11.
P	Indique que le port série est utilisé pour l'impression série et non pas pour un modem.
LPT1:=COM1	Indique au DOS de diriger tous les caractères allant au port LPT1: (le port parallèle par défaut) vers le port série (utilisez COM2: si votre imprimante est reliée au deuxième port série).

Contrôlez votre fichier AUTOEXEC.BAT pour voir si ces lignes existent déjà. Si elles n'existent pas, ajoutez-les en utilisant les techniques apprises dans le Chapitre 4.

A partir de maintenant, à chaque fois que vous démarrez l'ordinateur, vous voyez un message qui ressemble à celui-la, selon la version de votre système d'exploitation :

Redirection de LPT1: vers COM1:

■ *IMPRESSION À PARTIR DU DOS*

Si votre ordinateur et votre logiciel sont configurés pour votre imprimante, vous pourrez imprimer tout ce que l'application est capable de produire. Il peut cependant y avoir quelques complications lors d'une impression à partir du signal DOS, comme nous l'avons vu dans le Chapitre 3.

■ *GRAPHIQUES*

Il est impossible d'imprimer un écran de graphiques avec les touches Maj-Imp écr, comme il est impossible d'afficher sur l'écran un fichier exécutable avec la commande TYPE. L'image graphique de l'écran n'est pas composée de caractères ASCII imprimables. Si vous essayez de produire une recopie d'image graphique, vous obtenez une page de charabia.

La plupart des versions du DOS comprennent cependant un programme appelé GRAPHICS qui modifie la fonction Maj-Imp écr pour imprimer une image graphique sur une imprimante compatible avec l'imprimante matricielle IBM Graphics. Pour exécuter le programme, accédez au disque ou au répertoire dans lequel il se trouve ou incluez-le dans la commande PATH puis tapez **GRAPHICS**.

Le programme ne fonctionne pas avec les imprimantes à marguerite ou les imprimantes laser et de nombreuses versions impriment seulement des recopies d'écrans CGA 320 x 200, et non pas des écrans EGA ou VGA de résolution plus élevée.

Heureusement, il existe des programmes qui peuvent imprimer des recopies d'écran haute résolution, même sur des imprimantes laser. Pizza Plus par exemple peut imprimer des graphiques à partir d'affichages CGA, EGA, VGA et MCGA sur une vaste gamme d'imprimantes matricielles et laser.

Vous pouvez aussi utiliser des utilitaires pour capturer l'image dans un format de fichier graphique puis imprimer l'image avec des programmes tels que Ventura, WordPerfect et Word. Ils sont similaires à Grab qui est offert gratuitement avec WordPerfect et à Capture livré avec Word.

Comment éjecter le papier avec les imprimantes laser

Les imprimantes laser éjectent une feuille de papier seulement quand une page est pleine ou quand elles reçoivent une commande de saut de page. Si vous imprimez moins qu'une page entière à partir du signal DOS, il faut éjecter la page manuellement en utilisant le panneau de contrôle de l'imprimante. Procédez de la façon suivante :

1. Pressez le bouton online jusqu'à ce que son voyant s'éteigne.

2. Activez le bouton form feed pour éjecter la page.

3. Pressez le bouton online pour réactiver le voyant.

N'oubliez pas la dernière étape car sinon votre impression suivante ne se ferait pas.

Utilisation des gestionnaires d'imprimante

La plupart des imprimantes peuvent imprimer des listes de répertoires et des copies d'écran texte à partir du DOS sans aucun problème. (Les imprimantes PostScript peuvent nécessiter certaines installations spéciales et la plupart d'entre elles ne génèrent pas de listes ni de copies d'écran à partir du DOS sans un logiciel spécial.) Cependant, pour utiliser les caractéristiques spéciales de votre imprimante, comme diverses polices et des graphiques, vous devez employer un gestionnaire d'imprimante fourni avec votre programme d'application.

Quand vous installez votre application, cherchez un menu relatif aux imprimantes acceptées. Si on ne vous propose pas un choix d'imprimantes, le programme génère des caractères texte simples et n'utilise pas les polices optionnelles de votre imprimante. Quand un choix vous est proposé, vérifiez que vous spécifiez la marque et le modèle de votre imprimante. Par exemple, la sélection de **LaserJet** quand votre LaserJet II est listée comme une option, vous empêche d'utiliser des polices logicielles.

On peut aussi vous demander de spécifier la résolution pour l'impression des graphiques. De nombreuses imprimantes matricielles, par exemple, peuvent générer des graphiques dans plusieurs résolutions. Alors que la résolution la plus haute a le meilleur aspect, les graphiques importants risquent d'être plus longs à imprimer. Certaines imprimantes LaserJet ont besoin de mémoire optionnelle supplémentaire pour imprimer une pleine page avec une résolution de 300 points par pouce (dpi). Si vous sélectionnez 300 dpi pendant l'installation et que vous n'arrivez pas à imprimer une page entière, réinstallez le programme et sélectionnez une résolution plus faible.

Si votre imprimante n'apparaît pas dans la liste de celles qui sont acceptées par l'application, cherchez une imprimante compatible. Vérifiez dans la documentation de votre imprimante si vous n'êtes pas sûr. Si vous n'avez pas de documentation, essayez les choix suivants :

Imprimante utilisée	Essayez le choix
Matricielle	Epson ou IBM Graphique
A marguerite	Diablo
Laser	LaserJet ou PostScript

Vous pourrez peut-être établir votre imprimante pour émuler un de ces standards en utilisant des commutateurs. En fait, certaines imprimantes laser peuvent aussi émuler des imprimantes IBM Graphique et Diablo.

RÉSOLUTION DES PROBLÈMES D'IMPRIMANTE

Les imprimantes sont moins compliquées que le reste du système mais une panne d'imprimante peut être extrêmement frustrante ; vous voyez votre travail à l'écran mais il est impossible de l'imprimer.

Si vous vous apercevez que l'impression produit quelque chose d'illisible ou rien du tout, exécutez l'autotest de l'imprimante. Si le résultat est acceptable, le problème se trouve vraisemblablement dans l'interface entre l'imprimante et votre ordinateur ou votre application. Consultez la rubrique "Interface" dans la section "Référence des problèmes".

Utilisez le "Guide des problèmes imprimante" (Figure 8.4) pour repérer d'autres problèmes. Localisez le problème que vous avez puis référez-vous à la rubrique appropriée dans la section "Référence des problèmes".

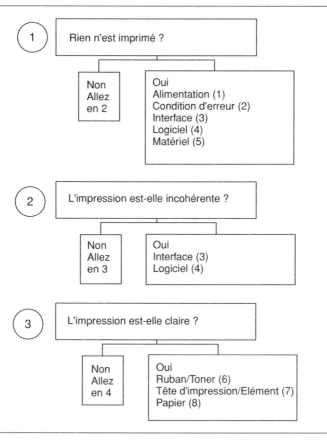

Figure 8.4 : Guide des problèmes imprimante.

Référence des problèmes

1. Alimentation

Vérifiez que l'imprimante est branchée, sous tension et online.

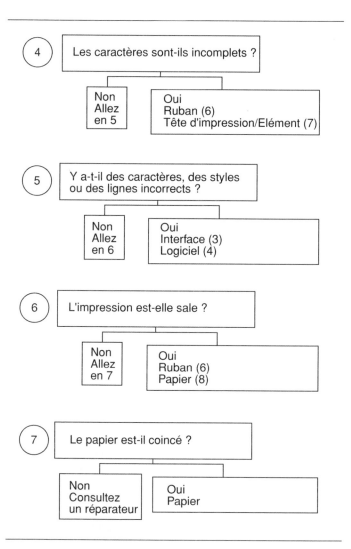

Figure 8.4 : Guide des problèmes imprimante (suite).

2. Condition d'erreur

Si vous entendez un signal sonore ou si un voyant s'allume, une condition d'erreur a suspendu l'impression. Il peut s'agir d'un bourrage de papier, d'un ruban cassé ou endommagé et de têtes d'impression cassées ou endommagées. Corrigez le problème puis remettez l'imprimante online.

3. Interface

Il y a un problème de communication de données entre l'ordinateur et l'imprimante.

Câble

Vérifiez que vous avez le bon câble, correctement placé aux deux extrémités et dans la bonne prise. Si vous avez une imprimante série, vérifiez que le câble est conçu pour une imprimante et non pas pour un modem.

Commutateurs d'imprimante

Vérifiez que les commutateurs sont correctement établis pour votre système. Les commutateurs déterminent souvent le style d'impression ou le jeu de caractères par défaut. Contrôlez ces valeurs, pour voir par exemple si chaque caractère est en italique, compressé ou élargi.

Certaines imprimantes ont une fonction qui exécute un saut de ligne à chaque fois qu'elle reçoit un retour chariot en provenance du logiciel. Si l'imprimante reçoit du logiciel un saut de ligne et un retour chariot, son propre saut de ligne n'est plus nécessaire. Vérifiez les commutateurs qui contrôlent les commandes de saut de ligne et de retour chariot. Etablissez le commutateur de telle sorte qu'il ne soit pas en position de saut de ligne automatique.

Certaines imprimantes plus anciennes ont été conçues pour exécuter automatiquement un saut de ligne avec chaque retour chariot. Si la modification du logiciel ou celle des commutateurs de l'imprimante ne corrige pas le problème, vous aurez peut-être besoin de modifier votre câble. Coupez la ligne 14, ce qui corrige généralement le problème. Cela modifie les signaux électroniques qui activent la fonction de saut de ligne automatique. Emmenez le câble chez un réparateur si vous n'osez pas faire la modification vous-même.

CONFIG.SYS, AUTOEXEC.BAT

Cherchez dans ces fichiers les commandes appropriées. Si vous utilisez une imprimante série, recherchez la commande MODE. Confirmez que les caractéristiques correspondent à celles de l'imprimante et de votre logiciel.

4. **Logiciel**

Votre programme d'application peut être configuré pour une imprimante ou un protocole série différents. Consultez dans le manuel de votre logiciel les instructions relatives à la sélection ou à la configuration de gestionnaires d'imprimante.

Déterminez la manière dont votre logiciel et votre imprimante traitent les commandes de saut de ligne et de retour chariot. Certains programmes plus anciens peuvent être configurés soit pour séparer, soit pour combiner des commandes.

5. Matériel

Votre imprimante peut avoir un problème matériel qui a besoin d'être réparé.

6. Ruban/toner

Vérifiez que le ruban est toujours encré (pour un test rapide, frottez-le entre votre pouce et votre index). Certains rubans ne peuvent être utilisés qu'une seule fois ; vérifiez que votre ruban n'est pas terminé.

Vérifiez que le ruban est correctement placé entre la tête d'impression et le guide de ruban (Figure 8.5).

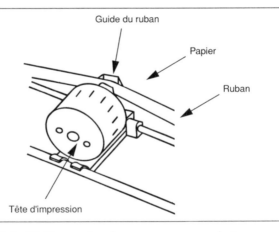

Figure 8.5 : Vérifiez que le ruban est correctement placé.

Contrôlez l'indicateur de niveau du toner sur votre imprimante laser. Vous pouvez allonger la durée de vie de la cartouche de près de 100 feuilles en la secouant de haut en bas pour répartir le toner.

Contrôlez la cartouche de l'imprimante si vous avez une imprimante à jet d'encre ; l'encre sèche risque d'encrasser la tête d'impression.

7. Tête d'impression ou élément

Vérifiez la distance qui sépare la tête d'impression et le ruban. La plupart des imprimantes à marguerite et matricielles ont une manette qui ajuste la tête d'impression pour différentes épaisseurs de papier (voir la Figure 8.1). Rapprochez la tête d'impression pour augmenter l'impact et foncer le tracé.

Recherchez les aiguilles cassées sur une imprimante matricielle. Vous pouvez généralement dévisser et remplacer vous-même les têtes endommagées.

Recherchez les caractères brisés ou manquants sur une imprimante à marguerite. Débarrassez la zone située autour de la tête d'impression de toute poussière ou papier.

8. Papier

Confirmez l'utilisation du type et de l'épaisseur corrects du papier pour votre imprimante. N'oubliez pas que les papiers plastifiés ont tendance à se tacher ; des petits points peuvent apparaître sur du papier humide ou moite.

Le papier peut ne pas alimenter correctement l'imprimante ; vérifiez sa taille. Asurez-vous qu'il est correctement chargé et bien engagé dans le rouleau d'entraînement. Vérifiez que la manette traction/friction est bien positionnée.

Avec des soins appropriés, votre imprimante doit durer longtemps. Conservez propres les zones situées autour de la tête d'impression et sur le passage du papier. Nettoyez régulièrement ces zones pour enlever les morceaux de papier, les peluches ou la poussière.

9 LES MONITEURS

Bien qu'il ne comporte que quelques boutons de contrôle, le moniteur qui accompagne votre ordinateur et ressemble à une télévision est l'une des parties les plus complexes de votre système informatique. De plusieurs façons, c'est le périphérique le moins connu, probablement parce que nous y sommes habitués.

La plupart d'entre nous brancheront simplement les câbles et mettront l'ordinateur sous tension, se sentant satisfaits de voir le signal DOS. Selon les applications utilisées, il ne sera peut-être pas nécessaire de faire quoi que ce soit d'autre ou d'en apprendre plus sur votre moniteur. Mais le moniteur est juste une partie de votre système d'affichage informatique. A l'intérieur de votre ordinateur, se trouve un *contrôleur d'affichage* ou une *carte vidéo* qui contrôle ce qui est affiché à l'écran. L'adaptateur et le moniteur doivent travailler ensemble ; ils doivent être compatibles pour que quelque chose soit affiché. En fait, l'utilisation de matériel incompatible pourrait endommager sérieusement le moniteur.

Si le moniteur et l'adaptateur sont compatibles, vous pouvez exécuter des commandes DOS et de nombreuses applications sans autres connaissances. Mais si le DOS est un élément logiciel indulgent, de nombreuses applications nécessitent un logiciel spécial pour l'utilisation des fonctions sophistiquées.

Dans ce chapitre, vous découvrirez les types de moniteurs et d'adaptateurs d'affichage et vous verrez comment mettre votre ordinateur en valeur. Cette *valorisation* peut comprendre le passage d'un moniteur monochrome à un moniteur couleur ou l'augmentation de la résolution du texte et des graphiques affichés.

EVALUATION DE LA QUALITÉ DE L'AFFICHAGE

Le coeur du moniteur est le tube cathodique ou CRT, un tube de verre vide avec l'écran à une extrémité et un *canon à électrons* de l'autre côté. Le canon à électrons fait converger un faisceau lumineux concentré à l'intérieur de l'écran. Le faisceau commence dans l'angle supérieur gauche de l'écran et balaye l'écran en lignes jusqu'à ce qu'il atteigne l'angle inférieur droit puis revient dans l'angle supérieur gauche et recommence. Le mouvement du faisceau du bas de l'écran vers le haut s'appelle le *balayage vertical* et se produit 50 à 60 fois par seconde selon le système utilisé.

Le circuit vidéo de l'ordinateur active et désactive le faisceau en allumant des points distincts ou *pixels* pour former une image. Plus le nombre de points par pouce carré est important et plus la résolution de l'image est haute ou meilleure est l'image.

La *résolution* se mesure en nombre de points horizontaux et en nombre de colonnes verticales. Par exemple, un écran de résolution 640 x 200 comporte 640 points dans chacune de ses 200 rangées. Ce n'est pas la même chose que le nombre de rangées et de colonnes de caractères. La plupart des moniteurs peuvent afficher 2 000 caractères, 25 rangées de 80 caractères, avec chaque caractère créé par une matrice de points, qui ressemblent beaucoup aux points générés par imprimante matricielle.

Si vous divisez la résolution de votre système en 2 000 cases individuelles, vous obtenez la boîte caractère dans laquelle s'inscrit chaque caractère. Avec un affichage de résolution 720 x 400 par exemple, chaque caractère peut tenir dans un espace de 9 x 16.

TYPES DE MONITEUR

Examinons maintenant les types de moniteurs que vous pouvez avoir. Il existe deux types de moniteur : les moniteurs monochromes et les moniteurs couleur.

Moniteurs monochromes

Les moniteurs *monochromes* affichent un fond noir avec une autre couleur pour l'image, blanc, vert ou ambre, selon le revêtement phosphorique de l'intérieur du tube. Les affichages blancs ont été délaissés en raison de leur fort contraste et de leur tendance à fatiguer les yeux. Les affichages vert et ambre semblaient plus reposants et plus lisibles.

La popularité de la publication assistée par ordinateur a cependant commencé à inverser la tendance. Les moniteurs monochromes qui utilisent un fond blanc séduisent à nouveau les utilisateurs parce qu'ils rendent l'aspect familier de l'impression sur papier blanc. En fait, une catégorie d'affichages *page blanche* est disponible avec une nuance de blanc plus douce et plus chaude qui s'approche plus de la couleur du papier.

Il existe trois types de moniteurs monochromes. Les moniteurs TTL (Transistor-to-Transistor Link) nécessitent un adaptateur d'affichage monochrome spécial. Ils étaient initialement conçus pour afficher du texte mais peuvent maintenant servir à des applications graphiques. Les moniteurs TTL sont les moniteurs traditionnels utilisés avec les systèmes monochromes.

Les moniteurs composites on un affichage en noir et une autre couleur mais peuvent être utilisés avec des adaptateurs d'affichage graphiques couleur basse résolution. Au lieu d'afficher seulement une nuance de couleur non noire, les moniteurs composites simulent la couleur avec des ombres en utilisant par exemple un vert sombre pour représenter une couleur sombre comme le rouge et un vert clair pour représenter une couleur claire comme le jaune. Vous pouvez identifier un moniteur composite par son *connecteur,* qui ressemble à la prise ronde utilisée à l'arrière des magnétoscopes et des équipements stéréo.

Les écrans VGA ou Vidéo Graphics Array sont des standards graphiques couleur haute résolution initialement introduits par IBM. Etant donné que les écrans VGA peuvent être chers, certains utilisateurs optent pour une version monochrome qui affiche des graphiques en ombres de gris, un peu comme un moniteur composite haute résolution.

Moniteurs couleur

Les moniteurs *couleur* peuvent afficher au moins 16 couleurs, y compris différentes nuances de gris. Le nombre des couleurs affichées en même temps ne dépend pas nécessairement du moniteur mais de l'adaptateur et du mode d'affichage.

Nous classons généralement les moniteurs couleur en fonction de la résolution maximum qu'ils peuvent afficher. Etant donné que cela dépend de l'adaptateur d'affichage installé dans votre ordinateur, nous examinerons les moniteurs couleur en même temps que leur carte d'affichage compatible.

Moniteurs à usage particulier

Il existe de nombreux moniteurs spéciaux conçus principalement pour la publication assistée par ordinateur. Ce sont des moniteurs haute résolution capables d'afficher une ou deux pages de texte et de graphiques pleines en même temps au lieu du tiers de page normalement affiché par les moniteurs GCA ou de la moitié de page qui apparaît sur les affichages EGA et VGA. Ces moniteurs permettent aux designers de visualiser et de travailler sur une page entière ou sur deux pages en vis-à-vis sans effectuer de défilement d'une section ou d'une page à une autre.

Il existe même un moniteur qui peut pivoter ou être tourné de côté pour afficher automatiquement des images en orientation paysage.

Ces moniteurs spéciaux nécessitent leur propre carte d'adaptation et leur propre logiciel.

TYPES DE CARTES D'AFFICHAGE

La *carte d'affichage* fournit au moniteur des signaux électroniques permettant de créer une image. En fait, cette carte détermine beaucoup plus la variété et la qualité de votre affichage que ne le fait le moniteur lui-même.

Cartes monochromes

Il existe deux standards monochromes de base, MDA et Hercules. Les cartes MDA (Monochrome Display Adapter) ne peuvent être utilisées qu'avec les moniteurs TTL. Alors que la carte ne peut pas afficher de graphiques, les caractères texte apparaissent avec une haute résolution de 720 x 350, ce qui en fait une option pour les applications texte seulement telles que le traitement de texte élémentaire. Chaque caractère est formé à l'intérieur d'un cadre de 9 x

14 ; le caractère moyen est une matrice de 7 x 9. La carte MDA comprend un connecteur 9 broches en forme de D.

Même s'ils ont été conçus pour fonctionner avec des cartes MDA, les moniteurs TTL sont physiquement capables d'afficher des graphiques haute résolution. Pour exploiter les capacités du moniteur, Hercules Computer Technology a développé une carte graphique monochrome de résolution 720 x 348.

La carte Hercules est devenu si appréciée des utilisateurs TTL que MDA s'est effacée en arrière-plan et que le standard Hercules, ou HGC, est né. Cependant, pour pouvoir utiliser le standard HGC pour des graphiques, votre logiciel doit inclure un gestionnaire spécial qui convertit ses résultats en signaux cmpatibles Hercules. Le standard est si largement accepté que ce n'est pas vraiment un problème.

Cartes couleur

Il existe une grande variété de systèmes couleur mais il est impossible de les associer tous aux standards vidéo établis par IBM. Quelques autres fabricants ajoutent des caractéristiques supplémentaires à leurs cartes d'affichage tout en essayant de maintenir la compatibilité avec le standard. Votre propre carte par exemple peut offrir une capacité de résolution ou des possibilités graphiques qu'on ne trouve pas dans la version IBM. Mais, étant donné que la plupart des logiciels sont conçus pour la catégorie générale des machines IBM, ce sont les caractéristiques standard qui sont initialement importantes.

CGA

L'adaptateur couleur graphique était l'alternative initiale au MDA. Il fournissait une résolution jusqu'à 640 x 200 et pouvait être utilisé avec des moniteurs couleur compatibles

CGA et composites. Le caractère classique fait 7 x 7 dans une boîte de 8 x 8.

Type du moniteur	Texte	Graphiques
CGA	640 x 200	640 x 200
MDA	720 x 350	aucune
EGA	640 x 350	640 x 350
VGA	640 x 480	720 x 400
HGC	720 x 348	720 x 348

Tableau 9.1 : Résolution maximum des standards vidéo.

Le nombre de couleurs affichées sur l'écran dépend de la *résolution graphique.* La carte CGA peut afficher 16 couleurs en basse résolution 160 x 200, quatre couleurs en résolution moyenne 320 x 200 ou une couleur en mode haute résolution 640 x 200. Les couleurs disponibles apparaissent dans le tableau 9.2. Notez qu'il y a cinq couleurs en deux niveaux d'intensité, plus le jaune, le brun, le noir, le blanc et deux teintes de gris.

L'écran CGA peut aussi avoir une bordure encadrant la zone de caractères texte 25 x 80. Cette bordure peut prendre une des 16 couleurs disponibles.

Les moniteurs CGA sont souvent appelés RGB ou RGBI en raison des couches de phosphore rouge, vert et bleu qu'ils utilisent pour créer les 16 couleurs.

La carte IBM initiale CGA comprenait trois connecteurs différents : une prise circulaire de type composite, un connecteur 9 broches en forme de D et un adaptateur 4 broches à utiliser avec du matériel spécial pour afficher des images sur un poste de télévision standard.

Couleurs de premier plan	Couleurs de fond
Noir	Noir
Bleu	Bleu
Vert	Vert
Cyan	Cyan
Rouge	Rouge
Magenta	Magenta
Brun	Brun
Gris clair	Blanc
Gris foncé	
Bleu vif	
Vert vif	
Cyan vif	
Magenta vif	
Jaune	
Blanc	

Tableau 9.2 : Couleurs disponibles avec les affichages CGA.

EGA

La basse résolution des graphiques CGA a sévèrement limité la capacité du PC à rivaliser avec des applications spécialisée dans les graphiques de haute qualité. EGA (Enhanced Graphics Adapter) était le premier standard graphique IBM haute résolution.

Les systèmes EGA supportent une résolution 640 x 350 de 64 couleurs (huit couleurs dans quatre niveaux d'intensité plus le noir et différentes teintes de gris) ; 16 couleurs peuvent être affichées en même temps. Les caractères font généralement 7 x 9 dans une matrice 8 x 14. Les points inutilisés autorisent des hampes de caractère et un espacement plus lisibles. Vous utilisez un connecteur 9 broches en forme de D pour connecter un moniteur EGA.

VGA

IBM a introduit le standard VGA avec sa ligne d'ordinateurs PS/2. La carte VGA (Video Graphics Array) offre une résolution graphique 640 x 480 et une résolution texte 720 x 400. Les caractères texte occupent un emplacement de 9 x 16. Les moniteurs VGA utilisent un connecteur 15 broches en forme de D.

Les moniteurs TTL, CGA et EGA fonctionnent avec un signal vidéo numérique. Les signaux *numériques* sont des ondes carrées qui activent ou désactivent l'électronique du moniteur. Ces deux états distincts limitent la gamme des couleurs qui peuvent être affichées à des combinaisons spécifiques de phosphores rouge, bleu et vert.

Les moniteurs VGA, eux, acceptent des signaux *analogiques* qui n'ont pas un état définitivement activé ou désactivé mais qui peuvent varier avec un nombre de degrés presque infini. La carte VGA convertit les signaux numériques de l'ordinateur dans le système analogique du moniteur pour qu'il puisse afficher en même temps jusqu'à 256 des 256 000 couleurs possibles -256 couleurs à 320 x 200, 16 à 640 x 480 et 16 dans le mode 720 x 400.

Quand vous mettez votre système sous tension, la carte VGA analyse les signaux de couleur entre la carte et le moniteur. Si elle trouve que seul le signal vert est disponible, elle suppose que vous utilisez un moniteur monochrome et convertit les informations couleur en 64 teintes de gris possibles.

Les moniteurs VGA sont moins chers que leur homologue couleur et peuvent afficher une large gamme de nuances avec une haute résolution. Ils sont très appréciés pour les applications de publication par ordinateur qui nécessitent un affichage noir et blanc haute résolution.

Autres standards

Alors que les standards MDA, HGC, CGA et VGA sont les plus répandus, un certain nombre d'autres systèmes d'affichage vidéo sont aujourd'hui en usage. Les plus connus offrent des résolutions plus hautes que le standard VGA ou implémentent juste une partie du standard VGA pour une utilisation avec du matériel moins cher.

Les moniteurs super VGA par exemple sont des systèmes haute résolution VGA qui nécessitent des adaptateurs d'affichage spéciaux pour générer une résolution 256 couleurs en 640 x 480, 800 x 600 et même 1024 x 768.

La carte vidéo 8514/A propre à IBM, par exemple, autorise jusqu'à 16 couleurs sur un affichage de résolution 1024 x 768. La carte renferme son propre coprocesseur pour accélérer les opérations d'affichage, en libérant votre propre CPU pour d'autres tâches.

Vous pouvez utiliser un adaptateur 8514/A en plus de la carte VGA standard du système, en pilotant deux moniteurs en même temps. Vous pouvez afficher des graphiques haute résolution sur un moniteur et du texte sur un autre. Etant donné que la carte a son propre coprocesseur, un moniteur peut créer des tracés complexes alors que l'autre sert au traitement de texte.

La carte 8514/A nécessite cependant l'architecture de bus Micro Channel disponible dans les modèles IBM et compatibles plus coûteux.

A l'extrémité opposée du spectre haute résolution se trouve le standard d'affichage MCGA (Memory Controller Gate

Array). Utilisé dans plusieurs ordinateurs IBM PS/2 moins coûteux, MCGA implémente une partie du standard VGA pour offrir une haute résolution à un prix inférieur. MCGA offre une résolution texte de 640 x 400 en 16 couleurs en utilisant un cadre caractère 8 x 16. Les modes graphiques comprennent 320 x 200 quatre couleurs, 640 x 200 deux couleurs et 640 x 480 une couleur.

AFFICHAGES MODES MULTIPLES

Les standards d'affichage sont en compétition sur de nombreux plans. Chacun utilise sa propre fréquence de balayage et nécessite son propre type de moniteur et sa propre configuration logicielle. Si vous avez exécuté une application établie pour un standard différent du vôtre, votre écran devrait être rempli de caractères sans signification (si seulement quelque chose apparaît). Les affichage multimodes basés sur le standard VGA peuvent exécuter un logiciel conçu pour tous les standards courants. Par exemple, vous pouvez facilement exécuter un logiciel créé pour un affichage CGA ou même HGC sur des affichages modes multiples.

Moniteurs multifréquences

La vitesse à laquelle le faisceau électronique balaye la surface de votre moniteur de gauche à droite s'appelle la *fréquence horizontale*. Pour qu'ils soient compatibles, votre carte et votre moniteur doivent être synchronisés à la même vitesse (voir le Tableau 9.3). Par exemple, un moniteur CGA tournant à 15 720 cycles par seconde (cps) ne pourrait pas gérer les 21 800 cycles d'une carte EGA.

Les moniteurs multifréquences peuvent se synchroniser automatiquement avec des signaux de 15 500 cps à 31 500 cps au lieu d'être bloqués sur une vitesse de balayage. Etant donné qu'il peut s'ajuster à la vitesse de balayage du

Type de moniteur	Cycles par seconde
CGA	15 750
MDA	18 432
EGA	21 800
VGA	31 500

Tableau 9.3 : Fréquences de balayage de standard vidéo.

signal, le moniteur peut afficher des images MDA, HGC, CGA et EGA et vous pouvez utiliser un logiciel conçu pour n'importe quel standard graphique.

Cartes d'affichage multimodes

Les avantages d'un moniteur multifréquences peuvent aussi être obtenus avec un adaptateur d'affichage qui alterne automatiquement entre les modes. La plupart des cartes VGA peuvent par exemple émuler des images MDA, HGC, CGA et EGA comme des signaux analogiques à 31 500 cycles. Par conséquent, même si le moniteur n'est pas un moniteur multifréquences, il peut toujours afficher toute la gamme d'images vidéo parce que la carte commute automatiquement pour correspondre au logiciel.

Connexion de votre ordinateur

Les moniteurs monochromes, CGA et EGA utilisent tous les deux des connecteurs 9 broches qui se ressemblent. Alors que le connecteur est physiquement le même, les signaux électroniques transmis par l'intermédiaire des broches ne le sont pas et vous risquez d'endommager votre moniteur si vous le connectez à une mauvaise carte adaptateur.

Si vous voyez apparaître des lignes horizontales ou verticales ou bien un flash ou une lumière, ou bien si vous entendez un son aigu, mettez immédiatement votre ordinateur hors tension. Vous avez peut-être repéré le problème à temps pour éviter des dégâts sérieux. Consultez votre documentation pour déterminer le type de la carte adaptateur que vous avez installée et comparez les caractéristiques avec celles de votre moniteur.

Etant donné que seuls les moniteurs composites utilisent des prises de type RCA, vous ne pouvez pas faire d'erreur avec leur connexion. Alors que les cartes VGA et 8514/A utilisent toutes les deux des connecteurs 15 broches, il n'y a aucun dégât si elles ne correspondent pas. Les deux fonctionnent aussi bien avec l'une ou l'autre carte.

Les connecteurs 9 et 15 broches se ressemblent beaucoup de l'extérieur mais ne sont pas interchangeables. N'essayez jamais de forcer sur un câble de moniteur qui ne contient pas le même nombre de broches que le connecteur d'adaptateur.

Etablissement des commutateurs de votre ordinateur

Les ordinateurs initiaux PC et XT ont un couple de commutateurs permettant d'établir leur configuration matérielle. Deux des commutateurs du premier bloc de commutateurs doivent être disposés pour correspondre à l'adaptateur d'affichage. Les commutateurs sont situés sur une carte à l'intérieur de l'ordinateur et doivent être établis comme dans la Figure 9.1.

Les ordinateurs IBM AT ont un seul commutateur sur l'adaptateur d'affichage qui détermine si le moniteur est un moniteur couleur ou un moniteur monochrome. Poussez le commutateur vers l'arrière de l'ordinateur si vous avez un moniteur couleur ou vers l'avant si vous avez un moniteur monochrome.

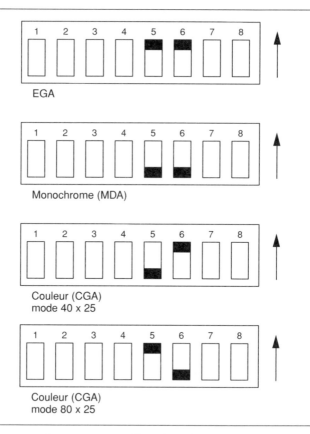

Figure 9.1 : Commutateur établi sur les ordinateurs initiaux IBM PC et XT.

Si vous avez un compatible AT, consultez votre documentation ou contactez le fabricant pour savoir où se trouve le commutateur et comment l'établir pour votre moniteur.

Un certain nombre de cartes EGA et VGA possèdent aussi des commutateurs qui peuvent être établis pour émuler des affichages CGA et monochromes. Consultez votre documentation pour avoir une liste des caractéristiques si vous avez un problème d'affichage.

UTILISATION DE GRAPHIQUES SUR VOTRE SYSTÈME

Etant donné que les graphiques ne sont pas intégrées au DOS, vous avez besoin de gestionnaires graphiques pour utiliser toutes les capacités de votre moniteur. Un *gestionnaire graphique* est un programme spécial qui envoie les signaux appropriés à votre carte vidéo. Dans la plupart des cas, votre programme d'application comprend des gestionnaires pour l'affichage de graphiques en résolution CGA, HGC, EGA et VGA. Vous devez sélectionner le gestionnaire pendant la procédure d'installation ou dans le menu de configuration du programme.

Les gestionnaires permettent d'afficher des graphiques avec la plus haute résolution possible sur votre système et de choisir entre des modes texte capables d'afficher 43 lignes de texte ou plus sur votre écran, selon l'adaptateur que vous possédez.

Certaines cartes d'affichage risquent de ne pas être totalement compatibles avec les standards IBM qu'elles émulent ; le fabricant inclut donc un disque de gestionnaires pour les programmes d'application les plus courants. De nombreux programmes d'application comprennent même leurs propres gestionnaires graphiques pour les cartes d'affichage les plus connues.

Faites attention en sélectionnant les gestionnaires. Généralement, ce qui peut arriver de pire, c'est que l'écran soit vide ou illisible. Mais votre carte peut transmettre des signaux risquant d'endommager votre moniteur. Ne faites pas d'essais avec des gestionnaires que vous savez être incompatibles avec votre système d'affichage.

UTILISATION DE LA COMMANDE MODE

Vous pouvez utiliser la commande DOS externe MODE pour tirer parti de nombreuses caractéristiques système d'affichage. Par exemple, si les images CGA sont mauvaises sur un moniteur composite monochrome, désactivez la couleur avec la commande :

MODE BW

Le Tableau 9.4 donne la liste des options disponibles avec les versions du DOS. Sélectionnez les options qui correspondent à votre système d'affichage.

Entrez la commande au signal DOS ou intégrez-la à votre fichier AUTOEXEC.BAT si vous voulez qu'elle soit exécutée à l'amorçage de l'ordinateur.

VALORISATION DE VOTRE SYSTÈME

Si vous n'êtes pas satisfait du système d'affichage de votre ordinateur, envisagez de passer à la couleur ou à une résolution plus haute en achetant un autre moniteur et une autre carte. Le prix des moniteurs et des cartes d'affichage ne cesse de baisser et même les systèmes couleur EGA ont un prix moins élevé que celui des système monochromes il y a peu de temps.

Vérifiez que vous achetez une carte et un moniteur compatibles. S'ils s'agit de matériel d'occasion, demandez à voir la documentation qui les accompagne pour vérifier leur compatibilité ou demandez à les voir fonctionner avant de les prendre. S'il s'agit de matériel neuf, achetez le moniteur et la carte à la même source -de nombreux revendeurs proposent même les deux composants à un prix spécial.

Options Mode	Affichage vidéo
MODE 40	40 caractères par ligne
MODE 80	80 caractères par ligne
MODE BW40	couleur désactivée, 40 caractères par ligne
MODE BW80	couleur désactivée, 80 caractères par ligne
MODE CO40	couleur activée, 40 caractères par ligne
MODE CO80	couleur activée, 80 caractères par ligne
MODE GR40	résolution 320 x 200
MODE GR80	résolution 640 x 200
MODE MONO	affichage monochrome 80 caractères
MODE HGC,FULL	affichage graphique Hercules utilisant toute la mémoire vidéo
MODE HGC,HALF	affichage graphique Hercules utilisant la moitié de la mémoire vidéo
MODE *n*	certains ordinateurs portables utilisent cette commande pour désactiver l'affichage après *n* minutes écoulées sans activité du clavier

Tableau 9.4 : Options Mode pour le contrôle de l'affichage vidéo.

Vous pouvez améliorer les modèles originaux PS/2 avec des systèmes MCGA en VGA en ajoutant une carte ; celle-ci désactive l'adaptateur intégré MCGA et il faut donc relier le moniteur à un connecteur sur la carte VGA.

Pour passer d'un standard graphique au suivant, vous avez besoin à la fois d'une carte vidéo et d'un nouveau moniteur. Certaines cartes EGA et VGA peuvent seulement tenir dans des machines de classe AT et non pas dans des modèles PC. Vérifiez donc que la carte est compatible avec votre système avant de l'acheter.

Enlevez la carte existante puis sélectionnez et installez la nouvelle en utilisant les techniques présentées dans la section suivante. Vérifiez deux fois tous les commutateurs avant de replacer le couvercle puis reconfigurez ou réinstallez tout logiciel qui nécessite des gestionnaires couleur ou haute résolution - la plupart des applications l'imposent.

EMPLOI DE CARTES ADDITIONNELLES

Quand vous faites passer votre système dans une nouvelle catégorie, il faut parfois insérer une nouvelle carte vidéo dans un slot d'extension non utilisé. Le travail avec des cartes est facile tant que vous travaillez soigneusement et lentement.

De nombreuses cartes contiennent des commutateurs ou des cavaliers qui doivent être établis en accord avec votre configuration spécifique. Les cavaliers sont connectés sur une série de broches verticales. En suivant la documentation qui accompagne la carte, vous établissez les commutateurs ou connectez des broches spécifiques à l'aide du matériel fourni. Quand vous travaillez à l'intérieur de votre ordinateur ou sur des cartes additionnelles, ne modifiez pas de commutateur ou de cavaliers sauf si la documentation vous indique de le faire.

Suppression de cartes additionnelles

Pour enlever une carte de votre système, procédez de la façon suivante :

1. Désactivez l'ordinateur et débranchez les câbles d'alimentation.

2. Enlevez le couvercle de l'ordinateur.

3. Déconnectez tous les câbles de la carte en notant exactement la manière dont ils sont branchés.

4. Enlevez soigneusement la vis Phillips qui maintient la fixation de support sur l'ordinateur (Figure 9.2). Faites attention de ne pas faire tomber la vis dans l'ordinateur.

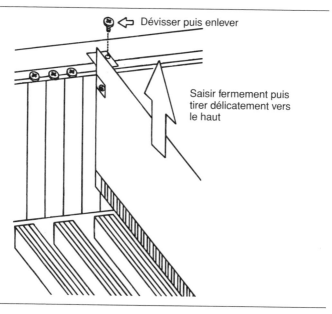

Dévisser puis enlever

Saisir fermement puis tirer délicatement vers le haut

Figure 9.2 : Comment enlever une carte.

5. Saisissez la carte à deux mains et tirez-la tout droit vers le haut.

6. Si vous devez retirer entièrement la carte, posez-la sur une surface isolante (comme du bois ou du plastique) avec le composant face vers le haut.

Sélection de slots

Si vous réinstallez une carte, placez-la dans le slot dans laquelle elle se trouvait initialement. Cependant, si vous installez une nouvelle carte dans votre système, vous devez l'installer dans un des slots de carte vide. Le slot que vous sélectionnez n'a pas d'importance tant qu'il est physiquement compatible avec le bord de la carte.

La Figure 9.3 montre certaines configurations de carte courantes. Cette partie de la carte qui dépasse vers le bas et entre dans le slot de carte s'appelle une connexion.

Les cartes conçues pour les ordinateurs PC et XT ont une connexion. Les cartes compatibles AT ont deux connexions et certaines cartes 386 en ont trois. La taille et le nombre de connexions doivent correspondre aux slots de l'ordinateur (Figure 9.4).

Certaines cartes sont cependant conçues pour fonctionner dans divers ordinateurs, comme le montre la Figure 9.5. Certaines ont deux connexions mais peuvent toujours être utilisées dans les machines PC et AT. D'autres, comportant une connexion, peuvent être utilisées dans toutes les machines. Si les contacts de la carte ne correspondent pas exactement aux slots, consultez le manuel avant d'insérer la carte.

Installation de cartes additionnelles

Si vous réinstallez une carte que vous venez juste d'enlever, passez à l'étape 6. Dans le cas contraire, procédez de la façon suivante pour installer une carte dans votre système :

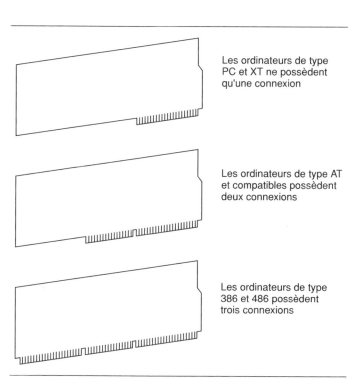

Les ordinateurs de type
PC et XT ne possèdent
qu'une connexion

Les ordinateurs de type AT
et compatibles possèdent
deux connexions

Les ordinateurs de type
386 et 486 possèdent
trois connexions

Figure 9.3 : Exemples de cartes additionnelles.

1. Eteignez l'ordinateur et débranchez les câbles d'alimentation.

2. Enlevez le couvercle de l'ordinateur.

3. Choisissez le slot libre dans lequel vous voulez installer la nouvelle carte.

4. Enlevez la vis Phillips qui maintient la fixation de support de l'ordinateur.

5. Etablissez les commutateurs et les cavaliers comme l'indique la documentation.

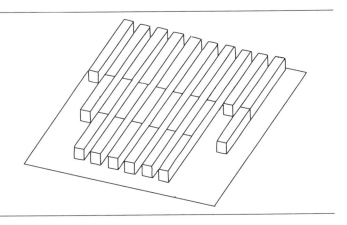

Figure 9.4 : Slots pour cartes.

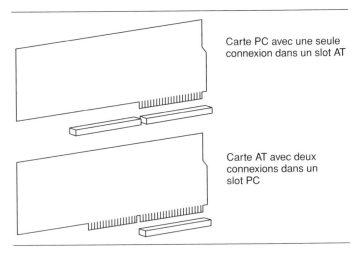

Carte PC avec une seule
connexion dans un slot AT

Carte AT avec deux
connexions dans un
slot PC

Figure 9.5 : Cartes conçues pour diverses machines.

6. Tenez la carte avec le bord de connexion vers le bas.

7. Positionnez le bord de connexion au-dessus du slot avec la fixation de support alignée contre le panneau arrière. Certains ordinateurs ont des guides de carte plastique sur le côté opposé pour retenir les cartes longues. Vérifiez que le dos de la carte rentre dans le guide.

8. Descendez la carte dans l'ordinateur pour que la ou les connexions entrent dans le slot.

9. Appliquez une pression égale mais ferme pour pousser le connecteur dans le slot de carte.

10. Replacez la vis qui maintient la fixation de support sur l'ordinateur. Faites attention de ne pas la laisser tomber.

11. Installez tous les connecteurs de câble.

12. Replacez le couvercle.

10 LA COMMUNICATION AVEC VOTRE PC

Le clavier de votre ordinateur est le périphérique le plus employé pour entrer des données dans votre ordinateur. Bien que ce ne soit pas le seul périphérique d'entrée que vous puissiez utiliser, c'est le seul qui autorise une entrée rapide pour une combinaison de lettres, chiffres, touches de contrôle et touches fonction virtuellement illimitée. C'est aussi le seul qui fonctionne avec tous les programmes que vous pouvez acheter.

Pourtant, même avec ces avantages, il existe plusieurs raisons d'utiliser d'autres méthodes d'entrée. Dans ce chapitre, nous explorerons quelques autres périphériques d'entrée que vous avez peut-être reçus avec votre ordinateur ou que vous aimerez peut-être ajouter pour améliorer son efficacité.

■ COMMENT SURMONTER LES LIMITES DU CLAVIER

Quand vous utilisez un clavier, les touches de déplacement du curseur génèrent un déplacement seulement sur les axes X et Y, vers la droite, vers la gauche, vers le haut et vers le bas. Pour atteindre un point autrement que par ces quatre trajets, il faut passer par de petites étapes comme un déplacement vers le haut et vers l'angle supérieur droit.

Même si les touches 7, 9, 1 et 3 pouvaient être programmées pour un déplacement en diagonale, il faudrait toujours déplacer le curseur par petites étapes pour atteindre des positions situées en dehors de ces trajets.

Cette limite n'affecte pas seulement les programmes de tracé et de dessin mais ralentit le processus de sélection de commande et de travail avec vos programmes d'application.

Quand le clavier est votre seul moyen de comunication avec le PC, les programmes d'application vous offrent deux possibilités pour sélectionner des commandes et mettre des fonctions en oeuvre. La méthode la plus courante vous oblige à mémoriser et à entrer une série de touches pour chaque tâche que vous voulez faire exécuter au programme. A titre d'exemple, il vous faut savoir que la séquence Ctrl-X déplace le curseur d'une ligne vers le bas dans WordStar ou que la touche F6 attribue des caractères gras dans WordPerfect.

Certaines applications utilisent aussi la méthode *pointe-et-tire*. Les options disponibles apparaissent sur l'écran. Vous devez simplement déplacer le curseur sur l'option choisie et presser la touche Retour. Alors que cette méthode est certainement plus facile à acquérir que la mémorisation de touches, elle est encore limitée aux trajets des touches de déplacement du curseur.

Cependant, si vous aviez une souplesse illimitée en matière de déplacement du curseur, le concept pointe-et-tire pourrait être appliqué à presque tous les programmes. Il ne serait plus nécessaire de presser de nombreuses touches ni de déplacer le curseur dans une série de manoeuvres horizontales et verticales pour atteindre une position particulière sur l'écran.

▪ *TRAVAIL AVEC LA SOURIS*

Une *souris* est un petit périphérique que vous déplacez sur le dessus de la table à côté de votre PC. Vous avez peut-être reçu une souris avec votre ordinateur : cherchez un périphérique de la taille de la paume de votre main avec un ou plusieurs boutons. La souris possède un câble qui est connecté à l'arrière de votre ordinateur. Si vous n'avez pas de souris, il faut envisager d'en ajouter une à votre système, surtout si vous utilisez un programme de publication assistée par ordinateur, de tracé ou de dessin, Microsoft Windows ou un autre programme conçu pour les entrées avec la souris.

Quand vous déplacez la souris, des instructions sont envoyées au programme pour qu'il déplace le pointeur de la souris sur l'écran dans la direction correspondante. Etant donné que vous pouvez déplacer la souris dans n'importe quelle direction, cela vous donne une souplesse totale pour pointer un endroit quelconque de l'écran sans vous déplacer par incréments de rangée et de colonne.

Avec les programmes graphiques, utilisez la souris comme s'il s'agissait d'un stylo ou d'un crayon sur une feuille de papier. Dessinez sur l'écran en faisant *glisser* (en déplaçant) la souris sur le dessus de la table.

Les boutons de la souris

Sur le dessus de la souris, se trouvent un ou plusieurs boutons (Figure 10.1). Dans les opérations pointe-et-tire, vous devez simplement déplacer la souris jusqu'à ce que le curseur soit sur l'option de votre choix puis *cliquer* (presser et relâcher rapidement) l'un des boutons de la souris. De cette manière, vous pouvez activer une commande sans même lever votre main de la souris. Certains programmes acceptent aussi le *double-clic*, deux clics qui exécutent une fonction plus complexe qu'avec le clic simple.

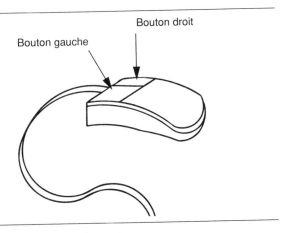

Figure 10.1 : Les boutons de la souris.

Etant donné que la plupart des souris ont deux ou trois boutons, les programmes conçus pour travailler avec des souris ont des commandes souris gauches et droites. Cliquez le bouton droit pour exécuter une fonction ; cliquez le bouton gauche pour en exécuter une autre.

Gestionnaires de souris

Pour utiliser votre souris, vous devez installer un gestionnaire de souris. les instructions de chargement du gestionnaire se trouvent dans la section "Modification des fichiers de configuration" du Chapitre 4.

Cependant, votre disque système souris peut être accompagné de gestionnaires supplémentaires à utiliser avec des programmes d'application spécifiques. Les gestionnaires installent des menus pour sélectionner des options de programme avec la souris, même quand le programme lui-même n'accepte pas de souris.

Si la souris a plus de deux boutons, vous aurez probablement besoin d'un logiciel spécial fourni par le fabricant pour utiliser quoi que ce soit d'autre que les boutons gauche et droit. Le Powermouse de Prohance Technologies par exemple a 38 touches en plus des boutons gauche et droit de la souris, y compris un pavé numérique complet qui duplique les dix touches fonction de l'ordinateur. Ses gestionnaires programment les touches restantes pour automatiser certaines fonctions d'application comme la copie et l'effacement de blocs dans WordPerfect et la somme d'une rangée de cellules dans Lotus 1-2-3.

Plus la souris a de boutons, plus le nombre de touches fonction que vous pouvez exécuter est important mais aussi plus vous avez besoin de compter sur les gestionnaires du fabricant. Si vous avez une application qui n'est pas directement supportée par la souris, un gestionnaire générique risque de ne pas fonctionner.

Le standard de compatibilité est la souris Microsoft à deux boutons. Vous pouvez utiliser une souris Microsoft avec tous les programmes qui acceptent une souris. Les souris les plus compatibles fonctionnent avec un gestionnaire de souris Microsoft, quel que soit son fabricant. Sélectionnez une souris non compatible seulement si elle est acceptée par votre application ou si elle a son propre gestionnaire.

Types de souris

Les souris peuvent opérer de façon mécanique ou optique. Cela dépend de la méthode utilisée par la souris pour convertir son déplacement en instructions transmises à votre programme. Pour dessiner ou pour positionner précisément le pointeur de la souris sur l'écran, même les plus petits déplacement de la souris doivent être détectés.

Souris mécanique

Dans la partie inférieure d'une *souris mécanique*, se trouve une petite bille de gomme qui roule sur le dessus de la table quand vous déplacez la souris. A l'intérieur, la bille tourne contre deux roulettes qui convertissent le mouvement physique en signaux électroniques qui sont transmis à l'ordinateur. Il y a une troisième roulette qui maintient la bille serrée contre les deux autres mais n'enregistre aucun mouvement.

Il n'y a que deux roulettes pour détecter le mouvement ; l'activité en diagonale est donc repérée quand les deux roulettes tournent en même temps. Le processus a lieu si rapidement et par étapes si petites qu'il fournit une souplesse totale et un contrôle du curseur important.

Le problème des souris mécaniques est qu'elles requièrent un espace libre et plat près de l'ordinateur. D'autre part, la bille ramasse souvent de la poussière et des peluches et il faut la nettoyer régulièrement.

Souris optique

Au lieu d'utiliser une bille de gomme, les *souris optiques* perçoivent les mouvements à l'aide de jeux de faisceaux lumineux et de photodétecteurs montés à angle droit l'un par rapport à l'autre (un *photodétecteur* est un périphérique qui convertit la lumière en signaux électroniques). Vous déplacez la souris sur une plaque de métal spécialement conçu pour la souris et imprimé avec une grille. La souris détecte les variations de lumière et les convertit en signaux électroniques.

Vous avez besoin d'une surface libre sur votre bureau pour la plaquette et vous devez utiliser la plaque fournie avec la souris.

Connexion de la souris

Une souris peut être connectée à votre ordinateur de trois manières -par l'intermédiaire d'un port série, de la carte d'interface propre à la souris ou d'un port souris dédié. Cependant, le type de connexion ne change pas la manière dont vous utilisez la souris mais juste la manière dont les instructions de déplacement entrent dans votre système.

Souris série

Les souris série se connectent à un port d'ordinateur série, le même type de port que vous pourriez utiliser pour une imprimante ou un modem. De nombreuses souris utilisent un connecteur 9 broches mais certaines sont livrées avec un adaptateur pour être utilisées avec un port série 25 broches.

Souris bus

Etant donné que de nombreux systèmes ont seulement un port série, vous ne souhaiterez peut-être pas l'utiliser pour une souris. Une alternative possible est une souris qui est accompagnée de sa propre carte circuit que vous branchez dans un slot d'extension vide de l'ordinateur. Ce type de souris s'appelle une *souris bus* parce qu'elle utilise le *bus interne* du système, qui connecte les différentes parties de l'ordinateur. Avec la souris bus, vous pouvez utiliser votre port série pour un modem, une imprimante ou un autre périphérique tout en utilisant votre souris pour dessiner et pointer.

Les cartes fournies avec les souris bus sont conçues pour être installées dans presque tous les ordinateurs. Cependant, étant donné les différences de matériel, les cartes contiennent généralement des commutateurs ou des cavaliers pour configurer la carte à votre système. En suivant les instructions fournies, vous déterminez quelles broches doivent être connectées ensemble pour adapter le signal correct à votre système.

Le bloc de broches pour la souris bus Microsoft, par exemple, a quatre jeux de broches (Figure 10.2). Vous sélectionnez le jeu de broches approprié à votre système en éliminant les broches que vous ne pouvez pas utiliser, comme le montre le Tableau 10.1. Eliminez tous les éléments qui appartiennent à votre système puis connectez ensemble un des jeux restants en utilisant un cavalier que vous poussez sur les broches.

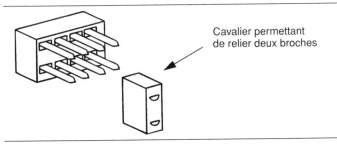

Cavalier permettant de relier deux broches

Figure 10.2 : Bloc de broches sur une carte de souris bus.

Port souris dédié

De nombreux systèmes ont un port dédié pour la souris. Dans la plupart des cas, ces ports sont des connecteurs 9 broches femelles qui ressemblent à un port série 9 broches mais portent le nom *mouse* ou *souris*. Certaines souris peuvent se brancher directement dans le port mais pas toutes. Si votre ordinateur a un port souris dédié, consultez la documentation de votre souris. S'il ne fonctionne pas avec le port souris, celle-ci se connecte soit à un port série, soit au connecteur de sa carte.

Caractéristiques souris

Quand vous sélectionnez une souris, tenez compte du type d'interface qui est le meilleur pour votre système et des

Avec ce matériel	N'utilisez pas cette broche
IBM PC avec disque fixe	5
IBM 3270 PC avec disque fixe	5
IBM PC/XT	5
Adaptateur de communications asynchrone sur premier port série (com1)	4
Adaptateur de communications binaire synchrone sur premier port série (com1)	4
Adaptateur de communications synchrone	3
Adaptateur de communications asynchrone sur deuxième port série (com2)	3
Adaptateur de communications binaire synchrone sur deuxième port série (com2)	3
IBM PC AT	2
IBM 3270 PC (avec ou sans disque fixe)	2

Tableau 10.1 : Détermination des broches pour votre système.

souris acceptées par vos applications. Les autres caractéristiques à examiner sont la résolution, la précision et la vitesse.

Résolution

Les roulettes ou les photodétecteurs de la souris transmettent le mouvement sous la forme de séries de petits points qui sont convertis en pixels sur l'écran. Le nombre de points par pouce carré de la surface du bureau (ou de la plaque de la souris) s'appelle la *résolution*. Plus la résolution est élevée, plus vos mouvements sont exacts et moins vous avez besoin de déplacer la souris pour obtenir un mouvement correspondant sur l'écran. La plupart des souris ont une résolution comprise entre 200 et 400 bien que certaines, comme la souris Logitech Series 9, puissent être ajustées pour avoir une résolution comprise entre 50 et 19000.

La résolution n'est pas essentielle pour des applications texte comme la sélection d'options de menu ou le travail avec des traitements de texte. Vous verrez probablement peu de différence dans la série 200 à 400. C'est cependant plus important pour les applications de publication assistée par ordinateur, de tracé et de dessin quand vous voulez un mouvement précis par petits incréments.

Précision

La précision est la capacité de la souris à glisser doucement sur un bureau ou sur une plaque métallique. Comme pour une voiture qui tire sur un côté, l'utilisation d'une souris avec peu de précision peut être une corvée. Il faut constamment pousser la souris pour compenser ce défaut.

Il n'y a malheureusement pas de standard de précision prédéterminé -il s'agit plus d'un sentiment de confort et dépend à la fois de la souris et de la surface utilisée. Testez la souris avant de l'acheter. Si vous le pouvez, exécutez un programme de dessin ou de tracé et essayez de voir s'il est facile de tracer des lignes horizontales et verticales. La difficulté à tracer des lignes droites révèle une souris ayant une précision faible.

Vitesse

Dans les sélections de menu et le positionnement du curseur, vous aimerez une souris qui se déplace rapidement d'une position écran à l'autre et qui réponde à des mouvements brusques. Une souris à forte *vitesse* ou *accélération* peut traduire précisément les mouvements rapides en positionnant le curseur sur une position écran correcte.

Là encore, il faut tester l'utilisation de la souris pour juger de son accélération. Exécutez un programme qui autorise la sélection d'éléments de menu avec la souris et déplacez rapidement la souris pour sélectionner des éléments qui sont éloignés.

ALTERNATIVES À LA SOURIS

Alors que les souris sont les alternatives clavier les plus couramment employées pour le tracé et le positionnement du curseur, il existe un certain nombre d'autres périphériques de pointage. Il y a peu de chances que votre ordinateur en soit équipé mais ils offrent certains avantages sur une souris et peuvent être un ajout utile à votre système.

Boule roulante

Si vous avez envie d'utiliser une souris mais que vous n'avez pas de place sur votre bureau, pensez à la *boule roulante*. Il s'agit d'une souris mécanique mais tournée vers le haut, avec la boule roulante sur le dessus, partageant la même surface que les boutons. Au lieu de rouler la souris sur le bureau, vous faites rouler la boule avec vos doigts.

Vous gagnez de l'espace sur le bureau mais vous perdez l'effet retour que vous avez en voyant et en sentant la distance parcourue avec le déplacement de la souris. Vous perdez aussi la possibilité d'utiliser un bord droit pour tracer des lignes. Mais beaucoup d'utilisateurs trouvent la boule roulante moins fatigante parce que vous n'avez pas besoin de déplacer le poignet ou le bras.

Tablette à numériser

Il existe d'autres périphériques de pointage que vous pouvez utiliser comme alternatives à la souris. Un *dispositif d'introduction de coordonnées* est identique à une souris sauf qu'il a des viseurs sur le devant qui indiquent sa position exacte. Les *viseurs* sont des lignes d'intersection ; vous utilisez le point de rencontre des deux lignes pour positionner le pointeur de la souris. Les dispositifs d'introduction de coordonnées sont utilisés pour tracer et dessiner ainsi que là où le positionnement précis est nécessaire. Vous pouvez aussi utiliser un *crayon numérisateur* qui vous donne la sensation de faire un tracé sur papier.

Les deux périphériques utilisent une *tablette à numériser*, sorte de bloc qui porte une grille de fils juste au-dessous de sa surface. Le périphérique de pointage détermine électroniquement sa position en percevant les coordonnées sur la grille.

Le WIZ, fabriqué par CalComp, est un système d'entrée de coordonnées avec un stylo optionnel. Le stylo a un bouton sur le côté et un embout qui agit comme un bouton de souris quand il est pressé contre une surface dure.

Vous pouvez utiliser le dispositif et le stylo pour dessiner et interagir avec des programmes qui travaillent avec des souris. Ce qui rend les dispositifs d'entrée de coordonnées et les stylos uniques, c'est qu'ils fonctionnent avec une gamme de gabarits et de gestionnaires conçus pour des applications très connues qui ne sont pas compatibles-souris, comme WordPerfect 5.0 et Lotus 1-2-3. Chaque gabarit contient une série de menus qui comprennent les principales fonctions du programme. Vous placez le gabarit sur la tablette du numériseur puis vous accédez à une fonction en pointant l'élément et en cliquant le dispositif ou bien en appuyant sur l'embout du stylo. Il existe même un gabarit pour le DOS pour que vous puissiez afficher des répertoires et manipuler des fichiers sans taper de commandes DOS même à partir de programmes d'application.

Le WIZ peut aussi être configuré pour un positionnement relatif ou absolu. Avec le *positionnement relatif*, la position écran est déterminée par la distance de déplacement du dispositif ou du stylo. Comme avec une souris, vous pouvez lever le pointeur et le déplacer ailleurs sans changer la position sur l'écran.

Le *positionnement absolu*, lui, reproduit sur l'écran les coordonnées X et Y de la plaque. Pour pointer une partie spécifique de l'écran, positionnez le pointeur sur la position correspondante de la tablette.

La tablette, le dispositif et le stylo se servent de l'électricité. Il n'est cependant pas nécessaire de les brancher sur une prise murale ; ils tirent directement leur énergie de votre système. La tablette est branchée dans un port série et reliée à l'interface clavier à l'aide d'un connecteur Y. La souris ou le stylo sont directement branchés dans la tablette. Si votre clavier est connecté en permanence à votre ordinateur, il faut acheter un autre source d'alimentation.

■ *UTILISATION D'UN CRAYON OPTIQUE*

Au lieu de simuler la face de l'écran sur une plaque ou sur votre bureau, les crayons optiques vous permettent de travailler directement sur l'écran. Vous tracez une ligne en traçant sur l'écran lui-même, vous sélectionnez une option de menu en la pointant simplement.

Quand vous pointez l'écran, le crayon optique perçoit le moment précis où la ligne de balayage du moniteur passe sous le photodétecteur. La vitesse de balayage verticale est si rapide (50 fois par seconde environ) que le stylo semble réagir instantanément, en signalant au logiciel gestionnaire d'exécuter une action basée sur cette position de coordonnées.

Supposons par exemple que vous pointez un élément de menu qui se trouve entre les positions de caractère 65 et 70 sur la quatorzième ligne. Le crayon transmet un signal à l'ordinateur quand il perçoit la ligne de balayage. L'ordinateur calcule l'endroit où se trouvait la ligne de balayage à ce moment-là et détermine quelle option de menu était à cette position.

De nombreux adaptateurs IBM ont une interface crayon optique 6 broches intégrée à la carte. D'autres interfaces crayon optique ressemblent à des prises téléphone modulaires.

ECRANS TACTILES

Quelques PC sont équipés de systèmes pointe-et-tire intégrés au moniteur qui vous permet d'utiliser votre doigt comme pointeur. Hewlett-Packard par exemple a développé un système appelé Ecran Tactile. L'écran du moniteur est entouré d'une série de faisceaux électriques et de photodétecteurs qui créent un motif de grille 16 x 16 invisible. Quand vous pointez une option sur l'écran avec votre doigt, vous brisez le motif et cela indique à l'ordinateur d'agir sur cette coordonnée.

L'avantage évident de l'écran tactile est que vous n'avez pas à prendre un stylo ni à déplacer une souris. L'électronique supplémentaire rend cependant coûteux les écrans tactiles. De plus, le motif de grille est loin d'être précis. Le petit bout d'un stylo ou un crayon optique peuvent pointer un pixel. On ne peut pas en dire autant d'un doigt.

TEXTE ET GRAPHIQUES SCANNÉS

Tous les périphériques de pointage exposés plus haut sont conçus pour la sélection d'options de menu ou le déplacement du curseur, en reproduisant une seule frappe de touche à la fois.

En scannant des éléments, vous pouvez entrer rapidement des quantités importantes de texte et d'images graphiques sans avoir à les saisir ou à les dessiner vous-même. Un *scanner* dirige la lumière sur une surface imprimée puis utilise un détecteur pour enregistrer la quantité de lumière réfléchie à intervalles réguliers ; c'est la *résolution du balayage.* Les données enregistrées par le détecteur sont converties en un fichier graphique que vous pouvez importer dans votre application.

Les scanners peuvent capturer des pages entières ou de petites sections de texte. Avec les scanners pleine page, la feuille à copier est placée à plat sous la tête du scanner ou face à la vitre comme dans une photocopieuse. Cela facilite le balayage des pages d'un livre ou d'un magazine.

Les scanners "manuels" moins coûteux capturent des images de 7,5 cm à 12,5 cm de largeur. Vous déplacez lentement le périphérique manuel sur la page.

Il est important de différencier le balayage de graphiques et le balayage de texte ou la reconnaissance de caractère optique (OCR).

Graphiques scannés

Quand vous scannez un dessin ou une signature, le fichier résultant est une image de l'original que vous pouvez fusionner dans votre bureau électronique ou imprimer comme une figure avec un traitement de texte qui manipule des graphiques. Les images scannées sont imprimées comme une série de points qui conviennent bien tant que l'image scannée est juste composée de noir et blanc comme une signature mais pas pour des photographies ou d'autres images qui ont des nuances de gris.

Les photographies sont appelées *images à ton continu* parce qu'elles contiennent des nuances qui varient sur toute l'échelle des gris, du blanc jusqu'au noir. Les scanners manipulent l'échelle des gris de trois façons différentes.

Les scanners les moins coûteux capturent seulement deux nuances : le noir et le blanc total. Ces scanners, appelés scanners *bit-map* ou *line art*, convertissent chaque nuance de gris en points noirs ou en points gris. Ce type de scanner ne convient évidemment pas à la capture de photographies et autres travaux artistiques similaires.

D'autres scanners simulent l'échelle de gris par un processus appelé *vibration*. Avec cette méthode, chaque nuance de gris est représentée par un nombre de points différent dans une grille carrée ; plus la nuance est sombre, plus il y a de points. Le scanner lit un échantillon puis le convertit dans un motif de vibration au lieu d'un seul point noir ou blanc. A l'impression, les motifs de vibration donnent l'illusion du gris.

Les scanners plus coûteux peuvent capturer des gammes de gris numériquement et non pas comme des séries de points. Les scanners de ce type enregistrent un échantillon de la photographie comme une série de bits représentant la nuance de gris réelle. Plus le nombre de bits utilisés est important, plus les ombres sont représentées et meilleure est la reproduction.

Logiciels associés à des scanners

Bien que les scanners soient fournis avec leur propre logiciel de capture d'images, vous pouvez utiliser d'autres programmes pour manipuler des graphiques. PaintBrush et Publisher par exemple vous permettent d'éditer et de manipuler les motifs en nuances de gris, en contrôlant la manière dont les données de l'échelle de gris apparaissent à l'impression. Vous pouvez même utiliser des outils de dessin pour modifier, dimensionner, couper ou inverser l'image puis la sauvegarder dans un format pour l'importer dans PageMaker Aldus ou Ventura Publisher. Pour avoir un contrôle maximum sur les images scannées, utilisez un logiciel de numérisation comme PB/Scan, une partie de Type Foundry de Publisher. Ce programme travaille directement à partir de PC PaintBrush pour Windows et scanne des images dans l'environnement PaintBrush. Le programme comprend ses propres gestionnaires pour des scanners connus ; il peut donc être établi spécifiquement pour votre matériel et utilisé pour établir la brillance et le contraste de l'image.

Un logiciel de publication assistée par ordinateur vous permet aussi de contrôler la qualité des images scannées. Aldus PageMaker par exemple propose des options pour contrôler la résolution et l'angle de ligne des motifs qui simulent l'échelle de gris quand il imprime une page.

Texte scanné

Si vous scannez un paragraphe de texte à l'aide d'une des techniques qui viennent d'être décrites, vous obtenez une image graphique de ce paragraphe. L'image est juste une série de points et de lignes sans signification et non pas des lettres ou des chiffres individuels. Votre traitement de texte ne reconnaît pas les lettres dans l'image et vous ne pourrez pas modifier les mots comme vous pouvez le faire avec le texte.

Pour que votre traitement de texte reconnaisse une image scannée comme étant du texte, vous avez besoin d'un logiciel OCR (*optical character recognition* : reconnaissance optique de caractère) qui convertit les points et les lignes en caractères ASCII, c'est-à-dire en lettres, chiffres et signes de ponctuation.

La plupart des systèmes OCR peuvent cependant seulement reconnaître quelques types et tailles de caractère standard. Certains systèmes contiennent un certain nombre d'autres polices en mémoire parmi lesquelles vous faites un choix avant de procéder à la numérisation. Le scanner est cependant toujours limité aux polices qu'il stocke sur disque.

Il existe une nouvelle technologie appelée ICR (*intelligent character recognition* : reconnaissance de caractère intelligente). Quand le système ne reconnaît pas une police, les caractéristiques de cette police peuvent être "enseignées" au logiciel. Après cet apprentissage des caractéristiques de la police, le programme peut reconnaître les caractères et même revenir à des caractères scannés antérieurement pour assigner les codes ASCII corrects.

CatchWord est un programme ICR conçu pour travailler avec la ligne des scanners manuels de la société Logitech. Le programme utilise l'espacement entre les caractères pour diviser une image scannée en éléments distincts. Il compare ensuite chaque élément avec son stock de caractères pour trouver un modèle correspondant. Vous pouvez entrer le modèle de caractères que le programme ne trouve pas et celui-ci appliquera ensuite ce modèle à des éléments similaires dans le fichier. Une fois le modèle acquis par votre intermédiaire ou depuis sa propre base de données, il l'applique dans tout le document. CatchWord peut aussi sauvegarder le texte scanné dans des formats compatibles avec des programmes de traitement de texte connus.

Bien qu'il soit lent, le procédé peut être utile pour scanner des listings de programme compliqués qui seraient difficiles à taper. Vous pouvez laisser CatchWord faire correspondre des modèles et des éléments pendant que vous travaillez à autre chose.

11 LA COMMUNICATION AVEC LE MONDE

En utilisant le langage universel des communications binaires, vous pouvez relier instantanément votre ordinateur à votre bureau, au pays entier ou à la terre entière. Votre ordinateur comprend peut-être déjà le matériel et le logiciel nécessaires au partage d'informations avec d'autres personnes utilisant votre ordinateur. Le propriétaire précédent a peut-être installé l'équipement nécessaire dans un slot d'extension ou vous l'a fourni dans une unité séparée. Certains fabricants incluent le matériel comme faisant partie d'un système totalement configuré, surtout avec les ordinateurs portables. Dans le cas contraire, vous souhaiterez peut-être ajouter cette capacité à votre ordinateur. Dans ce chapitre, nous apprendrons à utiliser votre ordinateur pour communiquer avec d'autres.

◾ LES TÉLÉCOMMUNICATIONS

Etant donné que le monde est déjà relié par le téléphone, il semble naturel d'utiliser ce système pour communiquer des données. En fait, avec un logiciel peu coûteux et la prise du téléphone, vous pouvez envoyer et recevoir des informations de presque n'importe quelle partie du monde.

La clé de cette extraordinaire possibilité est un périphérique appelé modem.

Compréhension du modem

Les communications internes de votre ordinateur s'appuient sur des signaux *numériques*, états électroniques qui sont activés ou désactivés. Mais un téléphone est capable de transporter une vaste gamme de tons et de niveaux de son, signaux *analogiques* qui ont une gamme infinie d'états entre activé et désactivé.

Pour transmettre des informations depuis votre ordinateur par l'intermédiaire des lignes téléphoniques, vous devez convertir ou *moduler* les signaux numériques en signaux analogiques. Pour recevoir des données par le réseau téléphonique, vous devez reconvertir ou *démoduler* le signal en signal numérique. Un *modem*, raccourci de *modulateur démodulateur*, agit comme un modulateur quand vous envoyez des informations et comme un démodulateur quand vous en recevez.

Alors que tous les modems doivent être connectés à un réseau téléphonique, ils n'ont pas tous besoin d'un vrai téléphone. De nombreux modems peuvent être directement branchés dans une prise de téléphone murale parce qu'ils fournissent des services d'appel et de réponse automatiques.

Un modem à *appel automatique* peut générer des signaux nécessaires à la connexion avec des réseaux téléphoniques et des numéros d'appel. Avec le logiciel de communications approprié, vous pouvez stocker des numéros de téléphone sur disque et les faire appeler par le modem à n'importe quel moment en ouvrant la communication.

Un modem à *réponse automatique* perçoit la sonnerie du téléphone par l'intermédiaire des modifications de voltage sur les fils téléphoniques. Ils "décrochent" électroniquement le téléphone et renvoient un signal indiquant que la connexion a été effectuée.

Avec un modem à appel et à réponse automatiques, vous pouvez envoyer et recevoir des messages même pendant votre sommeil ou en votre absence.

Connexion d'un modem interne

Un *modem interne* est un modem à appel et à réponse automatiques. Ce type de modem fait intégralement partie d'une carte additionnelle que vous connectez dans un slot d'extension libre. Il n'occupe donc pas de place sur le bureau et n'utilise pas un port série dont vous pourriez avoir besoin pour une souris ou une imprimante. Vous reliez à une ligne téléphonique le port situé au dos de la carte. Une *prise modulaire* est un connecteur qui accepte de petites prises maintenant couramment utilisées pour l'équipement téléphonique. Pour utiliser un modem interne, il faut bien sûr avoir un slot disponible sur lequel est monté le modem interne. Etant donné qu'ils tirent leur énergie de l'ordinateur, les modems internes peuvent aussi drainer l'énergie de systèmes plus anciens ou moins chers.

S'il y a deux prises modulaires téléphoniques au dos de votre ordinateur, vous avez probablement un modem interne installé (il y a aussi quelques cartes à utiliser avec des réseaux d'ordinateurs qui contiennent aussi des prises téléphoniques modulaires. Si vous n'êtes pas sûr du type de la carte installée dans votre ordinateur, demandez-le au propriétaire précédent.) Branchez une longueur de fil téléphonique entre la prise murale et la prise marquée *line*. Branchez ensuite votre téléphone dans la prise marquée *phone*. Quelques modems internes ont une prise modulaire et un câble spécial qui relie la prise murale et le téléphone.

Si vous avez un modem interne qui n'est pas encore installé, insérez la carte comme c'est expliqué dans le Chapitre 7.

Connexion d'un modem externe

Les *modems externes* se trouvent sur le bureau, à l'extérieur de votre ordinateur, et sont connectés à un port série. Ils sont branchés dans une prise murale et peuvent être facilement déplacés près de n'importe quel ordinateur comportant une carte série. Alors que les nouveaux modems externes sont des modems à réponse et à appel automatiques, certains plus anciens vous imposent la composition manuelle du numéro. Ces modems ancien ont un commutateur portant les mentions *originate* et *answer*. Vous sélectionnez le mode answer quand quelqu'un vous appelle.

Les modems externes ont des prises modulaires appelés *line* et *phone* et un connecteur série au dos. Utilisez un câble série pour connecter le port série du modem au port série de votre ordinateur. Branchez une longueur de fil téléphonique entre la prise murale et la prise marquée *line*. Branchez ensuite votre téléphone dans la prise marquée *phone*. Enfin, branchez le câble d'alimentation du modem.

Connexion de coupleurs acoustiques

Il y a des années de cela, les modems à coupleurs acoustiques étaient très répandus. Ces modems avaient des caoutchoucs qui maintenaient le combiné téléphonique et acceptaient la transmission sous la forme d'ondes sonores. Cependant, des bruits étrangers peuvent interférer avec la transmission et dégrader le signal. La plupart des coupleurs acoustiques n'acceptaient pas non plus des téléphones fantaisie avec des combinés non standard.

Connectez le coupleur en utilisant un câble série entre le port série du modem et le port série de l'ordinateur. Il n'y a pas de connexion directe au système téléphonique.

Les modems coupleurs acoustiques utilisent un commutateur portant les mentions *originate* et *answer* qui se trouve sur le dessus ou sur le côté.

Etablissement du protocole série

Tous les modems sont des périphériques série. Comme une imprimante série, le modem accepte des informations comme une série de bits individuels, les uns et les zéros que votre ordinateur utilise pour représenter des caractères. Si vous avez une imprimante série, vous connaissez un peu l'établissement d'un *protocole* série, la caractéristique de communication correcte entre l'imprimante et l'ordinateur par l'intermédiaire du port série. Quand vous utilisez un modem, le protocole série doit exactement correspondre au protocole utilisé par l'ordinateur avec lequel vous communiquez.

Vitesse de transmission

Votre ordinateur et l'ordinateur avec lequel vous communiquez doivent être établis à la même vitesse pour que les données puissent être transmises correctement.

De nombreuses personnes utilisent les termes *vitesse en bauds*, d'autres utilisent *BPS* ou bits par seconde. Alors que ces termes ne sont pas techniquement identiques, vous les entendrez employés de façon interchangeable. Les vitesses de modem courantes sont 300, 2400 et 9600. Plus la vitesse est rapide, plus le modem est cher.

Bits de données, bits de départ et bits d'arrêt

L'ordinateur avec lequel vous communiquez doit être préparé à accepter vos informations quand vous les transmettez. Des systèmes informatiques plus coûteux synchronisent la transmission selon un intervalle de temps ou un taux d'horloge fixe. L'ordinateur de réception s'attend à recevoir un bit avec chaque tic de l'horloge. Une fois synchronisés, les deux systèmes utilisent l'horloge pour déterminer à quel moment chaque caractère démarre et s'arrête.

Les modems capables de synchroniser les signaux sont assez chers. Le modem classique PC transmet donc de façon *non synchronisée*, sans synchroniser chaque caractère en fonction d'un taux d'horloge. Au lieu d'utiliser l'horloge pour suivre ce qui se passe ou quand les caractères démarrent et s'arrêtent, les modems asynchrones imposent trois éléments dans le protocole. Ces éléments indiquent à l'ordinateur de destination quel jeu de bits constitue un caractère.

Le *bit de donnée* détermine le nombre de bits qui constituent chaque caractère, généralement entre 6 et 8. Un nombre fixe de bits de départ et de bits d'arrêt sont transmis avant et après chaque caractère. Etant donné que les bits eux-mêmes sont transmis à la vitesse en bauds déterminée, les deux ordinateurs peuvent maintenant déterminer à quel moment les caractères sont envoyés. Les protocoles série les plus courants utilisent des bits d'arrêt mais pas de bits de départ.

Parité

Les communications de données dépendent de la qualité de la réception. Tout le message peut être annihilé si un bit est mal interprété.

La parité insère un bit supplémentaire dans chaque caractère pour permettre de vérifier simplement la précision des communications. Vous pouvez avoir une parité paire, impaire ou pas de parité.

Chaque caractère se compose d'un certain nombre de bits représentés soit par un chiffre un, soit par un zéro. Avec une parité impaire, le nombre de bits de chaque caractère doit s'ajouter à un nombre impair. Quand ils s'ajoutent à un nombre pair, le système ajoute un bit de parité 1 pour rendre le total impair. S'ils s'ajoutent à un nombre impair, le système envoie un bit de parité 0.

Supposons par exemple que vous transmettez un caractère sous la forme binaire :

1000001

Etant donné qu'il y a deux bits 1, le système ajoute un bit de parité 1 en transmettant le caractère sous la forme :

11000001

Le caractère :

0001011

est transmis sous la forme :

00001011

avec un bit de parité 0 ajouté pour maintenir le nombre impair.

L'ordinateur de réception additionne tous les bits qu'il reçoit dans chaque caractère. S'il est établi pour une parité impaire, l'ordinateur suppose que chaque caractère est correct si le total des bits a pour résultat un nombre impair ou, à défaut, s'ils s'ajoutent à un nombre pair.

▓ *CONTRÔLE DU MODEM*

Les modems sont des machines assez sophistiquées qui exécutent une variété de fonctions. Non seulement ils modulent et démodulent des données mais ils perçoivent aussi l'état de la ligne, c'est-à-dire si elle est connectée et s'il y a un ordinateur prêt à accepter des données à l'autre extrémité.

Il fut un temps où chaque fabricant utilisait sa propre méthode de contrôle du modem. Maintenant, la plupart des modems utilisés avec les PC comprennent un jeu d'instructions standard appelé le *jeu de commandes Hayes*, ainsi nommé par la société qui l'a développé.

Toutes les commandes Hayes commencent par le caractère *AT* indiquant au modem que vous lui envoyez une instruction que vous ne voulez pas transmettre par l'intermédiaire du réseau. En fait, le standard Hayes est souvent appelé *jeu de commandes AT*.

Les instructions qui suivent *AT* indiquent au modem ce qu'il doit faire. L'instruction :

ATDT45673897

indique au modem de composer le numéro 45-67-38-97.

Pour utiliser une carte de téléphone avec un modem, vous devez introduire quelques pauses après le numéro à appeler pour laisser du temps lors de l'accès au réseau. Ajoutez une virgule pour chaque intervalle de deux secondes pendant lequel vous souhaitez une pause. Par exemple, la commande :

ATDT16,,01703445

compose l'indicatif longue distance, fait une pause de quelques secondes puis entre le numéro de votre interlocuteur.

Si vous appelez un numéro local depuis un bureau à partir duquel il faut composer le 0 pour obtenir la ligne extérieure, la commande est :

ATDT0,,50622349

Malheureusement, tous les modems qui prétendent être compatibles avec le jeu Hayes ne comprennent pas toutes ses commandes. Certains reconnaissent un groupe d'instructions limité qui faisaient partie d'un jeu ancien avant que Hayes n'ait ajouté un certain nombre d'extensions.

■ *AJOUT D'UN LOGICIEL DE COMMUNICATIONS*

Un modem n'est pas suffisant ; vous avez besoin d'un programme de communication qui transporte les messages vers et à partir du port série et qui manipule l'interface entre l'ordinateur et le modem. Certains logiciels émulent un *terminal* d'ordinateur, périphérique d'entrée et de sortie de base pour envoyer et recevoir des caractères.

Vous pouvez acheter un programme de communications séparé comme Crosstalk ou en utiliser un qui accompagne un logiciel intégré. PFS/First Choice, par exemple, comprend un module de communications déjà établi pour la connexion avec plusieurs services d'information connus. Vous pouvez ajouter des éléments supplémentaires au menu ou modifier les caractéristiques par défaut de votre propre matériel.

Comme alternative aux logiciels commerciaux, vous pouvez vous procurer un programme du domaine public pour un peu plus que le prix d'un disque. Le programme de partage de données QMODEM est un bon exemple de la vaste gamme des fonctions disponibles et vous pouvez l'obtenir gratuitement ou pour une somme modique. Si vous souhaitez avoir ce programme, il faut envoyer une taxe d'enregistrement à la société qui l'a développé.

Compatible avec le jeu de commandes Hayes, QMODEM accepte les modems à appel et à réponse automatiques et comprend un répertoire d'appel.

■ *UTILISATION D'UN MODEM*

Quand vous avez installé votre modem et quand vous vous êtes procuré un programme de communications, vous êtes prêt à communiquer par l'intermédiaire du téléphone. Avant de commencer, vérifiez que vous connaissez bien le numéro de téléphone de la personne ou du service que vous voulez contacter ainsi que le protocle qu'ils utilisent. Si vous n'êtes pas sûr, commencez en supposant une vitesse de 300 bauds, sans parité et avec 8 bits de données et 1 bit d'arrêt (bien que les modems 1 200 et 2 400 bauds soient maintenant courants, il est plus rapide de commencer avec 300 bauds, la vitesse en bauds que reconnaissent tous les modems et tous les services d'information).

Nous allons préparer votre ordinateur et votre logiciel. Nous supposerons que vous avez un programme de communication qui configure le port série de l'ordinateur. Si votre programme ne le fait pas, utilisez la commande DOS MODE :

MODE COM1:300,N,8,1

Pour établir le protocole.

Préparation de votre ordinateur

Avant de lancer votre appel, procédez aux opérations suivantes :

1. Démarrez votre ordinateur.

2. Chargez votre logiciel de communication.

3. Activez votre modem.

4. Etablissez le protocole. Utilisez les capacités de votre programme pour établir la vitesse en bauds, la parité ainsi que le nombre de bits de données et de bits d'arrêt.

Vous pouvez maintenant effectuer la connexion.

Communication avec des modems à appel et à réponse automatiques

Procédez de la façon suivante pour établir la connexion avec un modem externe ou interne à appel et à réponse automatiques à l'aide d'un logiciel compatible Hayes.

1. Tapez **AT** puis pressez la touche Retour. L'écran affiche "OK", ce qui indique que le modem est prêt à communiquer.

2. Tapez **ATDT** (ou **ATDP** suivant le type d'impulsion) suivi du numéro de téléphone puis pressez la touche Retour. Le modem compose le numéro et établit la connexion avec l'autre téléphone. La plupart des programmes indiquent si la ligne est occupée ou si elle ne répond pas. Dans ce cas, attendez un peu et réessayez.

3. Commencez la transmission ou accédez au service en accord avec les instructions fournies.

Communication avec des modems à numérotation manuelle

Pour utiliser un modem à numérotation manuelle, votre téléphone doit se trouver près du modem. Procédez de la façon suivante :

1. Composez le numéro de téléphone.

2. Quand vous entendez un son aigu, mettez le commutateur du modem sur la position originate puis raccrochez le combiné.

3. Commencez la transmission ou accédez au service en accord avec les instructions fournies.

Communication avec des coupleurs acoustiques

Pour communiquer avec un coupleur acoustique, vous devez avoir un combiné téléphonique qui tient juste dans les supports de caoutchouc du modem.

1. Composez le numéro de téléphone.

2. Quand vous entendez un son aigu, insérez rapidement le téléphone dans les supports puis mettez le commutateur du modem sur la position originate.

3. Commencez la transmission ou accédez au service en accord avec les instructions fournies.

La communication par téléphone avec des individuels ou avec des services d'information peut être excitante et éducative. Mais, étant donné que vous traitez avec du matériel sophistiqué qui doit être établi au protocole exact et en raison de la qualité parfois incertaine des lignes téléphoniques, il existe toujours un risque d'erreur. Si vous voyez quelque chose d'illisible sur l'écran ou si vous n'arrivez pas à établir la connexion, vérifiez vos caractéristiques de protocole et les connexions du modem. La plupart des services ont un numéro de téléphone ordinaire que vous pouvez appeler pour parler avec un service spécialisé si vous avez besoin d'aide.

Exploration des services d'information

En utilisant un modem, vous pouvez communiquer avec n'importe quel ordinateur, n'importe où dans le monde, à condition qu'il soit aussi équipé d'un modem. Vous pouvez appeler un ami, communiquer avec votre bureau ou transmettre des propositions à des clients ou à des associés. Il est également possible d'utiliser les services d'information pour effectuer des recherches, faire des réservations d'avion, acheter des produits ou obtenir les derniers résultats sportifs.

Les services d'information fournissent une gamme de programmes, de bases de données et de produits utiles auxquels vous pouvez accéder avec votre modem. Vous composez un numéro de téléphone local pour vous connecter au service et vous payez une taxe de connexion pour chaque minute où vous restez en ligne. Certains services font payer plus cher pendant les heures les plus chargées que pendant les nuits, les week-ends et les vacances.

COMMUNICATION À L'INTÉRIEUR DU BUREAU

Si vous voulez communiquer avec un ordinateur se trouvant dans votre propre bureau, vous n'avez pas besoin de modem ni de ligne téléphonique. Vous pouvez connecter vos ordinateurs directement avec un câble ou par l'intermédiaire d'un réseau.

Ordinateurs reliés directement

Pour partager un fichier avec un autre utilisateur, vous pouvez simplement lui en donner une copie sur disquette. Mais cela ne fonctionne pas quand vos disques n'ont pas le même format que ceux de l'autre ordinateur. La plupart des ordinateurs portables et de nombreux ordinateurs de bureau n'utilisent que des disquettes 3 pouces $^1/_2$ et n'acceptent pas les disquettes 5 pouces $^1/_4$.

La solution consiste à relier deux ordinateurs en les connectant directement à l'aide d'un câble puis en tranférant les fichiers avec un programme de communication.

Les ordinateurs portables devenant très courants, le problème des tailles de lecteur incompatibles sont plus fréquents et des logiciels de transfert de fichiers spéciaux sont apparus. Ce type de programme désigne une machine comme étant la station *locale* ou *maître* et l'autre comme étant la station *éloignée* ou *esclave*. Avec les deux ordinateurs exécutant le programme, le maître a un accès direct au disque esclave et l'esclave peut tourner sans surveillance une fois qu'il est initialisé.

Le maître peut lister et modifier des répertoires sur l'esclave, lui transférer des fichiers et lancer la transmission de fichiers de l'esclave vers le maître. Etant donné que les logiciels de transfert sont destinés au transfert direct de fichiers, ils ne sont pas limités aux vitesses en bauds 300, 1 200 ou même 2 400 que l'on trouve sur les modems mais peuvent communiquer à la plus grande vitesse disponible sur des connexions série ou parallèles.

Un programme par exemple, Fastlynx, peut opérer jusqu'à 230 000 bauds en transférant 1 Mo de données par minute à l'aide d'un mode *turbo* spécial. Il faut une heure pour transférer 1 Mo de fichier à 2 400 bauds.

Tous les programmes sont livrés avec des disquettes 5 pouces $^1/_4$ et 3 pouces $^1/_2$ et la plupart incluent un câble série pour connecter les systèmes par l'intermédiaire de leurs ports série. Certains des câbles comprennent des connecteurs série 9 broches et 25 broches aux deux extrémités et vous n'avez pas besoin d'adaptateur. Quelques programmes de transfert font passer les communications par le port parallèle et comprennent soit un câble parallèle séparé, soit un câble combiné série/parallèle avec tous les connecteurs à chaque extrémité.

Voici un bref survol de quelques logiciels de transfert connus :

Brooklyn Bridge accepte les transferts série et parallèle et comprend les deux types de câbles. Le câble série a des connecteurs 9 broches et 25 broches aux deux extrémités. En plus du transfert, le programme peut localiser, renommer, supprimer, déplacer et visualiser des fichiers sur l'esclave.

DirecLink accepte des transferts série et parallèle et offre les câbles en option. Le programme peut localiser, renommer, supprimer et déplacer des fichiers et aussi les compresser pour accélérer le transfert.

Fastlynx accepte les transfert série et parallèle et comprend les deux câbles. Le câble série a des connecteurs 9 et 25 broches aux deux extrémités. Le programme peut renommer, supprimer et visualiser des fichiers sur l'esclave mais est incapable de les déplacer en une opération (le *déplacement* d'un fichier signifie automatiquement la suppression du fichier original après son transfert sur un nouveau disque ou système. Avec Fastlynx, il faudrait transférer le fichier puis le supprimer vous-même.)

Hotwire utilise les transfert série et comprend un câble 9 et 25 broches aux deux extrémités. Il peut localiser, renommer, supprimer, déplacer et imprimer des fichiers sur l'esclave. Il accepte aussi des transferts de fichiers sur un modem.

Laplink III comprend un câble combiné série et parallèle pour les transferts par l'un ou l'autre port. Le câble inclut un connecteur 9 et 25 broches aux deux extrémités. Il peut renommer, supprimer et visualiser des fichiers sur l'esclave mais est incapable de les imprimer ou de les déplacer. Pour imprimer un fichier, il faut sortir de Laplink puis utiliser la commande DOS PRINT ou un programme de traitement de texte.

Paranet Turbo accepte seulement les communications par l'intermédiaire des ports parallèles et comprend un câble parallèle 8 pieds. Il peut localiser, renommer, supprimer et déplacer des fichiers mais est incapable de les imprimer. Paranet comprend aussi un utilitaire permettant de sauvegarder des fichiers depuis votre disque dur.

PC-Hookup autorise les communications série et parallèles et accepte les transferts sur un modem. Il comprend un câble série avec des connecteurs 9 et 25 broches et peut localiser, déplacer, supprimer et renommer des fichiers.

Utilisation d'une alternative DOS

Votre version du DOS a peut-être son propre programme de transfert fourni comme un service par le fabricant. Par exemple, Zenith Data Systems inclut avec le DOS son propre programme, ZCOM, pour transférer des fichiers sur le port série. Bien qu'il lui manque les fonctions de gestion de fichiers des programmes commerciaux, il peut transmettre des fichiers à l'esclave et lancer la transmission de fichiers à partir de l'esclave.

Avec le programme installé dans deux ordinateurs, vous pouvez transférer des fichiers à des vitesses supérieures à 115 200 bauds bien que les vitesses supérieures à 9 600 bauds ne soient pas recommandées. A ces vitesses, même des problèmes de communication mineurs comme l'interférence électrique génèrent un grand nombre d'erreurs de transmission.

Vous pouvez faire tourner ZCOM sur un ordinateur dans le mode serveur (ou esclave) en entrant :

ZCOM SERVER

au signal DOS. Cet ordinateur peut ensuite être laissé sans surveillance puisque tous les transferts de fichiers sont contrôlés par l'autre système, le maître.

Il faut utiliser la commande MODE pour établir les deux ordinateurs à la même vitesse en bauds. Si vous ne le faites pas, l'option *scan* détecte la vitesse en bauds du serveur et établit la vitesse du maître pour qu'elle corresponde.

Vous devez avoir vos propres câbles et être capable d'obtenir le programme sur des disques formatés sur chaque machine. Mais ZCOM est facile à utiliser avec juste les options fondamentales pour le transfert de fichiers (voir le Tableau 11.1).

Option ZCOM	Fonction
Receive *<nom fichier>*	Dirige le serveur pour transmettre le fichier nommé
Transmit *<nom fichier>*	Envoie le fichier nommé au serveur
Files *.*	Liste les fichiers sur le disque du serveur ; d'autres caractères génériques et spécifications de fichier peuvent être utilisés
Baud	Etablit la vitesse en bauds sur les deux ordinateurs
Scan	Scrute le serveur pour déterminer la vitesse en bauds
Password	Envoie un mot de passe optionnel au serveur pour établir le contact
Connect	Etablit la connexion avec un modem compatible Hayes
Disconnect	Supprime la connexion depuis le modem
Quit	Met fin à ZCOM à l'extrémité utilisateur ; le serveur reste dans ZCOM
Abort	Met fin à ZCOM aux deux ordinateurs
Ldrv	Change le lecteur par défaut du serveur
CDir	Change le répertoire par défaut du serveur

Tableau 11.1 : Options ZCOM.

Comment résoudre des problèmes avec un réseau

Relier deux ordinateurs avec des câbles convient bien si vous voulez seulement transférer des fichiers. Cependant, pour utiliser un programme sur l'autre ordinateur, il faut le transférer sur votre machine, vous déconnecter puis exécuter le programme à partir du DOS. Vous pouvez aussi être aux prises avec différentes versions de fichiers de données sur les deux machines. Vous pouvez transférer un fichier de données, y faire des modifications et oublier de recopier le fichier modifié sur l'ordinateur initial.

La mise en réseau est la solution à ces problèmes. Quand vous mettez un ou plusieurs ordinateurs *en réseau*, chacun d'eux peut partager les ressources de l'autre. Vous pouvez lire et écrire des fichiers directement sur le disque de l'autre machine sans transférer ces fichiers pour votre propre stcokage. Il est également possible d'utiliser une imprimante qui est connectée à un autre ordinateur.

L'élaboration d'un réseau est cependant souvent un processus compliqué. Certains systèmes de réseau sont juste des programmes qui utilisent des câbles connectés aux ports série des machines. Mais la plupart des réseaux nécessitent une carte réseau installée dans un slot d'extension vide ainsi qu'un logiciel qui complète le DOS et contrôle le flot des données dans le réseau.

La façon dont opèrent les réseaux varie. Certains utilisent un ordinateur central appelé le *serveur de fichier* pour stocker des applications et des fichiers partagés et pour assumer le rôle de contrôleur de réseau. Le serveur peut aussi inclure des zones de fichier pour les messages de courrier électronique destinés à d'autres ordinateurs du réseau. Les ordinateurs qui accèdent au serveur s'appellent des *stations de travail.* Cette configuration permet une bonne sécurité des programmes et des fichiers. Le réseau Novell

Netware par exemple vous permet de déterminer à quels répertoires et à quels fichiers chaque station de travail peut accéder.

D'autres réseaux laissent chaque ordinateur accéder aux fichiers de tous les ordinateurs sans serveur central. Le réseau TOPS par exemple fournit deux types de fonctions généraux ; le service fichier pour le partage de fichiers et le service imprimante pour le partage d'imprimantes. Chaque ordinateur du réseau peut démarrer comme serveur, client ou les deux. Un *serveur* rend des fichiers et des imprimantes disponibles pour les autres sur le réseau dans une procédure appelée *publication*. Un répertoire qui a été publié s'appelle un *volume*. Un *client* accède aux fichiers et aux imprimantes publiées dans une procédure appelée *montage*. Quand vous montez un volume, vous indiquez à votre ordinateur de traiter le volume publié comme un nouveau lecteur de disque. Si vous montez un volume comme lecteur E, vous pouvez accéder au répertoire du serveur en tapant E:, juste comme s'il s'agissait d'un disque dans votre propre ordinateur. Vous pouvez être en même temps un serveur et un client, en laissant les autres utiliser vos ressources pendant que vous utilisez les leurs.

La sécurité est fournie de plusieurs manières. Si vous ne publiez pas de disques en tant que serveur, personne ne peut accéder à vos fichiers. Vous pouvez aussi établir un mot de passe dont les clients ont besoin pour accéder à vos fichiers ou bien "cacher" vos fichiers aux autres sur le réseau.

Il existe trois manières de procéder à une impression sur le réseau :

Locale   Vous utilisez une imprimante directement connectée à votre station.

Eloignée   Vous utilisez une imprimante connectée à une autre station dans le réseau. L'imprimante doit d'abord avoir été publiée par l'ordinateur et vous devez la monter sur le vôtre.

Réseau   Vous utilisez une imprimante directement connectée au réseau et à aucune station.

Les versions du matériel et du logiciel TOPS étant disponibles pour des machines non-DOS, le réseau peut être utilisé dans des bureaux avec les ordinateurs IBM et Apple Macintosh. Vous pouvez même copier des fichiers entre des systèmes IBM et Macintosh en utilisant la commande réseau TCOPY, sa propre version du programme DOS XCOPY. Par exemple, la commande :

TCOPY D:*.DAT C:/T

copie et convertit des fichiers Macintosh du lecteur réseau D au format DOS dans votre propre lecteur C.

Etant donné la complexité des réseaux, la plupart des organismes assignent une personne à *l'administration du réseau.* Cette personne attribue des mots de passe et des niveaux de sécurité, installe le matériel et conseille les utilisateurs du réseau.

TROISIÈME PARTIE

Amélioration et personnalisation de votre système

12 AJOUT ET UTILISATION DE LA MÉMOIRE

Votre ordinateur tranfère constamment à grande vitesse des bits d'information entre les périphériques d'entrée et sortie et sa mémoire. La *mémoire* est la zone dans laquelle l'ordinateur stocke des informations, l'application que vous exécutez, les données sur lesquelles vous travaillez, les résultats du traitement effectué par les circuits de l'ordinateur et même l'image qui apparaît sur votre écran. A l'inverse des lecteurs de disques, qui stockent vos fichiers quand ils ne sont pas en cours d'utilisation, la mémoire contient des informations que vous et votre ordinateur utilisez en même temps.

La quantité de mémoire qui existe déjà dans votre ordinateur risque cependant de ne pas être suffisante pour l'exécution de certaines applications que vous possédez ou que vous envisagez d'acquérir. Votre ordinateur peut aussi avoir différents types de mémoire qui nécessitent des techniques de mise en oeuvre particulières.

Nous découvrirons dans ce chapitre les différents types de mémoire, comment installer de la mémoire supplémentaire dans votre ordinateur et comment utiliser la mémoire pour une productivité et une efficacité maximum.

▓ *COMMENT FONCTIONNE LA MÉMOIRE DE L'ORDINATEUR*

La mémoire de l'ordinateur est une série de zones de stockage électroniques qui contiennent chacune un bit d'information. La présence ou l'absence d'une charge électrique dans la zone est interprétée comme un *un* ou un *zéro* de données binaires. Huit zones de stockage individuelles se combinent pour constituer un octet (c'est-à-dire un caractère) d'information.

La plus grande part de la mémoire est *volatile*, ce qui signifie qu'une fois l'ordinateur mis hors tension, la charge électrique se dissipe et le contenu de la mémoire est perdu. Vous avez besoin d'une pile interne, comme dans un circuit horloge/calendrier, pour maintenir la mémoire lorsque la machine est hors tension. Certains ordinateurs portables possèdent aussi une batterie qui alimente la mémoire quand la machine est hors tension ; il n'est donc pas nécessaire de sauvegarder les données sur disque. L'autre partie de la mémoire est *non volatile*, c'est-à-dire qu'elle n'oublie pas les informations binaires quand la machine est hors tension, même s'il n'y a pas de pile. Ce type de mémoire peut être comparé à une série d'interrupteurs. Si vous avez par exemple coupé toute l'alimentation de votre maison, tous les points lumineux et les prises électriques sont inutilisables. Mais quand vous remettez la tension, les périphériques qui étaient sous tension le sont à nouveau. Quand vous mettez votre ordinateur sous tension, la position des "interrupteurs" en mémoire non volatile renvoie automatiquement la mémoire à son état antérieur.

▓ *TYPES DE MÉMOIRE*

La diversité de termes utilisés pour décrire la mémoire la rend souvent difficile à appréhender et à utiliser. Nous allons donc définir la mémoire de deux manières, en fonction du type des données qu'elle stocke et de la manière dont elle est utilisée par le DOS et les programmes d'application.

Comprendre la mémoire ROM et la mémoire RAM

La mémoire *ROM*, abréviation de *read-only memory*, est une mémoire permanente, non volatile, qui ne peut pas être modifiée. Imaginez la ROM comme une rue à sens unique ; les informations binaires de la ROM peuvent être transférées ailleurs dans votre système mais aucune nouvelle information ne peut y être stockée. La ROM stocke les informations d'amorçage, le programme d'autotest de votre système et d'autres informations qui sont nécessaires à l'ordinateur. Les informations stockées dans la ROM sont intégrées à votre ordinateur.

Votre système peut avoir une variante de la ROM appelée *PROM*, ou *programmable read-only memory*. Les PROM sont des mémoires dans lesquelles on peut écrire ou qui peuvent être programmées une fois. Au lieu d'être entrées pendant le processus de fabrication, les informations binaires sont ajoutées plus tard au cours d'un processus appelé *burning*. Mais une fois écrit, le périphérique sert comme une ROM permanente.

Une autre variante de la ROM est l'*EPROM*, ou *erasable programmable read-only memory*. Bien que cela semble contradictoire, les EPROM de votre ordinateur sont des mémoires non volatiles en lecture seule. Les données peuvent seulement être effacées et programmées à l'aide d'un équipement spécial. Le périphérique est recouvert d'une fenêtre en plastique clair. Quand elle est exposée à des rayons ultraviolets de haute intensité, la mémoire est effacée et l'EPROM peut être programmée avec d'autres données. Une fois installées dans votre ordinateur, les mémoires PROM et EPROM sont des mémoires non volatiles en lecture seule.

La mémoire *RAM* est une mémoire dans laquelle vous écrivez et que vous lisez. Bien que RAM signifie *random access memory*, les termes *read-write memory* (mémoire en lecture-écriture) la définissent plus clairement. La plupart des RAM sont des mémoires volatiles qui sont effacées à la mise hors tension de l'ordinateur. Vous pouvez entendre appeler la RAM *mémoire utilisateur* puisque c'est l'endroit où votre application est stockée quand elle est chargée à partir du disque et où sont stockées les données sur leur chemin entre le clavier, l'écran et le lecteur de disque. Quand une application spécifie ses besoins en mémoire minimum, elle fait référence à la mémoire RAM et c'est une mémoire RAM que vous pouvez ajouter à votre système.

La RAM peut être dynamique ou statique. La RAM *dynamique* (*DRAM*) peut seulement stocker les charges électriques pour une courte période de temps. Pour conserver les données pendant que la machine tourne, les circuits sont périodiquement *rafraîchis*, en recevant une nouvelle charge de courant. D'autre part, la *RAM statique* (*SRAM*) maintient l'état activé ou désactivé sans être rafraîchie.

Comment est utilisée la mémoire

Pour lire une zone de stockage mémoire ou y écrire, l'ordinateur doit connaître l'*adresse* de la zone, savoir où elle se trouve par rapport à la mémoire totale de votre système. Quand nous disons qu'un ordinateur peut adresser 1 024 Ko, cela signifie qu'il peut localiser un maximum de 1 024 000 emplacements mémoire. Cependant, le simple fait que les circuits de l'ordinateur puissent adresser un si grand nombre d'emplacements ne signifie pas que le DOS puisse les utiliser dans leur totalité. Pour comprendre ce phénomène, nous allons examiner les trois types de mémoire : la mémoire conventionnelle, la mémoire paginée et la mémoire étendue.

La mémoire conventionnelle

Lorsque le DOS a été conçu, le matériel comme les ordinateurs IBM PC, XT et compatibles pouvait seulement adresser 1 024 Ko ou 1 Mo de mémoire. Mais seule une section de cette mémoire, appelée *mémoire conventionnelle*, pouvait être utilisée par les applications DOS.

Regardez la *carte mémoire* de la Figure 12.1. Les nombres situés le long du bord de la carte indiquent les adresses qui débutent chaque section. Comme vous pouvez le voir, les premiers 640 Ko (moins une petite zone pour le stockage des informations DOS BIOS) constitue la mémoire conventionnelle. Les autres zones sont réservées par le DOS et votre ordinateur pour stocker d'autres types d'informations. Par exemple, dans le schéma mémoire IBM original, la zone comprise entre 832 Ko et 960 Ko était réservée pour être utilisée par le PC IBM junior.

Etant donné que le système avait besoin des adresses mémoire au-dessus de 640 Ko ou qu'elles étaient réservées à un usage ultérieur, le DOS était conçu pour utiliser seulement la mémoire conventionnelle pour vos programmes. Par conséquent, même si votre ordinateur est présenté comme ayant 1 Mo ou plus de RAM, vous pourrez seulement utiliser 640 Ko de cette mémoire dont une partie occupée par le DOS et les gestionnaires de périphériques. C'est pourquoi la commande CHKDSK vous renvoie un message de ce type :

655360 octets de mémoire totale
580240 octets libres

sur les systèmes qui ont 1 Mo ou plus de mémoire.

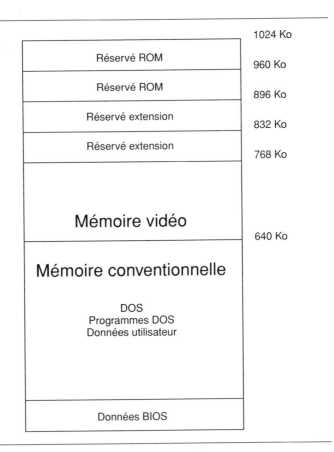

Figure 12.1 : Carte mémoire de 0 à 1 024 Ko.

Mémoire paginée

Afin de dépasser les limites de la mémoire conventionnelle, Lotus, Intel et Microsoft se sont associés pour briser la limite de 640 Ko. Ils ont développé la mémoire paginée, un système permettant d'utiliser de la mémoire supplémentaire que l'ordinateur lui-même ne peut pas physiquement adresser. Le concept, appelé la *spécification LIM* ou *mémoire EMS*, utilise une zone séparée de la mémoire qui est liée à la mémoire adressable par l'intermédiaire d'une fenêtre EMS (Figure 12.2).

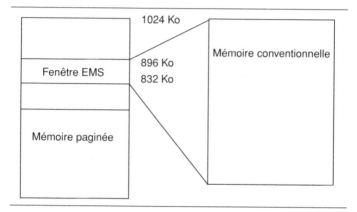

Figure 12.2 : Carte montrant la mémoire paginée.

Avec des gestionnaires spéciaux et un logiciel compatible, des blocs de mémoire paginée sont permutés entre le matériel EMS et la fenêtre dans laquelle la mémoire peut être adressée par votre ordinateur.

Supposons par exemple qu'avec un tableur vous travailliez sur une feuille de calcul trop importante pour tenir dans la mémoire conventionnelle. Des parties de la feuille de calcul sont stockées en mémoire EMS et échangées dans la fenêtre EMS quand cela est nécessaire. Un logiciel compatible-EMS peut adresser la fenêtre EMS et donc utiliser la zone comme il utiliserait la mémoire RAM conventionnelle.

La spécification EMS a été affinée d'année en année, avec des modifications effectuées sur le gestionnaire EMS.

Mémoire étendue

Les ordinateurs utilisant des microprocesseurs 80286, 80386 et 80486 peuvent physiquement adresser plus de 1 Mo de mémoire. Les AT et compatibles peuvent adresser jusqu'à 16 Mo et les machines 386 et 486 jusqu'à 4 Go (gigaoctet) ou 4 billions d'octets. La mémoire supérieure à 1 Mo qui peut être directement adressée s'appelle *mémoire étendue* (Figure 12.3).

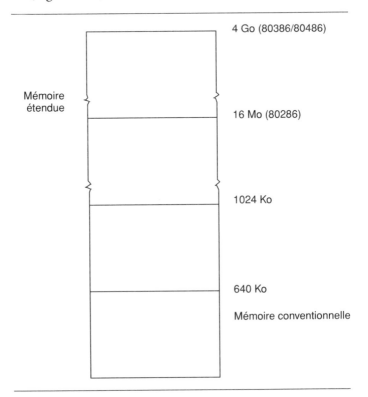

Figure 12.3 : La mémoire étendue.

Il pourrait sembler que la mémoire étendue remplacerait le besoin de mémoire paginée. Malheureusement, le système d'exploitation conçu avec sa limite de 640 Ko ne peut pas utiliser de mémoire étendue sauf si vous possédez un gestionnaire spécial ou des programmes écrits spécialement pour la manipuler. De plus, la mémoire paginée est toujours la seule option pour les compatibles PC et XT qui ne peuvent pas adresser la mémoire étendue.

La mémoire physique

La mémoire RAM est physiquement localisée dans une puce d'ordinateur, un module mémoire ou une combinaison des deux.

Les *puces* RAM sont des circuits intégrés qui peuvent stocker des charges électriques volatiles. Elles sont classifiées par le nombre de bits qu'elles peuvent stocker ; une puce 64 Ko peut stocker 64 000 bits. Alors que le premier PC IBM utilisait des puces 16 Ko, des puces 64 Ko, 256 Ko et maintenant 1 Mo sont disponibles.

Les puces se distinguent aussi par la manière dont elles conservent les données. La plupart sont *bit-wide*, ce qui signifie que vous avez besoin de huit puces pour stocker des données, chaque puce contenant un bit de chaque caractère. Une puce 256 Ko x 1 peut stocker 256 000 bits ; vous avez besoin de huit puces pour stocker 256 000 caractères.

Il existe aussi une neuvième puce pour la parité. Si vous constatez une erreur de parité lorsque vous démarrez votre ordinateur, une erreur a été détectée en mémoire par le programme autotest. Vous avez donc besoin de neuf puces pour chaque bloc de mémoire, huit pour stocker les données et une pour la parité.

Alors que les puces bit-wide sont les plus courantes, il existe des puces 64 x 4, 256 x 4 et 1 024 x 4 dans lesquelles chacune des huit puces stocke 4 bits par adresse.

Les puces sont aussi classifiées par la vitesse avec laquelle elles peuvent recevoir et mémoriser des données ; cette vitesse est exprimée en nanosecondes (un billionième de seconde). La puce doit être suffisamment rapide pour manipuler les données qui lui sont envoyées par le microprocesseur. Les puces mémoire plus anciennes ne pouvaient pas aller aussi vite que les premiers ordinateurs 80286 ; un système d'*état d'attente* (*wait states*) a donc été développé. Au cours d'un état d'attente, l'ordinateur fait une pause pour donner à la mémoire la possibilité de combler son retard. Un système qui n'a pas d'état d'attente doit avoir une mémoire suffisamment rapide pour ne perdre aucune information.

Un module mémoire contient un jeu de puces complet dans un seul ensemble qui stocke 256 Ko ou 1 Mo de RAM. Par conséquent, au lieu d'avoir besoin de neuf puces pour stocker 256 Ko ou 1 Mo, vous avez besoin d'un module 9-bit.

Il existe deux types de modules, les modules SIMM et les modules SIPP. Les modules *SIMM* ou *single inline memory modules* sont les plus courants et ils utilisent des connecteurs montés sur la carte mère. Les modules *SIPP* ou *single inline pin package* utilisent des broches qui entrent dans les trous correspondants.

▌*AJOUT DE MÉMOIRE*

A l'époque héroïque qui a précédée l'IBM PC, tous les logiciels, traitements de texte, tableurs, bases de données, programmes de communication, travaillaient avec au plus 64 Ko. Mais les fonctions supplémentaires comme le graphisme ont commencé à demander de plus en plus de mémoire RAM. Le minimum de 64 Ko a rapidement augmenté et, aujourd'hui, la plupart des logiciels nécessitent au moins 512 Ko ou plus.

Si vos programmes fonctionnent correctement avec la mémoire dont vous disposez, et si la performance de votre système vous satisfait, il n'y a vraiment aucune raison d'ajouter de la mémoire. Vous pouvez cependant avoir besoin d'ajouter de la mémoire pour utiliser des applications plus puissantes ou pour rendre votre système plus efficace.

L'ajout de mémoire RAM n'est pas forcément coûteux car son prix a largement diminué depuis quelques années. Ainsi, vous pouvez rapidement ajouter vous-même de la mémoire ou remplacer de la mémoire défectueuse.

Avant de prendre la décision d'ajouter de la mémoire, il faut commencer par identifier le type de mémoire dont vous disposez.

Identification de votre mémoire

Les puces mémoire et les modules peuvent se trouver sur la carte mère du système ou sur une carte mémoire séparée ou bien sur les deux. La *carte mère* est la carte circuit principale qui contient la plupart des circuits de l'ordinateur et, dans de nombreux systèmes, la carte comporte aussi la mémoire RAM.

Si tous les connecteurs mémoire sont occupés, vous devez ajouter une *carte mémoire* séparée ; c'est une carte circuit qui contient la RAM et que vous insérez dans un slot vide.

Cependant, certains systèmes ont toute leur mémoire RAM sur des cartes mémoire et rien sur la carte mère. Quand la carte mémoire est remplie, la seule façon d'ajouter de la mémoire consiste à installer une nouvelle carte si vous avez un slot libre. Certaines cartes mémoire contiennent seulement de la mémoire RAM, alors que d'autres sont des *cartes multi-fonctions* qui comprennent aussi une horloge/calendrier et un ou deux ports d'interface.

Si vous possédez la documentation de votre système, cherchez les spécifications relatives à l'ajout de mémoire. Vous trouverez peut-être une liste des puces, des modules SIMM ou des cartes circuits recommandés. N'achetez pas de mémoire tant que vous n'êtes pas certain qu'elle soit appropriée à votre machine.

Si vous n'avez pas de documentation, consultez un revendeur spécialisé ou bien procédez de la façon suivante :

1. Débranchez votre ordinateur et enlevez son couvercle.

2. Identifiez le type de la mémoire ; cherchez les puces se trouvant par rangées de neuf. Alors que les numéros d'identification des puces varient, cherchez les rangées de puces qui ont toutes le même nombre. Si vous ne voyez pas de puces, cherchez un module SIMM, une petite carte circuit insérée à angle droit sur une autre carte. Le module SIMM a une rangée de neuf boîtes rectangulaires montées sur sa surface (Figure 12.4).

3. Copiez les nombres qui se trouvent sur les puces ou sur les modules SIMM.

4. Identifiez la capacité et la vitesse de votre mémoire. Sur les puces, vous pouvez voir généralement les nombres 64, 256, 1000 ou 1 024 vers la fin du numéro d'identification, ce qui identifie le nombre de bits que chacune stocke. Le numéro d'identification se termine par un nombre indiquant la vitesse : 8 ou 80 pour 80 nanosecondes, 12 ou 120 pour 120 nanosecondes et 15 ou 150 pour 150 nanosecondes. Par exemple, le nombre :

P21256-15

sur une puce identifie une puce à 150 nanosecondes qui stocke 256 Ko-bit.

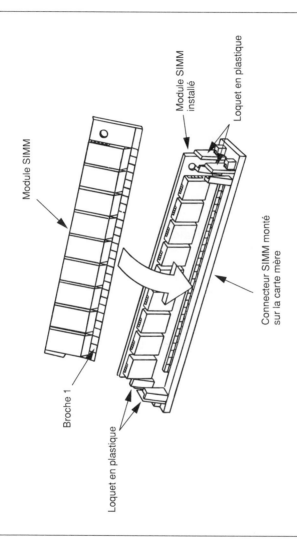

Figure 12.4 : Un module SIMM (single inline memory module).

La plupart des modules SIMM portent aussi un numéro identifiant leur vitesse mais bon nombre d'entre eux ne montrent pas clairement leur capacité. Certains indiquent 256 ou 1 000 pour représenter un périphérique 256 Ko ou 1 Mo. Dans tous les cas, notez le numéro entier pour être prêt à commander plus de mémoire.

5. Déterminez si votre carte est complètement remplie.

Planification de votre mémoire supplémentaire

Avant d'acheter de la mémoire supplémentaire, prenez les précautions suivantes :

- Ajoutez la mémoire banque (bank) par banque ou section par section ; c'est-à-dire qu'il faut ajouter les neuf puces en même temps. Si une banque contient deux connecteurs SIMM, deux modules devront être insérés.

- Toute la RAM de la même banque doit correspondre. Vous pouvez généralement utiliser une puce ou un module SIMM qui soit plus rapide que la mémoire déjà installée mais pas un élément qui soit plus lent. Vérifiez simplement que toute la RAM de la même banque est à la même vitesse.

- Certains ordinateurs peuvent accepter des banques de modules SIMM 256 Ko ou 1 024 Ko.

- L'électricité statique risque de détruire une puce mémoire ou un module SIMM. Par précaution, gardez la mémoire dans sa pochette de protection ou dans son emballage jusqu'à ce que vous soyez prêt à l'installer. Touchez l'ordinateur pour vous mettre à la terre avant de prendre la mémoire ; cela décharge toute l'électricité statique de votre corps.

Quand vous avez saisi le boîtier mémoire, ne le reposez pas. Si vous *devez* poser une puce ou un module SIMM, replacez-le dans son enveloppe initiale ou posez-les sur un matériel non conducteur comme du bois ou du plastique avec les broches en métal vers le haut.

Achat de mémoire

Déterminez la quantité de mémoire que vous voulez ajouter puis contactez un revendeur. Décrivez votre système en détail au vendeur : marque et modèle de l'ordinateur, quantité et type de mémoire dont il dispose et quantité de mémoire que vous voulez ajouter.

N'achetez pas de mémoire plus lente que ce qui est déjà installé ou que ce qui est recommandé par le fabricant. Elle risque de ne pas fonctionner avec votre système et d'entraîner des erreurs à l'amorçage pendant le programme d'autotest ou un comportement imprévisible de vos applications.

Lorsque vous achetez une carte mémoire, faites particulièrement attention que la carte puisse se brancher dans un de vos slots disponibles. Notez la quantité de mémoire qu'elle apporte et sa capacité totale ; une carte présentée comme une carte 4 Mo peut être capable de stocker cette quantité quand elle est complètement remplie mais être vendue sans mémoire. Vérifiez que le prix inclut bien la mémoire. Expliquez que vous souhaitez une carte qui peut être configurée comme étendue ou paginée de manière à pouvoir décider ultérieurement comment vous voulez utiliser la mémoire.

Introduction de puces

Quand vous êtes prêt à insérer les puces mémoire, procédez de la façon suivante :

1. Vérifiez que vous avez accès aux connecteurs des puces ; enlevez la carte uniquement si cela est nécessaire et placez-la sur une surface non conductrice.

2. Mettez-vous à la terre.

3. Vérifiez que les broches de la puce ne sont pas tordues. Si vous devez les redresser, placez une rangée de broches contre une surface de bois dur ou de plastique et pressez doucement le corps de la puce jusqu'à ce que les broches aient le bon angle. Retournez la puce et redressez l'autre rangée de broches.

4. Insérez doucement toutes les broches dans le connecteur. Attention, les puces doivent être placées dans une position particulière. Toutes les puces possèdent un détrompeur qui indique la position de la broche numéro 1 (Figure 12.5). La broche numéro 1 de la puce doit être insérée dans le trou numéro 1 du connecteur.

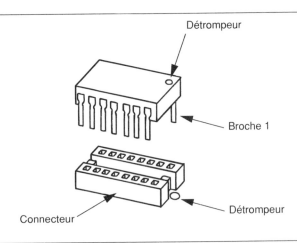

Figure 12.5 : Le détrompeur indique la broche 1.

5. Appuyez de façon régulière jusqu'à ce que la puce soit complètement installée dans le connecteur. Certaines prises sont assez serrées et il faut presser assez fort pour installer complètement la puce. Si vous avez des problèmes, inclinez la puce vers une extrémité, poussez cette extrémité à mi-course puis poussez l'autre extrémité à mi-course. Appliquez enfin une pression pour installer complètement la puce.

6. Vérifiez qu'il n'y a pas de broches tordues, soit sous la puce, soit vers l'extérieur de la prise. Si elles le sont, enlevez la puce en faisant levier avec la pointe d'un tournevis. Mettez-vous à la terre et redressez délicatement les broches ; ne les redressez pas plus que nécessaire. Si vous le faites trop ou trop souvent, les broches risquent de casser et votre puce d'être inutilisable.

7. Insérez toutes les puces banque par banque.

8. Vérifiez à nouveau que toutes les puces sont insérées et correctement orientées.

9. Initialisez votre ordinateur pour qu'il reconnaisse la mémoire comme cela est expliqué dans la section "Reconnaissance de mémoire additionnelle".

Insertion de SIMM

Pour insérer un module SIMM, procédez de la façon suivante :

1. Vérifiez que vous avez accès aux connecteurs SIMM. Enlevez la carte seulement si cela est nécessaire et placez-la sur une surface non conductrice.

2. Mettez-vous à la terre.

3. Alignez le bord de la carte du module SIMM avec les connecteurs.

4. Pressez la carte vers le bas jusqu'à ce que deux loquets sur la prise viennent s'enclencher dans les trous de la carte SIMM. Si vous avez des difficultés, tirez les loquets vers l'extérieur pendant l'insertion de la carte ; quand celle-ci est en place, relâchez les loquets pour qu'ils se mettent en place.

5. Insérez tous les modules SIMM banque par banque.

6. Initialisez votre ordinateur pour qu'il reconnaisse la mémoire comme cela est expliqué dans la section "Reconnaissance de mémoire additionnelle".

Ajout de cartes mémoire

Si votre carte mère ou carte mémoire est pleine, vous devez insérer une autre carte.

Avant d'insérer une carte mémoire, déterminez si vous voulez que la mémoire soit configurée comme étendue ou paginée. De nombreuses cartes comportent des commutateurs ou des cavaliers qui établissent la mémoire comme étendue ou paginée, ou qui définissent leur *adresse de base,* c'est-à-dire là où elles se placent dans la carte mémoire du système. Bien qu'il soit toujours possible de réouvrir la machine et de changer les commutateurs, l'établissement de la carte avant son installation fait gagner du temps ; utilisez votre documentation.

Insérez la carte mémoire en suivant les instructions du Chapitre 7 relatives à l'insertion des cartes.

Reconnaissance de mémoire additionnelle

Votre ordinateur ne reconnaît pas la mémoire additionnelle tant que vous ne lui indiquez pas que la mémoire est là. Sur la plupart des systèmes, vous devez établir des commutateurs ou des cavaliers sur la carte mère avant qu'il soit possible d'utiliser de la mémoire additionnelle. Un certain nombre d'autres machines, généralement les AT et modèles supérieurs, doivent aussi définir l'ensemble de la mémoire système dans la mémoire CMOS. Pour cela, vous devez avoir un disque d'installation ou de configuration avec un programme pour établir la mémoire CMOS ou un programme d'installation intégré à la ROM.

Recherchez dans la documentation de votre système des instructions permettant de le configurer. Si vous n'avez pas la documentation, vérifiez auprès d'un revendeur qui connaît votre machine.

LE GESTIONNAIRE DE MÉMOIRE PAGINÉE

Pour utiliser la mémoire paginée, vous devez charger le gestionnaire EMS, un fichier appelé EMM.SYS, EMM.DRV ou quelque chose de similaire. Le gestionnaire échange des blocs de mémoire entre la carte EMS et la fenêtre EMS.

Ajoutez une commande périphérique au fichier CONFIG.SYS comme cela est spécifié dans votre documentation système et du type :

```
DEVICE=C:\DOS\EMS.DRV
```

puis réamorcez votre système. Le nom de votre gestionnaire peut être différent ou celui-ci peut se trouver dans le répertoire racine ou dans un autre répertoire.

Votre système ou votre carte mémoire peut être fournie avec sa propre version du gestionnaire. Dans ce cas, utilisez cette version au lieu de celle fournie avec le DOS. Dans certains cas, un gestionnaire générique fourni avec le DOS ne fonctionnera pas.

■ *UTILISATION DE LA MÉMOIRE AJOUTÉE*

Une fois le périphérique EMS chargé, de nombreuses applications comme Lotus 1-2-3 peuvent automatiquement utiliser la mémoire paginée. D'autres applications, comme Microsoft Windows, peuvent accéder à la mémoire étendue parce qu'elles gèrent la mémoire de façon interne.

Mis à part le cas de programmes écrits spécialement, la mémoire ajoutée n'est pas disponible pour le DOS et d'autres applications qui sont toujours limitées à 640 Ko. Heureusement, vous pouvez tirer parti de la mémoire ajoutée de plusieurs façons.

Chacune de ces méthodes fait appel à des commandes gestionnaires de périphériques dans CONFIG.SYS. Pour que vous utilisiez n'importe laquelle de ces caractéristiques avec la mémoire paginée, le gestionnaire de périphérique EMS doit être la première commande de périphérique dans CONFIG.SYS.

■ *UTILISATION D'UN DISQUE RAM*

Après l'imprimante, votre lecteur de disque est la partie la plus lente de votre système informatique. Même les lecteurs les plus rapides sont plus lents pour lire et écrire des données en comparaison avec la vitesse d'accès à la mémoire RAM.

Un disque RAM, aussi appelé *disque virtuel,* est une zone de RAM haute vitesse utilisée pour stocker des programmes et des données pour lesquelles l'accès serait beaucoup plus long à partir d'un disque. Quand vous définissez un disque RAM, le système traite la zone mémoire comme s'il s'agissait d'un véritable lecteur de disque. Vous accédez à un disque RAM comme vous accédez à un lecteur de disque. Vous pouvez y copier des fichiers et même le diviser en répertoires et sous-répertoires. Si vous utilisez un programme qui nécessite un accès disque fréquent, copiez tout le programme dans le disque RAM, accédez à ce disque puis exécutez l'application. Le chargement et la sauvegarde de fichiers sur le disque RAM est beaucoup plus rapide que l'utilisation d'un vrai disque.

Créez un disque RAM en utilisant le gestionnaire de périphérique DOS VDISK.SYS (fourni avec PC-DOS) ou RAMDRIVE.SYS (fourni avec de nombreuses versions de MS-DOS) dans CONFIG.SYS. La syntaxe de la commande est :

DEVICE=<*chemin*>\VDISK.SYS<*options*>

Ajoutez par exemple la commande :

DEVICE=C:\DOS\VDISK.SYS

pour créer un disque RAM. Quand vous réamorcez ou mettez votre ordinateur sous tension, un message similaire à celui-ci apparaît :

```
VDISK Version n.nn disque virtuel D:
Taille buffer :        64K
Taille secteur :       128
Entrées de répertoires : 64
Taille transfer :      511
```

Entrez **D:** pour accéder au disque RAM. A ce stade, vous pouvez l'utiliser comme s'il s'agissait de n'importe quel disque de votre système. Cependant, à l'inverse d'un lecteur de disque, le disque RAM est volatile ; son contenu est complètement effacé quand vous mettez hors tension ou réamorcez votre ordinateur. C'est la raison pour laquelle il est impératif de copier vos nouveaux fichiers ou vos fichiers mis à jour sur un disque réel avant d'éteindre la machine.

Des options déterminent la capacité du disque, la taille de ses secteurs, le nombre d'entrées de répertoire et le type de mémoire à utiliser.

La syntaxe des options est :

DEVICE=<*chemin*>\VDISK.SYS <*xxx*> <*yyy*> <*zzz*> </E ou / A>

dans laquelle :

xxx   Détermine la taille totale du disque en octets.

yyy   Détermine la taille de chaque secteur (512 est la valeur recommandée).

zzz   Spécifie le nombre maximum des entrées de répertoire racine.

/E   Crée le disque RAM en mémoire étendue.

/A   Crée le disque RAM en mémoire paginée, tant que le gestionnaire EMS est chargé.

Utilisation d'un cache-disque

Bien qu'un disque RAM puisse accélérer votre travail, la mise hors tension de votre système avant la sauvegarde des données d'un disque RAM sur un disque réel peut être catastrophique. Un compromis consiste à utiliser un cache-disque. Un *cache disque* est un programme qui stocke automatiquement des secteurs disque souvent utilisés en mémoire RAM. Quand le DOS a besoin des secteurs, le programme cache les recharges depuis la mémoire RAM et non depuis le disque (qui est plus lent).

Les secteurs sont stockés uniquement pour les opérations de lecture ; par conséquent, si vous mettez accidentellement votre ordinateur hors tension ou si vous avez besoin de le réamorcer, vous ne perdez pas de données.

Il existe de nombreux programmes cache différents ; certains font partie des versions du DOS, d'autres sont disponibles dans les programmes utilitaires. La plupart vous permettent de spécifier la quantité de mémoire à leur affecter et s'il faut utiliser la mémoire étendue ou paginée.

SMARTDRV, par exemple, est un gestionnaire de périphérique cache-disque fourni avec Microsoft Windows. La version fournie avec Windows 3.1 comprend plusieurs options pour configurer la manière dont est utilisée la mémoire. La syntaxe permettant de l'inclure à CONFIG.SYS est :

DEVICE=<*chemin*>\SMARTDRV.SYS<*xxx*> <*yyy*>/Ade
côté.de façon régulière

dans laquelle :

xxx Détermine la taille du cache en kilo-octets quand Windows ne tourne pas.

yyy Etablit la taille du cache en kilo-octets quand Windows tourne -c'est la taille cache.

/A Utilise la mémoire paginée (la mémoire étendue est employée si cette option n'est pas incluse).

Sans options, le gestionnaire affecte un cache de 256 Ko en mémoire étendue.

A titre d'exemple, la commande de création d'un cache-disque de 1 Mo utilisant la mémoire paginée est :

DEVICE=C:\WIN\SMARTDRV.SYS 1024/A

Le gestionnaire SMARTDRV fourni avec des versions de Windows antérieures à la version 3.0 n'inclut pas l'option de taille cache minimum.

Spooler d'impression

La partie la plus lente d'un système informatique est l'imprimante. Même la plus rapide des imprimantes est incapable de s'aligner sur la vitesse à laquelle les données sont transmises par l'intermédiaire d'un port série ou d'un port parallèle.

C'est la raison pour laquelle l'ordinateur envoie autant de données que l'imprimante est capable d'en manipuler puis attend qu'elle puisse en accepter à nouveau.

Certaines applications vous font attendre qu'un document ou une publication soit complètement imprimé avant qu'il soit possible de commencer à travailler sur un autre. D'autres applications peuvent imprimer en *tâche de fond*, en divisant le temps de traitement en sections pour qu'il soit possible de travailler sur un document pendant l'impression d'un autre document. Il est par contre impossible de sortir de l'application tant que l'impression n'est pas terminée et votre affichage peut sembler un peu à la traîne par rapport à la frappe.

Un *spooler* d'impression est un programme qui intercepte des données envoyées à l'imprimante et qui les stocke dans une zone mémoire aussi rapidement que votre application les transmet. Pour ce qui concerne l'application, tout le document est imprimé lorsque toutes les données se trouvent dans le spooler. Le spooler gère ensuite seul l'impression en tâche de fond, en déplaçant des données depuis la mémoire dès que l'imprimante devient disponible. Vous pouvez travailler sur un autre document, changer d'application et même envoyer d'autres travaux au spooler. Tout travail d'impression se trouvant dans le spooler est cependant terminé dès que vous mettez l'ordinateur hors tension.

La commande DOS PRINT agit comme un spooler d'impression qui utilise de la mémoire conventionnelle pour stocker des données. Elle n'utilise pas de mémoire étendue ou paginée et peut seulement imprimer à partir du signal DOS des fichiers texte ASCII ou des fichiers d'impression spéciaux.

En utilisant des disques RAM, des caches et des spoolers, vous pouvez tirer parti de la mémoire étendue ou paginée même quand vos applications ne peuvent pas le faire.

13 AJOUT DE LECTEURS DE DISQUES

Les lecteurs de disques de votre ordinateur doivent être capables d'exécuter vos programmes d'application. De nombreux programmes nécessitent un lecteur de disque dur ou un nombre, une taille et une capacité de disques souples particuliers. Dans les chapitres précédents, vous avez examiné votre logiciel pour déterminer le matériel qu'il nécessite et vous avez appris à utiliser vos lecteurs de disques. Dans ce chapitre, vous apprendrez à ajouter de nouveaux lecteurs ou à remplacer des lecteurs existants pour répondre aux besoins élémentaires de votre logiciel et pour améliorer la performance de votre ordinateur. Vous apprendrez aussi à préparer votre lecteur de disque dur et à récupérer le contenu de certains disques qui semblent endommagés au-delà de toute réparation.

L'ajout d'une nouveau lecteur de disques est facile mais nécessite quelques capacités techniques. Si vous n'êtes pas sûr de pouvoir travailler à l'intérieur de votre ordinateur, consultez un revendeur ou un réparateur spécialisé. Lisez ce chapitre même si vous ne voulez pas ajouter vous-même un lecteur, de façon à apprendre à préparer votre disque dur et à corriger les problèmes. Si vous décidez d'installer votre propre lecteur de disques, achetez-le chez un vendeur de confiance. Alors qu'un ordinateur d'occasion peut être un excellent investissement, les lecteurs de disques de deuxième main ne sont pas recommandés.

■ REMPLACEMENT DE LECTEURS DE DISQUES ENDOMMAGÉS

Votre système comprend en fait peu de parties remplaçables. Mis à part le clavier, un ventilateur et peut-être une souris mécanique, les seules parties mécaniques qui peuvent souffrir d'une utilisation sont les lecteurs de disques. En d'autres termes, vos lecteurs de disques constituent la partie du système qui risque le plus de tomber en panne. A chaque fois que vous démarrez votre système, vous usez les lecteurs. Chaque opération de lecture et d'écriture exécutée par votre ordinateur les abîme un peu plus.

Nous faisons tellement confiance à nos lecteurs que, lorsqu'ils tombent en panne ou perdent de leur capacités, tout le système en souffre. Certains systèmes vous laissent amorcer depuis un lecteur différent si votre disque d'amorçage ne fonctionne plus, soit à partir du lecteur de disque dur, soit à partir de l'un des lecteurs de disquettes. Mais d'autres systèmes ne démarrent pas du tout si le disque dur ne fonctionne plus ou si le lecteur de disquettes A est inopérant. Avec un soin et une attention appropriés, vos lecteurs peuvent durer aussi longtemps que votre système. Il arrive néanmoins que les lecteurs tombent en panne et doivent être remplacés.

Les lecteurs de disques souples sont généralement moins chers et plus faciles à remplacer qu'à réparer. Le remplacement du loquet de fermeture d'un lecteur coûte plus cher qu'un nouveau lecteur de disques souples. Certains problèmes de disque dur peuvent cependant être réparés pour un prix moins élevé que celui du remplacement. En fait, vous pouvez généralement corriger vous-même la plupart des problèmes de lecteur de disque dur en vous servant du

DOS et d'autres utilitaires bien que les données stockées sur ce disque risquent probablement d'être perdues. Quand surgissent des problèmes plus importants, vous pouvez réparer au lieu de remplacer afin d'essayer de sauver les données, et non pas nécessairement pour gagner de l'argent. Mais, si le disque dur est physiquement endommagé, les coûts de réparation très élevés font du remplacement une option non négligeable.

AJOUT DE CAPACITÉ DE STOCKAGE

Les lecteurs de disques de votre ordinateur peuvent être opérationnels mais insuffisants pour stocker ou exécuter vos programmes d'application.

Vous risquez aussi d'avoir des logiciels stockés dans des formats disque qui sont incompatibles avec ceux de votre ordinateur comme des disques 1,2 Mo quand vous avez des lecteurs 360 Ko ou des disques 5 pouces $^1/_4$ avec des lecteurs 3 pouces $^1/_2$. Si vous avez un ordinateur comportant seulement un lecteur de disques 3 pouces $^1/_2$, il est vraisemblable que vous aurez un problème de taille de disque.

Si vos lecteurs de disques ne peuvent pas recevoir votre logiciel, vous devez ajouter un lecteur de disques souples ou un disque dur à votre système ou remplacer un lecteur de disques existant par un lecteur de taille ou de capacité différente.

LES CONTRÔLEURS DE DISQUE

Un système disque se compose de deux parties, le mécanisme de lecture/écriture et le contrôleur. Le *mécanisme de lecture/ écriture* se compose du lecteur de disques lui-même (dans lequel vous insérez un disque souple), des composants mécaniques qui font tourner et qui manient le disque et les circuits électroniques qui l'alimentent. C'est ce mécanisme que vous entendez quand vous accédez au lecteur. Le *contrôleur* est un circuit électronique qui convertit les commandes et les données de l'ordinateur en signaux. Dans la plupart des cas, le contrôleur se trouve sur une carte circuit séparée.

Les contrôleurs diffèrent par le nombre et le type des lecteurs qu'ils acceptent. La plupart des contrôleurs acceptent deux lecteurs de disquettes et deux disques durs. Pour ajouter un disque dur, il suffit d'acheter le disque dur lui-même et de le connecter au contrôleur existant. Certains systèmes plus anciens acceptent cependant seulement des lecteurs de disquettes (généralement deux, bien que l'ordinateur IBM initial en acceptait quatre). Pour ajouter un lecteur de disque dur à ces systèmes, il fallait acheter et insérer un contrôleur de disque dur séparé.

De nombreux contrôleurs de compatibles PC et XT ne peuvent pas accepter de disques 3 pouces $^1/_2$ de 1,44 Mo. Cependant, vous pouvez installer ce type de lecteur mais il faut aussi acheter un contrôleur séparé.

■ COMMENT MAINTENIR LA COMPATIBILITÉ DISQUE

Avant d'installer le lecteur de disques, vérifiez qu'il est compatible avec votre système. Il doit être compatible avec l'interface de votre contrôleur et son format doit être compatible avec le matériel et le BIOS. Il doit être physiquement compatible pour tenir dans votre ordinateur.

Codage des données

Les données sont enregistrées sur un disque par des impulsions électriques qui altèrent le champ magnétique sur des parties de la surface du disque. Le système le plus couramment employé pour l'enregistrement est le *Modified*

Frequency Modulation ou *MFM*. Chaque modification du champ magnétique, appelée *transition de flux*, est interprétée comme un *un* ou un *zéro* binaire.

Run Length Limited ou *RLL* est un système qui peut stocker jusqu'au double de données sur le même disque en convertissant les données au format RLL. Une technique appelée *2,7 RLL* stocke 50 % de données en plus que le système MFM, tandis que *Advanced RLL* ou *3,9 RLL* double la capacité MFM.

Interface

L'interface disque contrôle le mouvement des têtes de lecture/écriture de secteur en secteur et le transfert des données vers et à partir de la surface du disque. Alors que les lecteurs de disques sont interfacés exactement de la même manière, il existe plusieurs types d'interfaces disque dur.

La première interface utilisée par IBM et utilisée fréquemment avec des lecteurs de moins de 40 Mo s'appelle *ST506*. Elle relie le lecteur au contrôleur avec deux câbles ruban plats. Un *câble de données* avec 20 fils transporte des informations binaires à enregistrer sur ou lues à partir du disque. Un *câble de contrôle* plus large de 34 fils transporte les signaux qui régulent le lecteur et les opérations qu'il exécute. L'ordinateur stocke un enregistrement des paramètres du lecteur comprenant le nombre de mauvais secteurs, soit dans son BIOS, soit dans sa mémoire CMOS. Le contrôleur vérifie l'enregistrement avant d'écrire sur le disque.

Une interface plus récente, l'interface *Enhanced Small Device* ou *ESDI*, se connecte aussi avec deux câbles mais permet aux données d'être transmises plus rapidement qu'avec la ST506. Alors qu'elle peut être utilisée avec des lecteurs de basse capacité, la ESDI est plus fréquemment utilisée pour des lecteurs plus gros, jusqu'à 600 Mo. Les systèmes ESDI stockent des informations de paramétrage et de mauvais secteurs sur le lecteur lui-même. Le contrôleur accède aux informations à partir du lecteur plutôt qu'à partir de la mémoire CMOS.

Les lecteurs acceptés par les interfaces ST506 et ESDI sont des périphériques essentiellement mécaniques qui nécessitent leur propre contrôleur. Il ne faut pas acheter de lecteur tant que vous n'êtes pas sûr qu'il est compatible avec le contrôleur.

L'interface *Small Computer Standard Interface (SCSI)* offre une approche générique à l'interfaçage. Au lieu d'installer une carte contrôleur séparée pour chaque périphérique, vous installez un *adaptateur hôte SCSI*. L'*adaptateur hôte* convertit les signaux de l'ordinateur en un format acceptable pour tous les périphériques SCSI qui ont leur propre contrôleur intégré. Une fois l'adaptateur hôte installé, vous pouvez acheter et utiliser n'importe quel périphérique SCSI sans vous occuper de la compatibilité.

Les lecteurs SCSI utilisent un câble simple de 50 fils. Vous pouvez connecter jusqu'à sept périphériques SCSI sur un adaptateur hôte, en les connectant l'un derrière l'autre sur le même câble. Chaque périphérique se contrôle lui-même, ce qui signifie donc théoriquement que plusieurs périphériques SCSI peuvent être employés simultanément.

Compatibilité physique

Les lecteurs de disques (à l'exception des cartes disque dur que nous examinerons plus loin) sont installés dans des boîtiers externes ou derrière le panneau avant de votre ordinateur. La taille et le nombre de places disponibles déterminent le nombre de lecteurs que vous pouvez installer dans votre système. Il est évidemment impossible de faire tenir des lecteurs 5 pouces $^1/_4$ dans un emplacement conçu pour des lecteurs 3 pouces $^1/_2$. De plus, vos emplacement de lecteur de disques peuvent être de pleine hauteur ou de demi-hauteur. Un emplacement de pleine hauteur peut accepter soit un lecteur de pleine hauteur d'environ 3 pouces $^1/_2$ de haut, soit deux lecteurs de demi-hauteur de 1 pouce $^3/_4$ de haut (Figure 13.1).

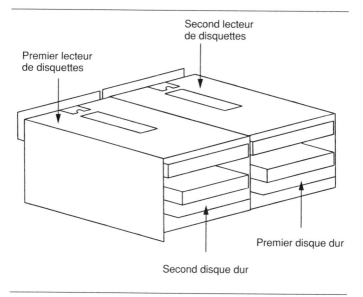

Figure 13.1 : Système avec quatre emplacements de lecteur de demi hauteur.

L'installation d'un lecteur 3 pouces $^1/_2$ qui fait environ 1 pouce $^1/_2$ de haut dans un emplacement lecteur de demi-hauteur 5 pouces $^1/_4$ nécessite un adaptateur spécial, une petite cage de demi-hauteur qui contient le lecteur et masque l'espace libre (Figure 13.2).

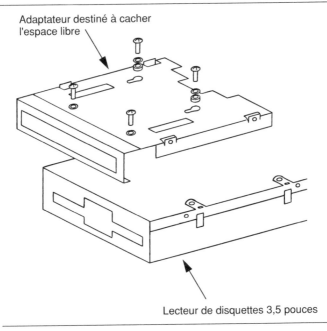

Adaptateur destiné à cacher
l'espace libre

Lecteur de disquettes 3,5 pouces

Figure 13.2 : Adaptateur pour mettre un lecteur 3 pouces $^1/_2$ dans un emplacement de lecteur 5 pouces $^1/_4$.

Compatibilité système

En dehors de la possibilité physique d'entrer dans l'emplacement, le lecteur doit être compatible avec le DOS et le BIOS. Les lecteurs 5 pouces $^1/_4$ haute capacité nécessitent les versions DOS 3.0 et plus récentes. La version 3.2 est nécessaire pour les lecteurs 3 pouces $^1/_2$ 720 Mo et la version 3.3 ou plus récente est nécessaire pour les lecteurs haute capacité 1,44 Mo. Certaines versions du DOS 3.21 peuvent aussi accepter des disques de 1,44 Mo.

De plus, le BIOS et certains modèles plus récents PC et XT n'acceptent pas de disques 1,2 Mo et certains modèles AT et PS/2 ne peuvent pas utiliser de disques 1,44 Mo. Pour outrepasser ces limites, vous devez acheter un contrôleur de disque spécial avec les fonctions BIOS intégrées. Vous pouvez aussi utiliser les gestionnaires de périphérique DRIVER.SYS ou DRIVEPARM inclu dans le DOS versions 3.2 et plus récentes. Ils vous permettent d'utiliser des lecteurs, aussi bien internes qu'externes, qui ne sont pas acceptés par le BIOS. Consultez votre manuel DOS si vous vous posez des questions.

LES ÉLÉMENTS MATÉRIELS DU LECTEUR

Pour installer un lecteur, vous devez utiliser les câbles appropriés. Les lecteurs se connectent à l'alimentation interne de l'ordinateur et au contrôleur de disque. Si les connecteurs du lecteur sont de type incorrect pour être reliés aux câbles se trouvant déjà dans le système, vous devez acheter de nouveaux câbles ou des adaptateurs spéciaux qui les rendent compatibles.

Vous aurez peut-être aussi besoin de faire quelques ajustements à la partie matérielle du lecteur et aux interrupteurs situés à l'intérieur de l'ordinateur lui-même. Alors que bon nombre de ces ajustements sont faciles à réaliser, il est préférable d'avoir la documentation du lecteur et de l'ordinateur. Si vous n'avez pas cette documentation, faites-vous installer le lecteur par un professionnel.

Nous allons examiner en détail ces considérations matérielles.

Connexions d'alimentation

La plupart des alimentations ont quatre connecteurs de 4 fils qui peuvent être utilisés pour n'importe quelle combi-

naison de disques souples ou de disques durs (Figure 13.3).
Il n'y a qu'une seule position pour les connecteurs. Si vous
avez seulement deux connecteurs, vous pouvez installer un
troisième lecteur à l'aide d'un connecteur Y, adaptateur qui
divise un connecteur d'alimentation en deux (Figure 13.4).

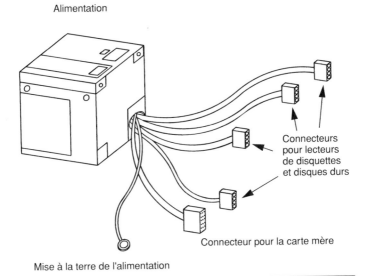

Alimentation

Connecteurs
pour lecteurs
de disquettes
et disques durs

Connecteur pour la carte mère

Mise à la terre de l'alimentation

Figure 13.3 : Connecteurs de lecteurs de disquettes et de disques durs.

Cependant, si vous installez un disque dur avec un
connecteur Y, vérifiez que l'alimentation du système est
adéquate. Les modèles PC les plus récents ont une alimentation faible de 63,5 ou 100 watts, trop faible pour être
partagée en toute sécurité entre deux lecteurs de disques
souples de demi-hauteur et un lecteur de disque dur pleine
hauteur. La plupart des modèles XT ont des alimentations
130 watts et les AT jusqu'à 200 watts, ce qui est suffisant
pour des lecteurs de disques supplémentaires.

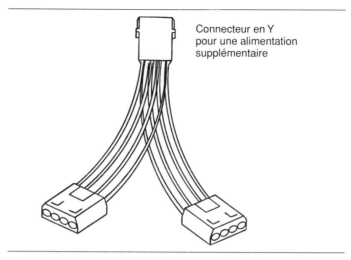

Connecteur en Y
pour une alimentation
supplémentaire

Figure 13.4 : Connecteur Y.

Correspondance entre les connecteurs et les câbles

Les lecteurs de disquettes se connectent au contrôleur avec un câble 34 fils ; l'extrémité reliée au contrôleur est équipée d'un connecteur femelle de type broche.

La plupart des câbles ont deux autres connecteurs, un à l'extrémité opposée pour se connecter avec le lecteur A et l'autre au centre pour le lecteur B. L'extrémité destinée au lecteur A se compose d'un groupe de fils torsadés, ce qui permet toujours de la distinguer du connecteur du contrôleur.

Les connecteurs sur carte sont utilisés pour des lecteurs 5 pouces $^1/_4$ et de nombreux lecteurs 3 pouces $^1/_2$. Certains lecteurs 3 pouces $^1/_2$ emploient cependant un connecteur de type broche. Si vous ajoutez un deuxième lecteur de disques avec un type de connecteur différent du lecteur existant, vous aurez besoin d'un nouveau câble.

Branchez toujours l'extrémité comportant les fils torsadés dans le lecteur A et le connecteur central dans le lecteur B. Le Tableau 13.1 montre le type des connecteurs dont vous aurez besoin pour diverses combinaisons de lecteurs qui comportent différents types de connecteurs. Pour installer par exemple un lecteur 3 pouces $^1/_2$ dans un système comportant déjà un lecteur 5 pouces $^1/_4$, vous aurez besoin d'un câble avec un connecteur sur carte à une extrémité et un connecteur de type broche au centre.

Lecteur A	Lecteur B	Connecteur d'extrémité (fils torsadés)	Connecteur central	Extrémité du contrôleur
5 pouces $^1/_4$	5 pouces $^1/_4$	Connecteur sur carte	Connecteur sur carte	Broche
3 pouces $^1/_2$	3 pouces $^1/_2$	Broche	Broche	Broche
5 pouces $^1/_4$	3 pouces $^1/_2$	Connecteur sur carte	Broche	Broche
3 pouces $^1/_2$	5 pouces $^1/_4$	Broche	Connecteur sur carte	Broche

Tableau 13.1 : Configurations câble pour des lecteurs de disques utilisant différents connecteurs.

Les connecteurs sur carte sont conçus pour ne pouvoir être placés que d'une seule façon. Les connecteurs de type broche sur des lecteurs 3 pouces $^1/_4$ peuvent se connecter physiquement dans n'importe quel sens mais seule une des possibilité est correcte. Une extrémité du câble est rayée, peinte en rouge ou en noir. Le côté rayé représente la broche numéro 1. Branchez le connecteur de telle sorte que le côté rayé soit aligné avec la broche numéro 1 de la prise du lecteur. Avec le lecteur monté horizontalement, la broche numéro 1 se trouve généralement sur la gauche du connecteur sur carte.

Les lecteurs de disque dur se connectent avec un ou deux câbles. Le câble de données des lecteurs ST412 et ESDI est un câble de 20 fils avec un connecteur de type broche qui va sur le contrôleur et un connecteur sur carte pour le lecteur.

Le câble du contrôleur est identique au câble d'un lecteur de disquettes 5 pouces $^1/_4$. Il comporte un connecteur 34 broches pour le contrôleur et deux connecteurs d'extrémité pour les lecteurs. Branchez l'extrémité comportant les fils torsadés sur le lecteur C et le connecteur central sur le lecteur D.

Le câble du contrôleur est identique au câble d'un lecteur de disquettes 5 pouces $^1/_4$. Il comporte un connecteur 34 broches pour le contrôleur et deux connecteurs d'extrémité pour les lecteurs. Branchez l'extrémité comportant les fils torsadés dans le lecteur C et le connecteur central dans le lecteur D.

Etablissement des cavaliers de sélection de lecteur

Les lecteurs de disques possèdent en général un *système de sélection de lecteur* que certains systèmes utilisent pour déterminer la lettre du lecteur. Le système est soit un cavalier placé près de l'arrière du lecteur, soit un petit commutateur coulissant placé sur le côté des lecteurs 3 pouces $^1/_2$ qui doit être établi de façon à indiquer la lettre du lecteur (Figure 13.5).

Résistances de terminaison

Les câbles du contrôleur de lecteur sont conçus pour que les charges électriques les parcourent d'une extrémité à l'autre.

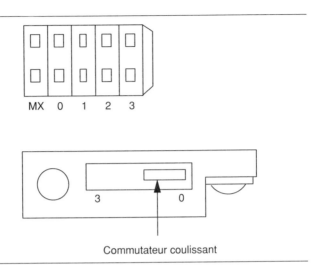

Figure 13.5 : Système de sélection de lecteur.

Mais, quand les charges se heurtent à l'extrémité du câble, elles risquent d'être réfléchies vers le contrôleur en provoquant éventuellement des erreurs ou en endommageant vos disques.

Pour empêcher cela, le lecteur se trouvant à l'extrémité du câble, lecteur A ou C, comporte une résistance de terminaison qui absorbe les charges avant qu'elles puissent être réfléchies. La résistance de terminaison se trouve généralement au dos du lecteur, près du connecteur du câble du contrôleur. Elle peut avoir la forme d'un circuit intégré avec deux rangées de broches branchées dans une prise, ou d'un SIPP (*single in-line pin package*), objet rectangulaire fin avec une rangée de broches.

Si vous installez un lecteur B ou D, vous devez enlever la résistance de terminaison.

COMMENT ENLEVER UN LECTEUR DE DISQUES

Les étapes permettant d'enlever un lecteur de disquettes ou un disque dur sont pratiquement identiques. Vous avez besoin d'un tournevis Phillips et de papier adhésif. Selon l'ordinateur dont vous disposez, il vous faudra peut-être aussi un tournevis à lame fine.

Pour remplacer ou enlever votre lecteur, procédez de la façon suivante :

1. Parquez les têtes du disque dur si vous en avez un, comme nous l'avons vu dans le Chapitre 5.

2. Débranchez les cordons d'alimentation.

3. Enlevez le couvercle.

4. Accédez au lecteur. Cette manipulation est différente selon la position du disque que vous désirez enlever et la manière dont il est fixé à l'intérieur de l'ordinateur.

   • Certaines machines ont un écran de protection métallique couvrant les emplacements du lecteur et qu'il faut d'abord enlever pour accéder aux lecteurs.

   • D'autres systèmes protègent un ou plusieurs lecteurs dans un boîtier en métal qui est à son tour connecté à la terre. Dans ce cas, il faut dévisser et enlever le boîtier pour accéder aux lecteurs.

   • Vous devrez peut-être enlever un disque pour accéder à celui que vous voulez vraiment retirer.

   • Enlevez le câble du contrôleur et le câble d'alimentation connectés au lecteur. Avant de débrancher un câble, marquez-le pour indiquer le lecteur auquel il était relié. Il faut le faire même si vous n'enlevez qu'un seul lecteur car certaines machines ont des câbles d'alimentation supplémentaires pour d'autres lecteurs. Marquez le câble en écrivant la lettre du lecteur sur un morceau de ruban adhésif et en enroulant solidement le ruban autour d'une extrémité du câble.

6. Otez les vis qui fixent le lecteur à son emplacement.

7. Sortez le lecteur. Placez-le sur une surface isolée en faisant attention de ne pas endommager un des composants électriques ou mécaniques.

INSTALLATION DE VOTRE PREMIER DISQUE DUR

Si vous avez un système à disques souples, votre premier lecteur de disque dur modifiera complètement la manière dont vous utilisez votre ordinateur. Il ne sera plus nécessaire de chercher un disque DOS pour amorcer votre ordinateur ou de fouiller dans des piles de disques souples pour trouver un programme ou un fichier. Etant donné que les lecteurs de disque dur accèdent aux informations plus rapidement que les lecteurs de disquettes, vous constaterez une augmentation spectaculaire de la rapidité de l'ensemble des opérations.

Vous apprendrez dans cette section à installer un disque dur dans un système à disques souples. N'essayez pas d'installer un disque dur si vous n'avez pas confiance dans vos capacités ! Bien qu'il s'agisse d'une tâche simple dans de nombreux systèmes, elle peut s'avérer compliquée avec d'autres. Les disques durs ne sont pas aussi susceptibles de provoquer des dégâts que les cartes circuit mais ils peuvent être endommagés s'ils sont insérés de façon incorrecte ou manipulés brutalement.

Détermination du matériel nécessaire

En plus du lecteur et des câbles, vous aurez peut-être besoin d'une carte contrôleur et d'un adaptateur d'alimentation. Consultez la documentation de votre système ou bien contactez un magasin spécialisé. Si vous n'obtenez pas de réponse satisfaisante, procédez de la façon suivante :

1. Débranchez les câbles d'alimentation.

2. Enlevez le couvercle.

3. Suivez le câble-ruban large depuis les disques souples jusqu'à la carte contrôleur du lecteur de disquettes. S'il y a un connecteur 34 broches inemployé, le contrôleur accepte un disque dur. Un connecteur est destiné aux lecteurs de disquettes, l'autre est pour le disque dur. Achetez un lecteur et un câble mais pas de carte contrôleur. Décrivez simplement au vendeur la marque et le modèle de votre système.

   Si vous avez besoin d'acheter aussi un contrôleur, achetez-le avec le lecteur pour être sûr de sa compatibilité. Etant donné que la plupart des modèles les plus anciens ne peuvent pas gérer des lecteurs de disquettes 3 pouces $^1/_2$ de 1,44 Mo, consultez votre documentation pour voir si vous avez besoin d'une carte contrôleur spéciale.

4. Suivez les connecteurs d'alimentation du lecteur de disquettes jusqu'à l'alimentation. S'il n'y a pas de connecteur 4 fils inemployé, vous avez besoin d'un connecteur Y.

Préparation de l'emplacement du lecteur

Quand vous avez tous les éléments nécessaires à l'installation du lecteur, commencez par préparer l'emplacement du lecteur.

1. Débranchez les cordons d'alimentation.

2. Enlevez le couvercle.

3. Accédez à l'emplacement dans lequel vous insérerez le lecteur, en ôtant et en marquant tous les câbles que vous devez enlever.

Enlevez le couvercle qui masque l'emplacement mais gardez-le au cas où vous souhaiteriez plus tard enlever un lecteur (Figure 13.6).

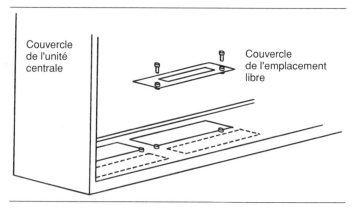

Couvercle
de l'unité
centrale

Couvercle
de l'emplacement
libre

Figure 13.6 : Comment enlever le couvercle de l'emplacement disponible.

Installation d'un contrôleur

Procédez de la façon suivante si vous installez aussi un contrôleur de disque dur.

1. Enlevez la plaque recouvrant un slot d'extension inemployé.

2. Insérez la carte contrôleur comme cela est expliqué dans le Chapitre 9.

3. Connectez les câbles au contrôleur (Figure 13.7).

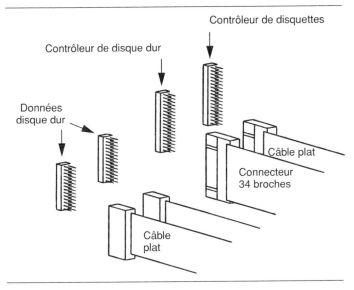

Figure 13.7 : Contrôleur de lecteur et câbles de données reliés à la carte contrôleur.

Si vous avez deux câbles ruban, l'un se compose de 20 fils et l'autre de 34 fils. Tous deux ont des connecteurs de type broche et doivent être installés de telle sorte que l'extrémité rayée s'aligne avec la broche numéro 1 sur la carte.

Insertion du lecteur

Installez enfin le lecteur et connectez ses câbles. Assurez-vous que le lecteur est équipé de vis de montage.

1. Etablissez le système de sélection de lecteur selon les instructions du fabricant. Si vous n'avez pas d'instructions, établissez le cavalier à la position 2 avec un câble comportant des fils torsadés ou à la position 1 pour un câble droit.

2. Vérifiez que la résistance de terminaison est installée.

3. Fixez le lecteur au boîtier en utilisant les petites vis fournies.

4. Connectez les câbles au lecteur. Vérifiez de bien connecter l'extrémité du câble du contrôleur avec les fils torsadés au connecteur sur carte du lecteur.

5. Connectez l'alimentation, soit directement, soit avec un connecteur Y.

6. Réinstallez les autres lecteurs, câbles ou boîtiers que vous avez enlevés et recherchez soigneusement d'éventuelles vis perdues.

7. Replacez le couvercle.

Consultez la section "Initialisation de votre disque dur" un peu plus loin dans ce chapitre.

■ *INSTALLATION DE VOTRE DEUXIÈME DISQUE DUR*

Au fur et à mesure que vous ajoutez des logiciels à votre système et que vos fichiers de données augmentent, vous risquez de commencer à manquer de place sur votre disque dur. Si vous avez un emplacement disponible, vous pouvez ajouter un deuxième disque dur avec une capacité plus importante au lieu de remplacer celui que vous avez déjà.

Selon la manière dont vous établissez votre système, un disque dur peut être le lecteur C et l'autre le lecteur D. Vous pouvez même utiliser le deuxième disque dur pour stocker des fichiers depuis le premier.

Procédez de la façon suivante pour installer un deuxième lecteur de disque dur :

1. Parquez les têtes de votre disque dur puis débranchez les cordons d'alimentation.

2. Enlevez le couvercle.

3. Libérez l'emplacement dans lequel vous allez insérer le disque dur en débranchant et en marquant tous les câbles que vous devez enlever.

4. Etablissez le système de sélection de lecteur selon les instructions du fabricant pour installer le lecteur comme lecteur D, le deuxième disque dur. Si vous n'avez pas d'instructions, établissez le cavalier sur la position 2.

5. Enlevez la résistance de terminaison sur le lecteur que vous installez. Une résistance de terminaison doit être déjà installée sur le premier lecteur à l'extrémité du câble.

6. Fixez le lecteur au boîtier en utilisant les petites vis fournies.

7. Connectez la prise de type broche du câble de données 20 fils à la carte contrôleur.

8. Connectez l'autre extrémité du câble de données au lecteur.

9. Connectez la prise centrale du câble contrôleur au connecteur sur carte du lecteur. Sur les systèmes

comportant seulement un lecteur de disquettes, vérifiez que vous utilisez le câble qui est déjà relié au premier disque dur et non pas le câble du lecteur de disquettes.

10. Connectez l'alimentation, soit directement, soit avec le connecteur Y.

11. Réinstallez les autres lecteurs, câbles ou boîtiers que vous avez enlevés et recherchez d'éventuelles vis perdues.

12. Replacez le couvercle.

Consultez la section "Initialisation de votre disque dur" un peu plus loin dans ce chapitre.

INSTALLATION D'UN DEUXIÈME LECTEUR DE DISQUETTES

Les disques durs ont une valeur inestimable mais il n'y a pas mieux que deux lecteurs de disques souples pour faire des copies de disques. Il est facile d'insérer un deuxième lecteur de disquettes ou de remplacer le lecteur B par un lecteur de taille ou de capacité différente. Etant donné que tous les contrôleurs de disquette acceptent au moins deux lecteurs, vous n'avez besoin que du lecteur lui-même. Consultez la section "Connecteurs et câbles" pour vérifiez que vous avez le matériel approprié. Suivez ensuite les étapes ci-dessous pour insérer un deuxième lecteur de disquettes qui a la même taille que le premier.

1. Parquez les têtes de votre disque dur si vous en avez un puis débranchez les cordons d'alimentation.

2. Enlevez le couvercle.

3. Libérez l'emplacement dans lequel vous allez insérer le lecteur. Débranchez et marquez tous les câbles qui

vous gênent et enlevez le couvercle blanc de l'emplacement.

4. Etablissez le système de sélection de lecteur selon les instructions du fabricant. Si vous n'avez pas d'instructions, établissez le cavalier sur la position 2 pour un câble torsadé ou sur la position 1 pour un câble droit.

5. Enlevez la résistance terminale.

6. Fixez le lecteur au boîtier en utilisant les petites vis fournies.

7. Connectez la prise centrale du câble contrôleur au lecteur (Figure 13.8).

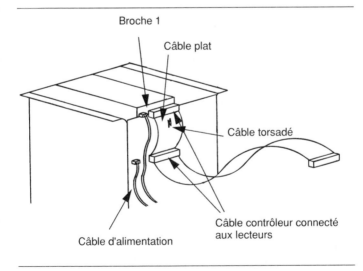

Figure 13.8 : Deuxième lecteur de disques connecté à la prise centrale sur le câble.

8. Connectez l'alimentation, soit directement, soit avec le connecteur Y.

9. Réinstallez les autres lecteurs, câbles ou boîtiers que vous avez enlevés et recherchez d'éventuelles vis perdues.

10. Sur les systèmes XT, vous devez établir les commutateurs situés sur la carte mère de telle sorte que l'ordinateur reconnaisse le lecteur supplémentaire. Etablissez les commutateurs comme indiqué dans le Tableau 13.2. Avec deux lecteurs de disquettes, le commutateur 7 doit être vers le bas (en position 0 ou "off") et le commutateur 8 vers le haut (en position 1 ou "on").

Nombre de lecteurs de disquettes	Commutateur 7	Commutateur 8
1	bas (0)	bas (0)
2	bas (0)	haut (1)
3	haut (1)	bas (0)
4	haut (1)	haut (1)

Tableau 13.2 : Sur les systèmes XT, établissez les commutateurs de la carte mère pour reconnaître le numéro des lecteurs de disquettes installés.

11. Replacez le couvercle.

Mélange de tailles de lecteur

Vous avez besoin d'un matériel spécial pour insérer un deuxième lecteur ayant une taille différente du premier.

Etant donné que les lecteurs 3 pouces $^1/_2$ sont de plus en plus employés dans le monde du PC, de nombreux utilisateurs veulent ajouter un lecteur 3 pouces $^1/_2$ à des systèmes 5 pouces $^1/_4$. Certains lecteurs 3 pouces $^1/_2$ sont installés dans un adaptateur pour pouvoir entrer dans un emplacement de lecteur 5 pouces $^1/_4$. Dans le cas contraire, vous avez besoin d'un adaptateur de boîtier pour installer le lecteur. Vérifiez aussi la taille et le type des connecteurs à l'arrière du lecteur. Si le lecteur utilise un connecteur de type broche, vous avez besoin d'un câble contrôleur spécial et probablement d'un adaptateur de connecteur alimentation comme nous l'avons déjà expliqué.

Lorsque vous avez tout le matériel nécessaire, procédez de la façon suivante.

1. Parquez les têtes de votre disque dur si vous en avez un puis débranchez les cordons d'alimentation.

2. Enlevez le couvercle.

3. Libérez l'emplacement dans lequel vous allez insérer le lecteur. Débranchez et marquez tous les câbles qui vous gênent et enlevez le couvercle blanc de l'emplacement.

4. Etablissez le système de sélection de lecteur selon les instructions du fabricant. Si vous n'avez pas d'instructions, établissez le cavalier sur la position 2 pour les câbles torsadés. Si le câble est droit et que vous installez le lecteur à l'extrémité du câble comme lecteur A, établissez le cavalier sur la position 1.

5. Enlevez la résistance de terminaison sur le lecteur au milieu du câble.

6. Insérez le lecteur dans son adaptateur de boîtier puis fixez le lecteur à l'emplacement du lecteur.

Certains lecteurs comporte un voyant lumineux de lecteur séparé qui se branche dans un trou de la face avant de l'ordinateur. Poussez le voyant par le trou dans un support en plastique qui le maintient en place (Figure 13.9).

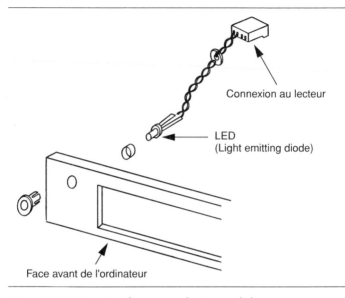

Connexion au lecteur

LED
(Light emitting diode)

Face avant de l'ordinateur

Figure 13.9 : Insertion d'un voyant lumineux de lecteur.

7. Si vous devez installer un nouveau câble de contrôleur, enlevez le câble qui est déjà installé et insérez le nouveau câble. Insérez dans la carte contrôleur l'extrémité qui ne comporte pas de fils torsadés.

8. Connectez la prise centrale du câble contrôleur sur nouveau lecteur.

9. Insérez dans le lecteur existant l'extrémité du câble comportant les fils torsadés.

10. Connectez l'alimentation. S'il y a un connecteur d'alimentation inutilisé, fixez-le à l'extrémité la plus large de l'adaptateur d'alimentation qui venait avec le lecteur puis connectez l'autre extrémité de l'adaptateur au lecteur. Si vous devez utiliser un connecteur Y, déconnectez le connecteur d'alimentation de

l'autre lecteur de disquettes, fixez le connecteur Y puis connectez-le aux deux lecteurs.

11. Réinstallez les autres lecteurs, câbles ou boîtiers que vous avez enlevés et recherchez d'éventuelles vis perdues.

12. Sur les systèmes XT, vous devez établir les commutateurs situés sur la carte mère de telle sorte que l'ordinateur reconnaisse les lecteurs de disquettes supplémentaires. Etablissez les commutateurs comme indiqué dans le Tableau 13.2. Avec deux lecteurs de disques souples, le commutateur 7 doit être vers le bas (en position 0 ou "off") et le commutateur 8 vers le haut (en position 1 ou "on").

13. Replacez le couvercle.

Pour installer un lecteur 1,44 Mo sur un système plus ancien, vous devrez peut-être installer et acheter une carte contrôleur spéciale.

Les systèmes conçus pour des lecteurs 3 pouces $^1/_2$ ont généralement de petits emplacements de lecteur qui ne peuvent pas contenir un lecteur 5 pouces $^1/_4$. Consultez un peu plus loin dans ce chapitre la section "Autres options de lecteur" pour d'autres solutions.

▨ *REMPLACEMENT D'UN LECTEUR*

Si un lecteur de disques tombe en panne, achetez et installez un nouveau lecteur de même taille et de même capacité. Vérifiez que le système de sélection de lecteur est établi sur la deuxième position (si le câble comporte des fils torsadés) et que la résistance de terminaison est installée ou enlevée comme sur l'original.

Si vous voulez passer à un disque de plus grande capacité ou de taille différente, vérifiez que votre système est totalement compatible avant d'acheter quelque matériel que ce soit. Si votre système n'est pas compatible, vous pouvez toujours passer à une version du DOS plus récente ou acheter une carte contrôleur séparée. Consultez un revendeur spécialisé ou le fabricant si vous n'êtes pas sûr.

CONFIGURATION DE VOTRE SYSTÈME

Avec certains systèmes, vous pouvez utiliser un deuxième lecteur de disquettes dès qu'il est installé ou un disque dur dès qu'il est initialisé. Si vous avez un IBM XT ou un système compatible, vous devez établir les commutateurs sur la carte mère comme le montre le Tableau 13.1. La mémoire CMOS de certaines machines AT et modèles supérieurs doit cependant être configurée pour accéder à un nouveau lecteur de disquettes et tous les AT et systèmes supérieurs doivent être configurés pour reconnaître un nouveau disque dur.

Vous devez avoir un disque d'initialisation ou de configuration sur lequel se trouve un programme destiné à configurer la mémoire CMOS ou un programme d'installation intégré à la ROM. Alors que les disques souples sont uniquement identifiés par la taille et la capacité, la vaste gamme des disques durs rend la configuration plus difficile. Pour faciliter un peu les choses, les routines d'installation CMOS identifient les disques durs courants par leur numéro de type. Quand vous entrez le numéro de type de votre lecteur, la mémoire CMOS enregistre les informations techniques qui lui sont associées. Etant donné que l'utilisation d'un numéro d'identification erroné risque d'endommager votre disque dur, consultez le manuel de votre système ou de votre disque dur ou bien le revendeur pour connaître le numéro du type de votre lecteur.

Si vous ne pouvez pas obtenir le numéro de type, ou si le disque dur n'est pas inclus dans les types de lecteurs intégrés de votre machine, vous pourrez peut-être configurer manuellement le système. Vous aurez cependant besoin de quelques informations techniques au sujet de la composition du lecteur en plus de la connaissance de sa capacité (Figure 13.10).

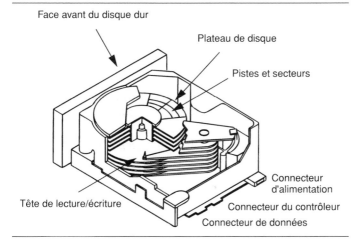

Face avant du disque dur

Plateau de disque

Pistes et secteurs

Connecteur d'alimentation

Tête de lecture/écriture

Connecteur du contrôleur

Connecteur de données

Figure 13.10 : Constitution classique d'un disque dur.

Un lecteur de disque dur contient en général plusieurs *plateaux* de disque, disques circulaires plats qui stockent des informations magnétiques. La surface de chaque plateau est divisée en séries d'anneaux concentriques appelés *pistes*, numérotés consécutivement depuis le bord extérieur en commençant par zéro. Chaque piste est divisée en *secteurs* ou segments distincts.

L'ensemble de toutes les pistes portant le même numéro s'appelle un *cylindre*. Le cylindre 1 par exemple se compose de la piste numéro 1 sur chaque plateau. Pendant que le disque tourne, les secteurs de disque passent au-dessous d'une *tête de lecture/écriture* qui enregistre ou lit les informations sur la surface du disque.

Plus les pistes sont proches du centre du disque, plus les bits doivent être enregistrés de façon dense pour maintenir un taux bits par secteur constant. Cette densité plus élevée peut résulter en un champ magnétique plus faible avec un plus grand risque d'erreurs. Pour résoudre ce problème, de nombreux systèmes augmentent automatiquement l'intensité du champ magnétique dans la tête de lecture/écriture à partir d'un certain cylindre. Ce processus s'appelle la *précompensation d'écriture.*

Quand vous configurez manuellement un disque dur dans la mémoire CMOS, vous devez connaître le nombre de secteurs par piste, le nombre de cylindres, le nombre de têtes de lecture/écriture et le numéro de cylindre auquel commence la précompensation si votre disque en a un. Vous devez aussi connaître la zone de *parkage,* zone du disque où sont placées les têtes quand une commande PARK, SHIP ou SHIPDISK est exécutée. Vous devez pouvoir trouver ces informations dans le manuel de votre disque dur. Dans le cas contraire, contactez le revendeur.

De nombreuses routines d'installation CMOS vous permettent d'entrer ces informations spécifiques à la place d'un numéro de type. Quand vous n'avez pas cette possibilité, sélectionnez un numéro de type pour un lecteur qui n'a pas plus que le nombre de cylindres et de têtes de votre lecteur ; vous risquez de perdre un peu de capacité de stockage mais vous pourrez au moins utiliser le lecteur. La sélection d'un numéro de type pour un lecteur comportant plus de cylindres et de têtes risque d'endommager votre disque dur.

■ *AUTRES OPTIONS DE LECTEUR*

Il existe plusieurs manière d'augmenter la capacité de stockage disque de votre ordinateur autres que l'installation de lecteurs standard. Certaines de ces options sont cependant assez coûteuses ou risquent de ne pas être compatibles avec votre matériel.

Vous découvrirez dans cette section des périphériques de stockage spéciaux de haute capacité et des lecteurs de disques qui ne tiennent pas dans les emplacements disque de votre système. Si vous décidez d'ajouter l'un des périphériques de stockage traités ici, consultez d'abord le fabricant de votre système ou un revendeur agréé. Vérifiez que cet ajout n'annule pas la garantie ou un contrat de réparation et que votre système est capable d'opérer avec le matériel installé.

Cartes disque dur

Si vous n'avez pas d'emplacement de lecteur disponible et que vous ne voulez pas enlever un de vos lecteurs de disquettes, vous pouvez ajouter une *carte disque dur,* carte circuit qui contient à la fois le contrôleur et le disque dur et qui se glisse dans un slot libre. La plupart des cartes disque dur sont alimentées directement depuis le bus de l'ordinateur mais quelques-uns se connectent à l'alimentation avec un connecteur Y. Etant donné que les cartes disque dur n'occupent pas un emplacement de lecteur, vous pouvez toujours conserver deux lecteurs de disquettes pleine hauteur pour copier des disques.

La taille physique de la carte disque dur peut être un facteur limitatif. Alors qu'elles se connectent toutes dans un slot carte, certaines cartes disque dur sont si épaisses qu'elles occupent un slot adjacent. Dans certains cas, seule l'extrémité de la carte contenant le lecteur est épaisse et vous pouvez toujours utiliser une carte plus courte dans le slot suivant.

Lecteurs externes

Avec les ordinateurs portables et de nombreux systèmes plus petits (comme les notebook), un lecteur externe est le seul moyen d'ajouter des lecteurs supplémentaires. Un *lecteur externe* est un lecteur de disquettes ou de disque dur qui est placé sur le bureau, à côté de votre ordinateur. Il a sa propre alimentation qui se branche dans une prise murale et un câble contrôleur connecté à une carte adaptateur que vous installez dans un slot inemployé.

Les lecteurs externes sont couramment employés pour ajouter des lecteurs d'une taille différente de ceux de l'ordinateur. Si votre ordinateur a des lecteurs intégrés 3 pouces $^1/_2$, vous aurez besoin d'un lecteur externe pour les disques 5 pouces $^1/_4$.

Etant donné qu'ils ont leur propre alimentation, les lecteurs de disque dur externes sont intéressants pour les machines anciennes avec des alimentations de 100 watts ou moins. Ils occupent cependant de l'espace sur le bureau et vous devrez vous bagarrer avec l'interrupteur et le câble supplémentaires.

▓ INITIALISATION DE VOTRE DISQUE DUR

Lorsque vous installez un nouveau disque dur, vous devez le préparer pour l'utiliser avec votre système en faisant attention au formatage de bas niveau, au partitionnement et au formatage de haut niveau DOS.

Le *formatage de bas niveau* divise le disque en pistes et en secteurs, en écrivant un *en-tête* que le DOS utilise pour localiser des fichiers au début de chaque secteur. Le *partitionnement* vous permet de diviser le disque dur en plusieurs lecteurs "logiques", c'est-à-dire en faisant apparaître un disque dur comme étant les lecteurs C et D pour le système d'exploitation. Le format DOS de *haut niveau* crée le répertoire et les FAT (tables d'allocation des fichiers) pour le stockage des informations.

Formatage de bas niveau

De nombreux disques durs sont directement livrés par le fabricant avec un formatage de bas niveau. C'est utile car le processus de formatage de bas niveau peut prendre du temps et nécessite des connaissances relatives aux spécifications techniques du disque.

Consultez votre documentation pour voir si le disque a été formaté. Dans le cas contraire, vous avez dû recevoir une disquette qui comprend un programme de formatage de bas niveau. Ce programme peut s'appeler DISK, DM, PREP, INSTALL, LFORMAT ou porter un tout autre nom ; consultez donc soigneusement votre documentation.

IBM n'inclut pas au DOS un programme de formatage de bas niveau bien qu'il soit disponible sur le disque optionnel Advanced Diagnostics. Mais n'utilisez pas le programme IBM si votre disque dur est fourni avec un programme de formatage de bas niveau. Etant donné les techniques spéciales de stockage de données, particulièrement avec des cartes disque dur, la version IBM peut réellement endommager le disque.

Utilisez toujours le programme de formatage de bas niveau qui accompagne votre disque dur. Les versions DOS de certains fabricants sont fournies avec des programmes de formatage de bas niveau ; consultez votre manuel DOS !

Partitionnement du disque dur

Après avoir subi un formatage de bas niveau, le disque dur est physiquement prêt à être utilisé par votre système. L'étape suivante, le partitionnement, partage les plateaux du disque dur entre les lecteurs associés avec les lettres de lecteur telles que C et D.

Les versions antérieures à la version 4.0 du DOS ne pouvaient pas adresser plus de 32 Mo d'espace disque à cause des limites de la table d'allocation des fichiers.

Si vous possédez un disque de grande taille, vous pouvez le partitionner en plusieurs lecteurs. Sur un disque de 120 Mo par exemple, vous pouvez avoir une partition de 80 Mo comme lecteur C et une autre partition de 40 Mo comme lecteur D. Vous pouvez allouer votre espace disque comme vous le souhaitez et même diviser le disque en partitions plus petites avec des lecteurs C, D, E et F.

Une des partitions doit être la partition d'amorçage DOS, le lecteur logique à partir duquel le DOS démarre quand vous mettez votre ordinateur sous tension. Les autres partitions peuvent servir de disques de données non amorçables ou, selon votre système, comme des partitions non-DOS avec d'autres systèmes d'exploitation comme XENIX et CP/M-86.

Le programme de partionnement fourni avec la plupart des versions du DOS s'appelle FDISK (certains fabricants appellent ce programme PART). Il vous permet de désigner la quantité du disque que vous voulez allouer à chaque partition et qui sera amorçable ou active. La partition active est la seule que le DOS reconnaît automatiquement et celle qui est utilisée pour amorcer l'ordinateur.

Vous devez exécuter la commande FDISK ou un autre programme de partitionnement pour définir la partition amorçable même si vous ne divisez pas le disque dur en plusieurs lecteurs logiques. Quand le menu FDISK apparaît, sélectionnez l'option 1, *Création d'une partition ou unité logique MS-DOS* (Figure 13.11). Le programme vous demande d'entrer les cylindres de début et de fin de la partition et si vous voulez ou non que la partition soit la partition active.

```
                          MS-DOS Version 5.00
                                FDISK
                 (C)Copyright Microsoft Corp. 1983 - 1991

                             Options de FDISK

        Unité de disque dur en cours : 1

        Choisissez parmi ce qui suit :

        1. Création d'une partition ou unité logique MS-DOS
        2. Activation d'une partition
        3. Suppression d'une partition ou unité logique MS-DOS
        4. Affichage des informations sur les partitions


        Entrez votre choix : [1]




        Appuyez sur ECHAP pour quitter FDISK
```

Figure 13.11 : Le menu FDISK.

La Figure 13.12 montre les informations de partition pour un disque dur de 115 Mo.

```
           Affichage des informations sur les partitions

Unité de disque dur en cours : 1

Partition  Etat  Type   Nom du volume   Mo    Système   Utilisé
C: 1        A    PRI DOS SYBEX          115    FAT16     100%




Espace disque total :  115 Mo (1 Mo = 1 048 576 octets)




Appuyez sur ECHAP pour continuer
```

Figure 13.12 : Table de partition.

Formatage de la partition active

Quand vous avez créé une partition DOS active, vous
devez la formater en utilisant la commande DOS FOR-
MAT avec l'option /S pour faire du disque un disque
amorçable.

Procédez de la façon suivante :

1. Démarrez votre ordinateur avec le disque système
   DOS dans le lecteur A.

2. Tapez **FORMAT C:** /S /V puis pressez la touche
   Retour pour formater la partition active et installer
   les fichiers système. L'option /V vous demande
   d'entrer un label de volume ou un nom de disque.

3. Si vous avez partitionné votre disque dur en plusieurs disques, formatez chacun d'eux maintenant. Il n'est pas nécessaire de transférer les fichiers système pour les partitions ; vous pouvez donc formater le lecteur D par exemple avec la commande **FORMAT D: /V.**

Etant donné que la préparation d'un lecteur de disque dur comporte un certain nombre d'étapes, nous allons résumer la procédure pour votre premier disque dur.

1. Si nécessaire, procédez à un formatage de bas niveau pour le disque dur.

2. Partitionnez le disque, en créant une partition DOS active et des partitions DOS inactives optionnelles.

3. Formatez la partition active comme un disque système.

4. Formatez les partitions inactives s'il y en a.

COMMENT RÉSOUDRE DES PROBLÈMES DE DISQUE DUR

Lorsque vous rencontrez des problèmes avec votre disque dur, vous devez être capable d'éviter les dépenses de réparation ou de remplacement. Voici certains problèmes que vous pouvez généralement corriger vous-même. Si ces suggestions ne fonctionnent pas, consultez un revendeur ou envisagez de changer le lecteur.

Vous pouvez accéder au disque dur mais sans amorcer l'ordinateur.

• Le disque est formaté mais pas comme un disque système. Utilisez la commande SYS pour copier le système à partir d'un disque DOS placé dans le lecteur A, sur le disque dur. Si cela ne fonctionne pas, sauvegardez tous les fichiers du disque dur sur disquettes puis reformatez-le comme un disque système avec la commande **FORMAT C: /S/V**. Recopiez ensuite les fichiers de sauvegarde sur le disque dur.

Vous ne pouvez pas accéder au disque dur.

* Si vous ne pouvez pas accéder au disque dur actif (lecteur C), le disque doit être reformaté. Essayez d'abord d'utiliser un programme de formatage de bas niveau non destructif tel que Norton ou PC Tools. Si cela ne fonctionne pas, formatez le disque avec la commande FORMAT. Si le disque ne se formate pas, exécutez FDISK pour voir si le disque a été partitionné correctement. Si FDISK ne reconnaît pas le disque, il faut opérer un formatage de bas niveau.

  Si vous ne pouvez pas accéder à une partition inactive, elle n'est peut-être pas formatée.

Vous avez un nombre de mauvais secteurs excessif.

* Si le disque est utilisable mais que vous avez un nombre d'erreurs de mauvais secteurs excessif, sauvegardez la totalité du disque puis essayez d'utiliser un programme de formatage de bas niveau non destructif. Si cela ne fonctionne pas, il faut formater à nouveau le disque.

  Les mauvais secteurs sont isolés pendant le processus de formatage de bas niveau et juste enregistrés sur la FAT pendant le formatage de haut niveau. Si le reformatage ne corrige pas le problème, vous avez des secteurs qui sont devenus mauvais après le formatage de bas niveau. Il existe un certain nombre d'utilitaires qui signalent les mauvais secteurs au DOS sans exécuter un autre formatage de bas niveau ; utilisez, par exemple, les utilitaires Norton. Zenith

Data Systems inclut par exemple au DOS le programme DETECT qui scrute votre disque dur et
ajoute tous nouveaux mauvais secteurs à ceux qui
ont été enregistrés au cours du dernier formatage de
bas niveau. Une fois que les nouveaux mauvais
secteurs sont détectés, exécutez FORMAT pour
placer un enregistrement précis des mauvais secteurs dans la FAT. Si vous n'avez pas DETECT ou
un programme similaire, exécutez un formatage de
bas niveau.

QUELQUES ALTERNATIVES DE STOCKAGE

Nous allons enfin examiner rapidement deux alternatives
aux lecteurs de disques traditionnels. Les deux fournissent
un stockage haute capacité principalement conçu pour les
sauvegardes, pour le stockage d'archive à long terme ou
pour le transport de données d'un endroit à un autre.

Il existe peu de systèmes vendus avec des lecteurs de bandes
ou des disques durs amovibles installés par le fabricant.
Cependant, votre ordinateur peut inclure l'un de ces
périphériques ajouté par le propriétaire précédent. Dans le
cas contraire, vous trouverez peut-être que ces alternatives
valent la peine d'être ajoutées.

Stockage sur bande

Les tout premiers micro-ordinateurs sortis sur le marché
stockaient les données et les programmes sur bande. L'IBM
PC initial avait un port d'interface de bande sur cassette qui
était connecté avec un câble spécial à un magnétophone à
bande ordinaire. Bien qu'ils ne soient plus considérés
comme une alternative au stockage principal, les périphériques à bande sont des médias de sauvegarde très répandus

car une seule bande peut stocker au moins plusieurs dizaines de Mo de données.

Comme les lecteurs de disques, les systèmes à bande peuvent être internes ou externes. Certains nécessitent leurs propres cartes contrôleur, d'autres se connectent directement au câble contrôleur de lecteur de disquettes standard.

Stockage amovible

Si vous utilisez plusieurs ordinateurs, vous pouvez transférer des données d'un ordinateur à l'autre avec un lecteur de disquettes. Si les lecteurs des deux machines sont compatibles, vous pouvez sauvegarder votre travail au bureau sur un disque puis le ramener à la maison pour le terminer le soir. Vous aurez cependant des problèmes si les machines ont des lecteurs de taille différente ou si vous avez travaillé sur un fichier trop important pour tenir sur une disquette.

Vous pouvez aussi manquer de place sur votre disque dur. Quand vous sauvegardez des données sur des disquettes ou même sur des bandes, il faut toujours les restituer avant de les utiliser à nouveau. Vous avez peut-être sauvegardé les 20 Mo d'informations relatives au budget de l'année passée sur une bande puis vous les avez effacés du disque dur. Au milieu de l'année en cours, vous avez besoin d'accéder à ces informations mais il n'y a pas assez de place sur votre lecteur pour l'année en cours et les 20 Mo de l'année dernière. Votre seule possibilité est la suivante :

1. Sauvegarder puis effacer du disque dur les données de l'année en cours.

2. Recopier sur le disque dur les informations de l'année passée.

3. Supprimer du disque dur les données de l'année passée après les avoir sauvegardées si vous avez effectué des modifications.

4. Restituer les données de l'année en cours.

Cela représente beaucoup de travail.

Les systèmes de stockage amovibles permettent de résoudre ces problèmes en mettant à votre disposition des cartouches haute capacité semblables aux disques durs que vous pouvez insérer ou enlever du lecteur. Avec certains de ces systèmes, vous écrivez et vous lisez des données à partir du périphérique juste comme s'il s'agissait d'un disque dur installé dans votre ordinateur. Vous pouvez donc utiliser des systèmes de stockage amovibles comme stockages secondaires de sauvegarde mais suffisamment rapides pour être employés pour le stockage principal ou pour remplacer votre disque principal. Dans le cas des 20 Mo de données relatives au budget, il suffit juste d'enlever la cartouche contenant l'année en cours et d'insérer la cartouche contenant l'année passée. D'autres systèmes utilisent des périphériques plus lents qui conviennent mieux à la sauvegarde et au stockage de données à long terme.

Si vous voulez ajouter un périphérique de stockage amovible à votre ordinateur, n'oubliez pas qu'il peut être assez cher.

Avant de décider d'ajouter un lecteur de bande ou un système amovible à votre ordinateur, vérifiez avec le fabricant ou un vendeur expérimenté qu'il est bien compatible avec votre ordinateur et vos attentes.

14 OPTIMISATION DE VOTRE ORDINATEUR

Votre ordinateur ne correspond peut-être pas à votre idéal. Après tout, si vous en aviez la possibilité, vous choisiriez peut-être un système plus puissant avec tous les périphériques dont vous avez besoin pour une productivité maximum. Cependant, votre ordinateur peut déjà servir de base.

L'ajout d'un disque dur, en utilisant un cache-disque et en compressant périodiquement des fichiers fragmentés, améliore sensiblement les performances de votre ordinateur. Il en est de même pour l'ajout et l'utilisation de mémoire étendue pour les disques RAM et les spoolers d'impression. Ces efforts risquent cependant de ne pas faire de votre ordinateur le système idéal.

Ce chapitre passe rapidement en revue des moyens plus sophistiqués d'améliorer votre système.

■ AMÉLIORATION DE VOTRE SYSTÈME AVEC DES COPROCESSEURS

Il est possible d'accélérer la vitesse de traitement de votre ordinateur en lui ajoutant un *coprocesseur*. Un *coprocesseur* est un circuit microprocesseur dédié à une tâche spécifique ou spécialisée. Il soulage un peu le processeur central de votre système en lui permettant de consacrer la puissance optimum à des tâches générales.

A l'inverse du processeur central du système, qui est utilisé par chaque programme DOS, les coprocesseurs sont seulement employés par des logiciels conçus pour eux. Des coprocesseurs créés pour une impression spécialisée, par exemple, ont besoin de gestionnaires spéciaux et de fichiers de police pour être utilisés avec des programmes d'application.

Utilisation de coprocesseur arithmétique

Le coprocesseur le plus fréquemment utilisé est le *coprocesseur arithmétique,* un circuit dédié à l'exécution de calculs complexes à haute vitesse requis par des applications statistiques et d'ingéniérie et des programmes faisant beaucoup appel au graphisme. Alors que l'affichage de texte et de graphiques basse résolution demande peu à votre système, le graphisme haute résolution nécessite de vigoureux calculs.

Les coprocesseurs arithmétiques sont si largement utilisés que de nombreux programmes d'application les acceptent et leur font exécuter leurs calculs. La plupart de ces programmes détectent automatiquement la présence d'un coprocesseur arithmétique et ne nécessitent pas d'installation ou de configuration supplémentaire.

La famille de coprocesseurs arithmétiques *87* de la société Intel est le standard de toute l'industrie pour les ordinateurs compatibles PC ; chaque membre de la famille correspond à un microprocesseur. Le coprocesseur 8087 est conçu pour les CPU 8086 et 8088, le 80287 pour la CPU 80286, le 80387 pour la CPU 80386 et le 80387SX pour la CPU 80386SX. Il existe aussi un coprocesseur 80C287 utilisé dans de nombreux ordinateurs portables. Les coprocesseurs ont différentes vitesses pour s'adapter à la vitesse d'horloge du système dans lequel ils sont installés.

Les coprocesseurs 8087 et 80287 sont conditionnés comme des circuits intégrés 40 broches. Les 80387 et 80387SX sont des boîtiers carrés avec 68 broches (Figure 14.1). Si votre ordinateur peut accepter un coprocesseur, il a une prise vide sur la carte mère. Certains ordinateurs 386 ont deux prises vides, une pour un 80387 et une pour un 80287, mais vous n'en utilisez qu'une.

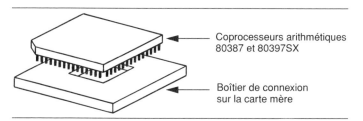

Coprocesseurs arithmétiques 80387 et 80397SX

Boîtier de connexion sur la carte mère

Figure 14.1 : Les coprocesseurs arithmétiques 80387 et 80387SX.

La société Weitek fabrique une alternative de coprocesseur arithmétique pour les systèmes 386, le WTL 1167. Le coprocesseur se compose de plusieurs circuits intégrés sur une petite carte circuit qui se branche dans une prise 121 broches. Il ne tient pas dans une prise conçue pour le 80387. Etant donné que le WTL 1167 offre une meilleure performance dans certaines zones que le 80387, certains fabricants incluent une prise compatible Weitek dans leurs ordinateurs.

Le WTL 1167 fonctionne seulement avec des applications écrites spécialement pour lui et pas avec des programmes conçus pour le 80387.

COMMENT AUGMENTER LA VITESSE AVEC UN CACHE MÉMOIRE

Vous savez qu'un cache-disque stocke les secteurs disque dont on a souvent besoin dans la RAM haute vitesse. Cela améliore la performance parce que les données peuvent être plus rapidement rechargées depuis la RAM que depuis le lecteur de disques. Une mémoire lente peut entraver l'ensemble du fonctionnement juste comme risque de le faire un lecteur de disques lent. Etant donné que les puces mémoire haute vitesse sont chères, de nombreux systèmes utilisent des puces plus lentes et laissent votre système inoccupé pendant les états d'attente. Un *cache-mémoire* peut résoudre ce problème. C'est une petite zone de mémoire haute vitesse qui stocke des données fréquemment utilisées à la place de la RAM plus lente.

Quand un programme a besoin de données, le système les recherche d'abord en mémoire cache sans avoir besoin d'un état d'attente. Si les données ne sont pas trouvées dans la mémoire cache, le système cherche dans la RAM ordinaire.

De nombreux systèmes 386 ont une mémoire cache déjà intégrée à la carte mère pour travailler sans état d'attente. Si votre système n'en a pas, vous pouvez ajouter une carte mémoire cache dans un slot d'extension. Mais, avant d'acheter la carte, étudiez la manière d'utiliser au mieux votre mémoire existante.

La mémoire cache haute vitesse est chère mais son coût n'est pas prohibitif dans la mesure où sa taille va généralement de 32 Ko à 128 Ko. Ce qui est important, c'est la méthode utilisé par le système pour décider quelles données doivent aller dans le cache.

Certains programmes utilisent des données selon un schéma tout à fait prévisible en facilitant la capacité du cache à anticiper sur les instructions qui seront employées et à les placer dans sa mémoire.

Si la rapidité d'un programme ne vous convient pas, essayez d'utiliser un disque RAM ou un cache-disque si vous avez une mémoire étendue ou paginée. Cela peut générer une amélioration suffisante. Si vous souhaitez toujours accroître la performance, consultez le revendeur de votre système pour des cartes cache recommandées.

COMMENT OPTIMISER VOTRE SYSTÈME AVEC UNE NOUVELLE CARTE CPU

L'amélioration ultime sans acheter de nouveau système consiste à remplacer votre processeur par un modèle plus récent et plus rapide. Vous pouvez transformer votre XT en AT, votre AT en 386 ou votre 386 en 486. Cette mise à niveau majeure est effectuée soit en insérant une carte accélérateur, soit en remplaçant toute votre carte mère par une nouvelle.

Une *carte accélérateur* est une carte CPU qui tient dans un slot d'extension et remplace votre processeur existant. La carte Intel Inboard 386/PC par exemple est une carte d'extension qui peut transformer la plupart des ordinateurs en 386, même certains modèles PC et XT (Intel a une liste d'ordinateurs avec lesquels la carte a la garantie de fonctionner). La mémoire RAM de 1 Mo peut être étendue à 5 Mo et à un connecteur permettant d'ajouter un coprocesseur 80387.

Si vous avez une machine 286 et que vous voulez la faire évoluer sans utiliser de slot d'extension, vous pouvez installer une carte Evergreen 386 Superchip. C'est une petite carte de 2 pouces 1/4 carrée qui remplace directement la puce 286 CPU dans la plupart des systèmes par un 386SX. Vous retirez la puce 286 et insérez la carte dans le connecteur. Elle est compatible avec vos cartes d'extension 286 existantes, les mémoires ROM et RAM, et travaille avec un coprocesseur 80287. Les seuls systèmes qui ne conviennent pas à cette carte sont ceux dont le microprocesseur est soudé sur son support ou qui n'offrent pas suffisamment de dégagement pour insérer la carte qui est légèrement plus grande que la puce 286.

Comme avec n'importe quelle dépense de matériel, réfléchissez bien avant d'entreprendre la valorisation de votre système. Vérifiez que cette amélioration vous donnera la performance et la compatibilité matérielle et logicielle que vous souhaitez. Ayez une documentation suffisante et la garantie que la mise à niveau sera opérationnelle avec votre système, en vous assurant qu'elle est totalement compatible avec votre mémoire et les autres éléments matériels. Vous aurez peut-être besoin d'acheter une nouvelle mémoire, un contrôleur de disque, une carte vidéo et même un clavier, ce qui rendra le coût final beaucoup plus élevé que le prix de la carte accélérateur et de la carte mère.

Si vous achetez une carte accélérateur, sélectionnez votre vendeur avec autant de soin que la carte elle-même. Etant donné son aspect technique, vous aurez à poser des questions au sujet de l'installation, de l'initialisation et de la compatibilité de la carte. Un vendeur solide et averti sera capable de vous recommander la meilleure carte accélérateur pour votre système et de vous guider pour son utilisation. De nombreux revendeurs installeront même la carte gratuitement ou pour une somme modique. Si vous n'avez pas l'habitude de travailler à l'intérieur de votre ordinateur, vous avez intérêt à faire installer et tester la carte par un professionnel.

Il existe des sociétés de vente par correspondance qui vendent les cartes accélérateur et d'autres matériels pour un prix moins élevé que les magasins spécialisés. Alors que certaines sociétés fournissent un service après vente, des entreprises de vente par correspondance peuvent se permettre de vous faire payer moins cher parce qu'elles ne fournissent pas le même niveau d'attention et d'assistance qu'un magasin. Si vous avez confiance en votre choix de carte accélérateur et en votre capacité à l'installer, un achat par correspondance peut vous faire économiser de l'argent. Sélectionnez les vendeurs qui garantissent leurs produits et qui ont de préférence des numéros d'appel verts si vous avez des questions à leur poser.

Réfléchir avant de se précipiter

Chaque amélioration de votre matériel nécessite un engagement financier et si vous choisissez d'acheter tous les éléments cités ici, vous aurez virtuellement un nouveau système. Mais, à un certain moment, il faut prendre en considération le coût de ces améliorations par rapport à celui d'un achat de nouvel ordinateur.

Cela ne signifie pas qu'il ne faut jamais améliorer son système. Si vous avez un robuste compatible AT, l'achat d'une carte accélérateur est une voie bon marché vers la puissance de traitement d'un 386. La valorisation d'un XT vers un AT de base peut aussi valoir la peine. Mais la valorisation extrême d'un PC peu coûteux vers un 386 à part entière nécessite plus qu'une carte accélérateur. Vous aurez aussi peut-être besoin de mémoire supplémentaire, d'une nouvelle alimentation, d'une carte vidéo et d'un moniteur VGA et d'un lecteur de disque dur. Pour être totalement compatible avec les nouvelles machines 386, vous pouvez aussi acheter un lecteur de disques souples haute capacité.

Enfin, pour le coût de l'ensemble des améliorations, vous pouvez acheter un nouvel ordinateur 386SX, complet et avec garantie. L'ajout d'un disque dur et d'une mémoire supplémentaire est une dépense raisonnable si votre système est par ailleurs robuste et convient à vos besoins. Mais réfléchissez à deux fois avant de rejeter la machine et de tout recommencer.

Dans le chapitre suivant, nous examinerons d'autres raisons de valoriser un système et nous apprendrons à planifier ces opérations pour en tirer le meilleur parti. Vous verrez aussi ce qu'il faut faire si votre ordinateur ne peut plus être valorisé.

15
PLANIFICATION DE LA VALORISATION DE VOTRE ORDINATEUR

Plusieurs chapitre de ce livre ont été consacrés à la valorisation de votre ordinateur. Nous avons examiné les adaptateurs vidéo haute résolution, la mémoire paginée et étendue, divers périphériques, les lecteurs de disques, les coprocesseurs et les cartes accélérateur.

Vos décisions en matière de valorisation doivent se baser sur vos besoins et doivent valoir la peine sur le plan financier. Choisissez une amélioration seulement si vous avez besoin de ressources supplémentaires, augmentation de la vitesse ou amélioration de la performance. D'un autre côté, il faut considérer vos besoins à venir et non pas se fixer sur une option moins coûteuse qui devra ultérieurement être remplacée. L'ajout d'un lecteur de disques à un système de base PC par exemple peut être sans objet si vous avez réellement besoin d'un AT pour exécuter l'une de vos applications. De même, alors que l'installation d'une carte accélérateur peut permettre à un XT d'exécuter des logiciels conçus pour un 386, le système résultant risque toujours de ne pas pouvoir tourner avec la vitesse et la puissance d'un 386 à part entière.

Ce chapitre examine quelques raisons possibles d'améliorer votre ordinateur et quelles actions entreprendre quand il semble économiquement inefficace d'améliorer encore votre ordinateur.

AMÉLIORATION DE LA VITESSE

La vitesse de l'ordinateur, mesurée en méga-Hertz, est basée sur la vitesse à laquelle le microprocesseur peut traiter des instructions. Les premiers PC tournaient à 4,77 MHz ; les progrès technologiques des microprocesseurs ont ensuite fait apparaître les puces 8, 12, 16, 20, 33 et même 50 MHz.

La vitesse est l'un des arguments de vente que nous trouvons dans les publicités, et les fabricants rivalisent pour la machine la plus rapide du marché. Mais le résultat important est en fait la performance et non pas la vitesse du microprocesseur.

Dans certaines configurations par exemple, un processeur 20 MHz risque de ne pas avoir une meilleure performance qu'un processeur 16 MHz. La machine 20 MHz peut utiliser des puces mémoire plus lentes et nécessiter un ou deux états d'attente, alors qu'un système 16 MHz avec zéro état d'attente tourne presque à la même vitesse pour un coût moins élevé.

Si vous utilisez un programme qui nécessite des accès disque fréquents, le temps d'accès à votre disque dur a plus d'effet sur la performance que la vitesse du microprocesseur. Une machine avec un processeur lent et un disque dur rapide a souvent une meilleure performance qu'un système avec un processeur rapide et un disque lent.

Selon la manière dont vous utilisez votre ordinateur, sa vitesse peut n'avoir que peu d'importance. Un système à grande vitesse aura beaucoup d'effet sur les applications graphiques et effectuant des calculs intensifs mais peu sur des programmes orientés vers la production de texte comme les traitements de texte. Avant d'améliorer seulement la vitesse, essayez d'épuiser les alternatives moins coûteuses comme les disques RAM, les spoolers, les cache-disque ou bien l'ajout d'un disque dur.

Il existe plusieurs voies à prendre si vous souhaitez encore plus de vitesse. Vous pouvez acheter un système plus rapide, remplacer votre CPU ou votre carte mère comme nous l'avons vu dans le Chapitre 14 ou installer un kit d'accélération d'horloge qui est disponible sur certaines machines. Le kit remplace le circuit horloge de votre ordinateur, les éléments électroniques qui règlent et synchronisent les opérations du système.

Passage au 486

Certains utilisateurs peuvent avoir envie de passer au microprocesseur le plus récent, qui est maintenant l'Intel 80486. Le 80486 combine un microprocesseur 80386, un coprocesseur arithmétique et un cache-mémoire 8 Ko dans une seule puce. Disponible soit en version 25 MHz, soit en version 33 MHz, soit en version 50 MHz, il est idéal pour les applications à grande vitesse.

Avec toute sa vitesse et sa puissance, le 80486 n'a pas encore de concurrents. La plupart des revendeurs fournissent le 486 dans des systèmes relativement coûteux qui conviennent aux serveurs de réseau ou aux stations de travail, en pensant que seuls les utilisateurs de puissance ayant beaucoup d'argent envisageront cet achat. Alors que le cache intégré est pratique, il est généralement considéré comme n'étant pas suffisant pour les applications principales et beaucoup de fabricants incluent aussi un cache-mémoire supplémentaire, ce qui augmente le prix.

Il existe aussi quelques problèmes de compatibilité matérielle et logicielle. Les systèmes à grande vitesse ont des difficultés à faire tourner certains logiciels conçus pour des PC, des XT et des AT plus lents. Alors que certains systèmes 486 peuvent passer à des vitesses plus lentes pour augmenter la compatibilité, il existe toujours des programmes et des cartes d'extension qui n'opèrent pas correctement.

La décision d'acheter un système 486 ou une carte accélérateur 486 doit se baser sur le logiciel que vous utilisez et sur ses besoins en matière de vitesse et de puissance. Alors que vous n'avez pas besoin d'un 486 pour un traitement de texte simple, par exemple, ses possibilités avancées seraient idéales pour des tableurs importants et complexes, des graphiques haute résolution et d'autres applications effectuant de nombreux calculs.

VALORISATION POUR UTILISER DE NOUVELLES APPLICATIONS

Certains programmes comme la version 3.x de Lotus 1-2-3 et le gestionnaire de base de données Oracle nécessitent une ordinateur de classe AT et supérieur. Etant donné la base énorme des systèmes PC et XT, une grande majorité de programmes d'application tournent sur les modèles PC et XT. Il y encore beaucoup d'applications qui n'ont besoin de rien de plus qu'un système PC à deux lecteurs de disques souples.

Cependant, pour s'aligner avec des versions du logiciel plus récentes, l'ajout de mémoire et d'un lecteur de disque dur peut être plus importante que le microprocesseur lui-même. Valorisez votre système jusqu'à 640 Ko au moins ou sur ce que votre carte mère peut accepter ou ajoutez de la mémoire paginée.

Si vous voulez exécuter un programme qui spécifie une machine de classe AT, vérifiez la documentation pour la quantité de mémoire recommandée. Certains des programmes nécessitent de la mémoire supplémentaire étendue ou paginée ; par conséquent, l'achat d'un système 1 Mo n'est pas suffisant. Oracle par exemple nécessite un ordinateur AT avec 1 Mo de mémoire étendue. Si vous améliorez votre système pour exécuter un programme spécifique, vérifiez soigneusement les besoins en mémoire, en lecteur et en graphisme.

VALORISATION DE VOTRE ARCHITECTURE DE BUS

Le *bus* de l'ordinateur est la route empruntée par les données d'un circuit à un autre. Le bus relie les cartes circuit des slots de la machine, des ports interface et d'autres parties de votre ordinateur. Dans les systèmes PC 8088 et 8086, les données se déplacent sur 8 bits à la fois (bus 8-bits). Les AT et les autres machines 80286 (ainsi que les 80386SX) déplacent des données sur un bus 16-bits et les ordinateurs 80386 et 80486 utilisent un bus de données 32-bits.

Le système de bus pour les machines PC, XT et AT est connu comme le ISA (Industry Standard Architecture). Il convient aux ordinateurs 8 et 16 bits mais ne peut pas gérer les données nécessaires pour une opération 32 bits complète.

Pour maintenir la compatibilité avec des cartes circuit existantes, bon nombre des premiers systèmes 386 ont utilisé un bus 16 bits pour toutes les opérations qui ne nécessitaient pas 32 bits. Cela inclut généralement des circuits vidéo, des ports de sortie et le contrôleur de disques. La mémoire nécessite cependant un bus 32 bits pour travailler avec le microprocesseur et quelques fabricants ont installé toute leur mémoire directement sur la carte mère. D'autres sociétés ont développé leurs propres bus. Leurs cartes mères peuvent avoir plusieurs slots d'extension 8 bits et 16 bits capables d'accepter des cartes ISA et un ou deux slots conçus pour leurs propres cartes mémoire 32bits. Si vous voulez une mémoire supplémentaire, vous devez l'acheter directement chez le fabricant parce qu'aucune autre carte mémoire 32 bits ne fonctionne sur leur bus.

La ligne PS/2 des ordinateurs IBM est responsable de l'introduction du standard VGA, en popularisant des disques 3 pouces $^1/_2$ dans le monde DOS et en amenant *Micro Channel Architecture* ou *MCA*.

MCA est l'approche IBM à un bus 32 bits et est considérée par beaucoup comme le standard 32 bits. Un certain nombre d'autres vendeurs vendent maintenant des systèmes compatibles Micro Channel. Si vous achetez une carte MCA 32 bits, vous pouvez l'utiliser dans n'importe quel ordinateur compatible MCA.

MCA manipule les données plus rapidement que les systèmes ISA et peut adresser jusqu'à 4 gigaoctets sur un système de style AT, égalant les capacités d'adressage du 80386. Les cartes MCA consomment aussi moins d'énergie. De plus, elles ont pour résultat une machine plus petite qui occupe moins de place sur votre bureau, bien que certains fabricants de cartes ont eu des problèmes pour faire tenir les composants nécessaires sur des cartes plus petites.

Les slots d'extension MCA ne sont cependant pas compatibles avec ceux d'autres modèles et n'acceptent pas de cartes d'extension PC, XT ou AT. Alors que les cartes standard AT ont 13 pouces de large et 4 pouces de haut, les cartes MCA font 11 pouces 1/2 de large et environ 3 pouces de haut. Si vous valorisez votre système en une machine Micro Channel, vous ne pourrez pas utiliser de cartes d'extension provenant de votre système précédent.

En réponse à MCA, un groupe de fabricants conduit par la société Compaq s'est associé pour promouvoir un système de bus rival, *EISA* pour *Extended Industry Standard Archi-tecture.* EISA correspond à un effort pour établir un standard de bus 32 bits entrant en compétition directe avec MCA. Le bus gère les données plus rapidement que le bus ISA en utilisant un contrôleur spécial Direct Memory Access (accès direct à la mémoire) pour décharger un peu le microprocesseur. Le plus gros avantage du standard EISA du point de vue de l'utilisateur est peut-être sa compatibilité avec les cartes d'extension ISA. Les slots d'extension ont la même taille et nécessitent la même puissance ; vous pouvez donc utiliser vos cartes existantes quand vous passez à un système EISA.

Alors que les deux produits en compétition, MCA et EISA, offrent deux standards différents, ce sont au moins deux standards. Si vous avez un ordinateur MCA ou EISA, vous pouvez acheter de la mémoire ou d'autres cartes d'extension à des revendeurs différents des fabricants.

Il est impossible de valoriser un bus ISA en MCA ou EISA. La seule façon de le valoriser en un bus différent consiste à acheter un ordinateur avec le bus déjà installé. Le passage à une machine MCA ou EISA ne doit cependant pas être basé sur le bus seulement mais sur l'ampleur avec laquelle ses caractéristiques vont améliorer votre efficacité et votre productivité. Si vous envisagez une machine 32 bits qui n'est pas MCA ou EISA, déterminez la disponibilité de l'extension mémoire. Des systèmes qui acceptent des modules mémoire SIMM standard sur la carte mère peuvent être valorisés de façon moins coûteuse que ceux qui nécessitent des cartes utilisant un bus particulier.

EXPLORATION DE NOUVEAUX SYSTÈMES D'EXPLOITATION

Presque tout ce qui fait partie du monde PC a été étendu : le traitement 32 bits, la mémoire multi-mégaoctets, le graphisme haute résolution, tout sauf le DOS.

Alors que le DOS a évolué au cours des années, la plupart des versions sont toujours limitées à 640 Ko de mémoire conventionnelle et ne peuvent exécuter qu'un seul programme à la fois. Il était logique qu'un nouveau système d'exploitation soit développé pour répondre aux avances technologiques en matériel.

Vers la fin de 1987, la première version du système d'exploitation OS/2 a été disponible. Bien qu'elle ait des racines DOS (de nombreuses commandes sont identiques et peuvent lire et écrire sur des disques DOS), OS/2 a clairement ouvert un nouveau domaine dans l'informatique.

Conçu pour les systèmes 286 et 386, OS/2 peut adresser la mémoire étendue au-dessus de 1 Mo. La mémoire supplémentaire autorise le travail multitâches intégré en mode protégé. En *mode protégé*, OS/2 exécute des tâches de gestion de mémoire pour garantir qu'il n'y a pas de conflit entre des programmes existants ; par exemple, que deux programmes n'essaient pas d'utiliser la même adresse mémoire. Le mode protégé vous autorise aussi à exécuter plus d'applications que la mémoire n'en contient. Quand le système est à court de mémoire réelle, il simule de la mémoire supplémentaire en utilisant de l'espace sur votre disque dur. Il stocke temporairement sur le disque les programmes qui tournent en échangeant des données entre le lecteur de disque et la mémoire réelle en fonction des besoins. Alors que votre système peut avoir seulement quelques mégaoctets de mémoire réelle, il semble avoir jusqu'à 4 gigaoctets de mémoire *virtuelle* ou simulée dans le disque dur.

Seuls les programmes conçus pour OS/2 peuvent tirer parti du mode protégé du système d'exploitation. Pour maintenir la compatibilité avec les applications DOS, OS/2 fournit un deuxième mode opératoire, le mode réel. En *mode réel*, OS/2 agit comme s'il s'agissait du DOS et les programmes

DOS tournent normalement, bien que toujours restreints aux limites de 640 Ko.

Le *dual boot* facilite la transition du DOS à OS/2 : vous pouvez configurer votre système pour qu'il démarre soit comme OS/E, soit comme MS-DOS. Un système d'exploitation est établi par défaut quand vous démarrez votre système ; pour démarrer l'autre système d'exploitation, maintenez simplement la touche Alt pendant le démarrage de l'ordinateur.

OS/2 a été amélioré en version 1.1 en 1988 pour inclure Presentation Manager (PM) et une interface utilisateur graphique qui ressemble à Microsoft Windows. En 1989, OS/2 a été mis à jour en version 1.2 qui inclut le File Manager, un programme DOS de type shell pour afficher et travailler avec la structure de répertoire. Il inclut aussi le Desktop Manager qui regroupe des fichiers par type et donne la liste des applications pour une exécution facile.

La version OS/2 2.0 a été prévue uniquement pour une utilisation sur des ordinateurs 386 et 486 et permet une compatibilité plus grande avec les applications DOS, en autorisant même le transfert de texte et de graphisme. Une édition étendue de OS/2 est en cours de développement ; elle inclura son propre serveur de base de données et gestionnaire de communications.

Voyons maintenant comment OS/2 affecte vos décisions de valorisation.

Presentation Manager version 1.1 ou 1.2 démarre sur une machine avec 1 Mo de mémoire et nécessite un ordinateur 80286 ou supérieur et au moins un lecteur de disque dur de 10 Mo. Pour toutes les tâches pratiques, vous avez besoin de mémoire étendue (au moins 4 Mo pour exécuter tout travail multitâches utile) et un disque dur de 20 Mo.

La nécessité d'avoir ou non OS/2 est une autre question. Vous pouvez accomplir beaucoup de ce que vous offre

OS/2 en utilisant la version 3.1 de Microsoft Windows ou un autre programme multitâches qui fournit une interface utilisateur graphique et une gestion de mémoire.

Alors qu'OS/2 est un système d'exploitation puissant, vous avez besoin de pas mal de matériel et d'applications compatibles pour tirer parti de ses fonctions les plus importantes bien qu'il soit toujours possible d'exécuter des programmes DOS en mode réel. Si vous n'avez pas besoin de toute cette puissance, examinez les alternatives multitâches DOS et jetez un coup d'oeil à la version 3.1 de Microsoft Windows.

▌*DÉTERMINATION DE VOS BESOINS*

Avant de procéder à la valorisation de votre système, déterminez exactement ce dont vous avez besoin en développant une liste de spécifications. Examinez les besoins de votre logiciel ou ceux des programmes que vous envisagez d'acheter.

Rassemblez vos programmes et faites une liste des besoins mémoire, lecteurs de disques, processeurs, vidéo et autres. Consultez la documentation du programme pour répondre aux questions suivantes :

- Avez-vous besoin de valoriser ou d'ajouter un disque dur ? Quelle taille de lecteur stockera vos programmes et vos données ?

- Avez-vous besoin de valoriser ou d'ajouter un lecteur de disquettes ? De quelle taille et de quelle capacité avez-vous besoin pour exécuter vos applications ?

- Avez-vous besoin de mémoire supplémentaire ? Doit-elle être paginée ou étendue ?

- Avez-vous besoin de valoriser votre système vidéo ? Avez-vous besoin de graphisme couleur ? CGA,

EGA ou VGA ? Cela nécessite-t-il un nouveau moniteur ?

Assurez-vous que vos améliorations sont totalement compatibles avec votre matériel :

- Vos slots d'extension sont-ils des slots 8 bits ou 16 bits ?

- Vos slots d'extension sont-ils des slots 32 bits, standard MCA ou EISA ?

- Quelle taille de carte peuvent accepter vos slots disponibles ?

- Quelle taille d'emplacement nécessite un nouveau lecteur ? Pleine hauteur ou demi-hauteur ?

- Votre alimentation peut-elle accepter un lecteur de disque dur ou de disques souples supplémentaire ?

Considérez ensuite les ports d'interface dont vous avez besoin pour associer à votre matériel et votre logiciel :

- Avez-vous besoin de ports série supplémentaires ?

- Avez-vous une souris série, une imprimante ou un modem ?

- Avez-vous besoin de ports parallèles supplémentaires ?

- Aurez-vous besoin de câbles ou d'adaptateurs spéciaux ?

Prenez aussi en compte les besoins physiques :

- Quel est l'espace disponible sur votre bureau ?

- Avez-vous besoin de lecteurs de disque externes ?

Examinez maintenant les éléments pratiques :

- Voulez-vous installer un deuxième lecteur de disquettes pour faire des sauvegardes ?

- Voulez-vous installer un lecteur de disques de taille
  différente pour être compatible avec les disques
  5 pouces $\frac{1}{4}$ et 3 pouces $\frac{1}{2}$?

- Voulez-vous installer un lecteur de disques de capacité
  différente ?

- Voulez-vous installer un lecteur de disques pour être
  compatible avec un ordinateur chez vous et sur votre
  lieu de travail ?

Pensez ensuite au futur et aux possibilités d'extension.
L'ajout d'une carte mémoire qui ne peut accepter que
1 Mo de mémoire par exemple ne convient pas si vous avez
besoin ultérieurement d'ajouter de la mémoire.

- Devez-vous laisser un slot d'extension libre pour des
  ajouts ultérieurs ?

- Anticipez-vous en faisant des achats de logiciels qui
  modifieront vos besoins ?

Enfin, prenez en considération le coût :

- Combien souhaitez-vous dépenser ?

- Quels sont les compromis éventuels que vous acceptez de faire ?

- Installeriez-vous un lecteur de disques plus petit s'il
  était plus rapide ? Un système monochrome VGA
  au lieu d'un système couleur ?

Quand vous avez la liste de vos besoins minimum et
obligatoires, vous êtes prêt à passer à la valorisation de votre
ordinateur.

■ *DÉTERMINATION DE L'AVENIR DE VOTRE ORDINATEUR*

Selon l'ampleur de la valorisation souhaitée pour votre ordinateur, vous découvrirez peut-être que le coût total de cette valorisation est supérieur au prix d'un système entièrement nouveau. Vous découvrirez peut-être aussi que, même avec des améliorations supplémentaires, votre ordinateur n'arrive toujours pas à répondre à vos besoins. Quand la valorisation de votre ordinateur n'est pas pratique, vous pouvez envisager de passer à un autre système, c'est-à-dire d'acheter un nouvel ordinateur plus puissant.

En examinant les systèmes possibles, comparez chacun d'eux avec votre liste des spécifications. N'envisagez pas un système qui ne corresponde pas aux besoins minimum ou qui coûte plus que la limite que vous avez établie.

Ne vous laissez pas égarer par la littérature montrant un prix de système de base mais donnant la liste de ressources supplémentaires dont vous avez besoin comme étant "optionnelles". Recherchez les choses écrites en tout petit telles "moniteur et carte vidéo non inclus" ou "prix donné sans disque dur". Insistez sur un prix qui comprend le système de base, une copie du DOS et tous les éléments optionnels qui le font correspondre à vos spécifications.

Demandez si votre société, votre école ou votre organisme ont des facilités particulières avec un revendeur spécifique. Certains revendeurs font des réductions sans entente préalable.

La compatibilité logicielle est le test ultime. C'était réellement un problème il y a plusieurs années quand il y avait différents niveaux de compatibilité PC. Certains systèmes exécutaient des programmes génériques MS-DOS mais pas ceux qui étaient spécifiquement conçus pour l'IBM-PC. Un certain nombre d'ordinateurs exécutaient la plupart des programmes DOS mais avaient quelques problèmes avec quelques applications. Le test standard consistait à essayer Lotus 1-2-3 et Microsoft Flight Simulator ; s'il pouvait les exécuter, l'ordinateur était considéré comme étant compatible IBM.

Quelle que soit la garantie donnée par le vendeur, il est de votre responsabilité de vérifier que vous pouvez exécuter vos programmes avant d'acheter un ordinateur. Emmenez votre programme d'application dans le magasin ; installez-le et testez-le si nécessaire. Si le programme ne fonctionne pas, n'acceptez pas de vagues explications ni des promesses.

N'oubliez pas l'importance d'un système extensible. Vous procédez pour l'instant à une amélioration qu'il faudra peut-être recommencer dans le futur.

Que faire avec un vieux système

N'oubliez pas l'investissement que vous avez déjà fait pour votre ordinateur. Vous pouvez essayer de le vendre, l'échanger, le conserver ou le prêter à quelqu'un.

Pour vendre votre système, passez le mot à vos amis, rédigez une annonce pour un journal local, pour votre entreprise ou votre campus. Lisez les autres annonces pour connaître le prix sur le marché ou celui d'un nouveau système comparable. Les prix du PC chutant, les ordinateurs d'occasion ne se vendent pas bien. Après tout, vous pouvez trouver quelques nouveaux systèmes PC à disque dur avec un moniteur couleur pour quelques milliers de francs ; il ne faut donc pas compter vendre cher un PC à lecteur de disques souples d'occasion.

Vous pourrez peut-être échanger votre système contre un nouveau. Quelques fabricants et revendeurs ont des services d'échange bien qu'ils offrent généralement moins que ce que vous pouvez trouver sur le marché. L'échange vous évite le souci de rédiger des annonces et de traiter avec des acheteurs mais, si le problème d'argent est critique, vous avez généralement intérêt à vendre votre ordinateur vous-même.

Ensuite, vous pouvez toujours garder la machine en réserve pour un autre membre de la famille, surtout si le prix de revente ou l'échange ne semblent pas intéressants. L'ordinateur sera disponible si votre nouveau système tombe en panne et vous pourrez même piller ses lecteurs de disques ou ses puces mémoire. Si vous n'avez pas de place pour les deux ordinateurs, envisagez de le donner à une école ou à une autre institution. Vous obtiendrez une réduction d'impôt du montant équivalent au prix du marché et la gratification d'aider les autres.

Quelle que soit la manière dont vous disposez de votre ordinateur, n'oubliez pas les aspects légaux et éthiques liés à la vente ou au don de copies de logiciels. Vous pouvez légalement donner un programme si vous n'en conservez pas de copie. Laisser des copies de programmes sur le disque dur alors que vous gardez des copies sur disquettes revient à donner des copies et c'est illégal.

Achat du nouveau système

Lorsque votre décision est prise, achetez comptant ou non le nouveau système ; l'achat à crédit diminue votre mise initiale mais augmente le prix final. Sélectionnez le vendeur proposant la meilleure combinaison de prix et de services et qui va vous guider sur tous les points difficiles. Un vendeur compétent est une ressource de valeur inestimable mais certains vendeurs vous parleront malheureusement de service et d'assistance puis se trouveront à court quand vous en aurez réellement besoin. Consacrez du temps à écouter d'autres clients et essayez de savoir s'ils sont satisfaits. Demandez qui il faut appeler pour ces services. Existe-t-il une ligne directe pour l'assistance ? Si vous devez passer par un revendeur, qui contactez-vous en cas d'urgence ou quand le revendeur n'est pas là ?

Les sociétés de vente par correspondance sont une autre source où s'approvisionner. Certains sont des fabricants qui traitent directement avec le public. D'autres sont des sociétés qui assemblent des systèmes à partir de composants. Bon nombre d'entre eux sont des détaillants qui se spécialisent dans la vente par correspondance. Si le système correspond à vos exigences, la décision d'acheter par cet intermédiaire doit se baser sur vos besoins en matière de service et d'assistance après l'achat.

Les systèmes de vente par correspondance incluent des contrats de garantie honorés par des sociétés de service d'envergure nationale. Si vous avez un problème, vous pouvez appeler la société la plus proche ou amener le système à un centre de service agréé. Les systèmes qui doivent être renvoyés au fabricant ne sont pas aussi souhaitables. Sélectionnez toujours des vendeurs qui garantissent leurs produits et qui ont de préférence des numéros d'appel gratuits.

Quand votre système arrive, connectez-le comme cela est expliqué dans les Chapitres 1 et 2. Personnalisez le système en suivant les instructions des Chapitres 4 et 5 et, si nécessaire, configurez le disque dur comme vous l'avez vu dans le Chapitre 13. Si le besoin s'en fait sentir, vous êtes maintenant préparé à valoriser ou à étendre votre nouveau système avec une mémoire ou des lecteurs supplémentaires ou d'autres ressources.

INDEX

Index

Index

SYBEX

dans le monde entier

FRANCE
6-8, Impasse du Curé
75882 PARIS CEDEX 18
Tél. : (1) 42 09 95 95
Numéro Vert (appel gratuit) : 05 45 10 40
Télécopie : (1) 42 09 01 45
Telex : 211801F

U.S.A.
2021 Challenger Drive
Alameda - California 94501
Tél. : (510) 523 82 33
Télécopie : (510) 523 23 73
Telex : 336311

R.F.A.
Sybex Verlag Gmbh
Postfach 150361
Erkrather Straße 345-349
4000 Düsseldorf 1
Tél. : (211) 9739-0
Télécopie : (211) 9739-199

PAYS-BAS
Birkstraat 95
3761 CJ Soest
Tél. : (2155) 276 25
Télécopie : (2155) 265 56

distributeurs étrangers

BELGIQUE FRANCOPHONE
Presses de Belgique
117, boulevard de l'Europe
1301 Wawre
Tél. : (010) 41 59 66

SUISSE
Office du Livre
Case Postale 1061
CH-1701 Fribourg
Tél. : (37) 835 111

ESPAGNE
Diaz de Santos
Lagasca, 95
28008 Madrid

MAROC
SMER Diffusion
3, rue Ghazza
Rabat

BELGIQUE NEERLANDAISE
Wouters
Groenstraat, 178
B-3030 Heverlee
Tél. : (016) 23 38 96

CANADA
Diffulivre
817, rue Mac Caffrey
Saint-Laurent - Québec H4T 1N3
Tél. : (514) 738 29 11

PORTUGAL
Lidel
Rua D. Estefânia, 183, r/c.-Dto.
1096 Lisboa Codex

ALGERIE
E.N.A.L.
3, boulevard Zirout Youcef
Alger

TUNISIE & LYBIE
Librairie de l'Unité Africaine
14, rue Zarkoun
Tunis

SYBEX SARL au capital de 500 000 F - RC Paris B 305 418 436 000 47

Achevé d'imprimer le 27 août 1992 sur les presses de l'Imprimerie «La Source d'Or»
63200 Marsat - Dépôt légal : 3e trimestre 1992 - Imprimeur n° 4425